# 鹿王

## 下 回歸者

上橋菜穗子 著

詹慕如 譯

鹿の王（下）還って行く者

## 第七章——犬王



## 第八章——邊境之民

CONTENTS
目錄

## CONTENTS
## 目錄

# 主要登場人物

**凡恩** 故事主角。率領「獨角」對抗東乎瑠，戰敗後成為在阿卡法鹽礦工作的奴隸。
**悠娜** 凡恩在鹽礦撿到的孩子，個性活潑。
**多馬** 住在歐基的青年。受傷無法動彈時，得到凡恩出手相救。
**奧馬** 多馬的父親。
**季耶** 多馬的母親。被迫從東乎瑠移居到歐基。
**赫薩爾** 故事的另一位主角，是位天才醫術師。
**馬柯康** 赫薩爾的隨從。
**米拉兒** 赫薩爾的助手。
**利姆艾爾** 赫薩爾的祖父，曾救治罹患重病的東乎瑠皇妃，因而成為知名醫術師。
**托馬索爾** 赫薩爾的姊夫，歐塔瓦爾深學院「生類院」院長。
**席康** 托馬索爾的助手，是出身猶加塔平原的「火馬之民」。
**阿卡法王** 被東乎瑠征服的阿卡法之王，曾立誓臣服於東乎瑠。
**絲露米娜** 阿卡法之王的侄女，也是東乎瑠權貴──與多瑠之妻。
**多力姆** 有「阿卡法的活字典」之稱，是阿卡法王的左右手。

**麻盧吉** 追蹤獵人的首領。

**莎耶** 麻盧吉的女兒。即使以追蹤獵人的標準來看，也是位技術精湛的能手。

**蘇厄盧** 靈主。可讓靈魂乘著渡鴉飛翔，是位住在「由米達之森」的老人。

**那多瑠** 東乎瑠帝國皇帝。由於利姆艾爾曾救過皇妃一命，因此深深信賴他。

**王幡侯** 東乎瑠帝國阿卡法領主。曾因赫薩爾的治療而活命。

**迂多瑠** 王幡侯的長子，是個既傲慢又強勢的人。

**與多瑠** 王幡侯的次子，後來娶阿卡法王的侄女絲露米娜為妻。

**呂那** 王幡領的祭司醫長。

**肯諾伊** 「火馬之民」過去的族長，現在被稱為「犬王」。

**傲梵** 肯諾伊之子，「火馬之民」現任族長。

# 第七章　犬王

## 一　女人的懷抱

隔著眼皮，凡恩感覺到朦朧的光線。

他低聲呻吟，撐開被眼垢黏住的眼簾，看見散發著點點火星、正在燃燒的火堆。

凡恩深吸了一口氣，身體覺得很疲倦。

「……你沒事吧？」

聲音從火堆對面傳來，一名女子坐在倒在地上的樹幹，看著這裡。

凡恩盯著那個人的臉，腦中慢慢浮現出「莎耶」這個名字。他想開口，卻發不出聲音。

莎耶站起來，將手伸向身旁的木頭，拿起了什麼東西。

她繞過火堆走近凡恩，在他身旁屈膝蹲下，輕輕將手放到他脖子後面，抱起他，把冰涼的「什麼」放在凡恩唇邊。

是雪。飄落在葉片上的乾淨積雪。凡恩伸出舌頭，將雪含在口中，雪在他因發燒而腫脹的嘴裡融化，舒暢的冰涼感讓呼吸稍微輕鬆了些。

「……謝、謝。」

凡恩輕聲道了謝，莎耶點點頭，就這樣抱起他的上半身，朝向火堆。這女人的身形雖然纖瘦，不過用這種姿勢抱著凡恩，看起來卻一點也不費力的樣子。

被一個認識還不久的女人抱在懷中，讓凡恩有些難爲情，可是這麼一來，原本冰冷僵硬的身體變得暖和許多，確實舒服了些。

腦袋中心有股麻痺感，眼前一切事物莫名覺得遙遠。

看著火星點點飛散的火堆，凡恩沒來由地想，這是父親的火堆。父親很懂得生火技巧，就算積雪很深，沒有「火床」，也有辦法點起熊熊火堆。

在雪地生火非常困難，就算能點起火，也往往會因爲融雪而打濕薪柴。

——這種時候呢，要先砍樺樹。

父親好幾次這麼說著，實際示範給凡恩看。

砍倒樺樹後，用柴刀在樹葉特別密集的地方刻下刀痕，然後再把油脂特別多的樺樹皮仔細插進其中，點火，這樣就能巧妙地讓整棵樹幹變成「火床」。

知易行難，父親雖然教會自己生火的技巧，但要模仿並不簡單。

這個人卻在眼前升起了一堆完美的火。

想著這些事，大腦麻痺的感覺逐漸退去，之前的記憶彷彿散落在黑暗深處的碎片逐漸聚集在一起，漸漸恢復了。

他腦中突然浮現自己原本的目的，一股針刺般的痛楚掠過胸中。

「……悠娜。」

他輕喊了一聲，企圖使力讓身體動起來。

「我昏迷多久了？」

「沒太久，現在還是半夜。」

莎耶在他後方安靜地回答。

「既然你這麼快就恢復意識，那被箭擦傷的肩膀，應該也不怎麼麻了吧？」

聽她這麼說，凡恩試著握了握左手，確實，麻痺感已經淡去。不過，還有一種握棉花般的不踏實感。

凡恩握拳，打開，又握了一次，再張開。這時，他心裡開始感到些微異樣。

（……這個人，到底是誰？）

他眼中浮現莎耶站在懸崖上的身影。

在浴場見到她時，只覺得是極其普通的遊牧女子，可是，他不認為一名遊牧女子在那種狀況下，能當機立斷地將火箭射向北藪樹。

再加上她剛剛那番話——這女人對箭毒很熟悉。

凡恩的疑心漸濃，在胸中膨脹。

抱著凡恩的莎耶，雙手從他腋下伸入，撐住他的腹部附近。凡恩小心舉起手不讓她發現，正打算抓住莎耶的手，但那隻原來放在腋下的手瞬間抬高繞到他後頸，才一眨眼，凡恩的雙手已被反剪固定在背後。

女人的力量看似沒什麼大不了，但她卻能巧妙地控制住他的關節。

「請別亂動，我戒指裡裝了毒針。」

有個硬物碰觸到凡恩的後頸。那就是她所謂的戒指嗎？用蠻力的話，或許能掙脫得開，但他不想冒著被毒針刺到的危險。

「妳到底是誰？為什麼要做這種事？」

喉嚨受到壓迫，很難發出聲音。他從緊咬的牙關之間吐出這句話。

莎耶低聲回答：

「我是墨爾法。」

「墨爾法……」

他聽說過這幾個字，是好久以前聽過的。凡恩從記憶深處撈出和這幾個字相關的知識，輕聲問：

「阿卡法王……之網？」

他聽見背後小小的嘆息聲。

「沒錯。」

凡恩的臉皺成一團，因爲他完全摸不清頭緒。

「阿卡法王的密探爲什麼要對我……」

莎耶的氣息就在自己耳邊，周圍只聽得到她的呼吸聲。

凡恩正想著對方或許不想回答時，她低沉的聲音卻跟著響起：

「我受命去追蹤唯一從鹽礦活著逃走的奴隸。」

「怎麼可能」和「果然沒錯」的想法，在凡恩腦中交疊，層層疑慮越疊越高。凡恩緊咬著牙。只不過是一個逃亡奴隸，她竟然花了這麼長的時間不斷追索……

還有，前來追蹤的不是東乎瑠的人，而是墨爾法，這一點也讓他不解。

「阿卡法王爲什麼要找我？爲了討好東乎瑠嗎？」

「不是。」

莎耶呢喃般說著：

「……還有更複雜的內情。」

說到這裡，也不知為什麼，莎耶又沉默了下來。

寂靜之中，一個疑問突然浮現在腦中。凡恩皺著眉頭。

「……如果妳想抓我，為什麼不趁我中箭毒時把我綁起來呢？」

凡恩喃喃說著。

莎耶心裡一陣動搖。

接著她突然放開了手，離開凡恩身邊。

溫暖的女人身體一離開，寒意頓時撫過潮濕的背和後頸，凡恩打了一陣哆嗦。

莎耶站在凡恩伸手無法觸及的位置，低頭看著他。

在火光的照耀下，她臉上浮現出令人意外的苦惱神情。

有短短一瞬間，莎耶欲言又止地凝視著凡恩。但她馬上別過視線，走進黑暗的樹林深處。

她踩著積了薄雪的草叢離開，腳步聲消失後，附近又陷入一片深深的寂靜。

凡恩呆望著那片沉入黑暗的樹林。

心裡有種徹頭徹尾敗下陣來的失落感。

他有股衝動，想出聲把那女人叫回來，但他在最後關頭緊握住拳頭，壓下這莫名的心情。

怎麼能把追查他的人叫回來？

她可能是去找同夥，最好趁現在馬上離開這裡——這些念頭接二連三掠過腦海，但凡恩的身體並沒有移動。

如果對方想抓住他，有的是機會。在這種狀態下丟下他不管，不是等於叫他快逃嗎？

（難道她以為我逃不了？）

或許吧。她知道他正在找悠娜。

對方是素以優異追蹤技巧聞名的墨爾法之女。她可能認爲，就算現在把他留下，要追蹤到他也是輕而易舉的吧。

（但是……）

心裡還是有許多疑問——她的目的到底是什麼？

混亂的問題猶如一個接著一個不斷浮現的泡泡。

阿卡法王處於東乎瑠帝國王幡侯的管理之下，阿卡法鹽礦也已經不是阿卡法的財產，她沒有理由要追蹤從鹽礦逃跑的奴隸。

最容易理解的原因，就是她想抓住曾經殺害東乎瑠武將的獨角首領，也就是從鹽礦逃走的他，獻給東乎瑠，藉此表示阿卡法並無謀反之意；但還是很不自然。凡恩並不認爲自己有那麼大的價值，足以讓墨爾法花這麼長時間不斷追蹤。

莎耶痛苦的聲音，再次在耳中甦醒。

——還有更複雜的內情。

凡恩表情苦澀。

他覺得女人那雙心裡藏著祕密卻無法說出口的眼睛，現在仍注視著自己。

（爲什麼要救我？）

如果這兩年來，她一直在追蹤他，那麼這過程中的辛苦自然非比尋常。

苦苦追求的獵物，明明毫無抵抗能力地躺在眼前，那女人爲什麼只是坐在木頭上盯著看，直到他甦醒？

她餵食冰雪的手指、擁抱自己的姿勢，還有她的眼神……每一項都不符合她口中的話語。

凡恩把臉埋在掌中。

他正被某種看不見的力量綑綁住，幾重絲線纏繞其上，往不同方向用力拉扯，卻看不見拉扯絲線者的表情。

（……悠娜。）

悠娜現在人在哪裡？在什麼地方度過這麼寒冷的夜晚？是不是害怕得哭泣？一想到這裡，凡恩便坐立難安。

對於裝出善良純樸的模樣，卻狡猾擄走悠娜的納卡，凡恩心裡燃起一陣憎惡。

（爲什麼要擄走那孩子？）

當凡恩腦中浮現爲了擄走悠娜，而將他牽制在別處的半仔們，心下突然一驚，雙手離開眼前。

（半仔……）

彷彿一陣電光乍然閃過。

阿卡法鹽礦、活下來的自己和悠娜、擄走悠娜的納卡——這一切都跟那些半仔有關。

他不知道是誰、出於什麼目的擺布著自己。但那目的可能不是爲了要他的命。如果眞想殺他，機會多得是。

（反而更像是……）

突然浮現在腦海的答案，讓凡恩一陣驚愕。

（難道苟延殘喘沒有死於那個地獄，就是我們的價値所在嗎？）

沒入黑暗的森林裡，從遙遠某處傳來急促尖細的鳥鳴。

# 二　尋找悠娜

樹枝看起來仍只是黑色暗影，但透過樹枝和樹枝的縫隙所看見的天空，卻逐漸泛白。天要亮了。

凡恩嘆了口氣，摸摸臉，鬍碴摩擦著掌心。

（……差不多該走了。）

不斷重複淺睡和清醒，讓頭覺得很沉重，但是身體幾乎沒有麻痺的感覺了。

現在還能找到抱走悠娜的納卡留下的腳印嗎？雪似乎在半夜停了，但足印可能已被埋在雪下。

凡恩站起身，一邊想著該怎麼追蹤，一邊在嘴裡含了一口積在葉片上的雪，突然想起莎耶手指的氣味。

那個人在哪裡度過餘下的夜晚呢？

莎耶離開的鞋印還很新，看得相當清楚。

（……要不要去追她呢？）

如果她跟擄走悠娜的那些人是同夥，這道足跡或許就是引誘他走向陷阱的路標；只不過，他也沒有其他能找到悠娜的線索。

凡恩繞到火堆對面，撿起柴刀。

主動走向陷阱雖然讓他不安，但他毫不猶豫。

歐蹌！他彷彿聽到悠娜這麼呼喊自己的聲音。

握著柴刀刀柄，凡恩用獵人的眼睛凝視著地上的草叢，慢慢追蹤起那道痕跡。

一開始追蹤，凡恩馬上發現，這些清晰的腳印是莎耶故意留下的，遍布四處的痕跡簡直就像在告訴他：這是陷阱。

難道莎耶明知凡恩會發現這些不自然，還故意這麼做？

他覺得對方好像在問自己：明知這是陷阱，還是要尋找悠娜嗎？

（是在考驗我的覺悟嗎？）

爲什麼那個女人要做這種事？

（或者她只是單純在引導我？）

莎耶的足跡旁，必然伴隨一個看似納卡的男性雪靴痕跡。

果然，莎耶在追蹤納卡的腳印。這麼說來，莎耶是以她身爲墨爾法的雙眼發現納卡走過的痕跡，並特地爲了之後追來的凡恩，留下醒目的足印。

凡恩發現自己內心深處希望相信莎耶是善意的，不禁繃緊了表情——如果因天眞期待而蒙蔽了雙眼，勢必會栽進陷阱裡。

莎耶在引導凡恩，引導他前往悠娜被擄走的地點，這一點確實沒錯，但他不明白其中的意義。

而納卡的足印看起來也並沒有試圖隱藏的跡象，甚至像是希望被追上一樣，刻意在不會被新降下的雪覆蓋的樹下等地方，留下清晰的鞋印。

她用微弱的箭毒讓他沉睡，拉開足夠距離，以確保不會在中途就被追上；但另一方面，卻又留下了明顯的痕跡。

（這到底是爲什麼？）

他們爲什麼要這麼做？有什麼理由，需要這麼大費周章？

兩天來，凡恩不斷追蹤足跡。到了第三天，他暫時停止追蹤，靠著打獵吃了許多肉，因爲吃肉能讓身體變得溫暖。第四天清晨，他感覺身體又湧現新的力氣，於是滅了火堆，站起身來，再次開始追蹤。

隨著太陽升起，清朗的光線逐漸擴散在樹木之間。

每當鳥兒們此起彼落地在枝頭鳴叫、跳躍，就會有小小的融雪跟著滴下來。狐狸撥開積在山白竹上的薄雪，低身穿過。

就在森林充滿著早晨明亮的色彩時，莎耶的足跡突然跟納卡的分開。凡恩馬上知道理由何在，因爲他聞到煙的味道。

他抬起頭，凝神望去，在樹林的另一端看見了某樣東西。

（帳篷？）

那帳篷的顏色巧妙地和樹木與草叢的色彩融合在一起，並不容易辨識，但絕對沒錯。在那片樹林的彼端有帳篷，而且還不止一、兩座。等眼睛漸漸習慣後，他看見那裡張著許多座帳篷。

凡恩的表情緊繃。

這裡就是終點嗎？納卡就是爲了讓他接近這裡，才擄走悠娜的嗎？

他聞到狗的味道，也聽到狗叫聲。這裡飄著煙的味道，還有許多人正忙於清晨工作的氣息。

在這種狀況下，不可能不被對方發現而接近，要是沒有狗的話，那還另當別論；如果對方有獵犬，就算等到晚上，接近時還是會被發現。

身邊沒有同伴，也沒有多餘時間思考策略。

（……只有一個辦法了。）

凡恩靜靜吸了口氣，開始走向帳篷。

開始前進不久，他就感受到一股從四面八方湧上的神祕氣息。並不是從帳篷，而是從森林深處傳來的。

鼻子猛然嗅到一股野獸的味道。

聞到那味道，鼻腔深處那熟悉的感覺又油然而生。

（來了嗎？）

是半仔，那野獸又來了。

我的身體也對那野獸產生反應，正要變成野獸……

凡恩猶豫了片刻，但馬上下定了決心。他決定將身體交給如波浪般漸漸滿溢的腥臭感。拋棄語言、拋棄人心，但可以換取野獸的眼、耳、鼻，還有不須思考就能行動的身體。

那種莫名的感覺從鼻尖傳到腦中，眼前的風景驟然一變。

凡恩再次睜開眼，噘起嘴唇，發出低吼。

半仔們停下了。

但牠們並不是受命停下的——牠們驟然一驚，停下腳步，低垂的尾巴夾在雙腿間。

凡恩一接近，半仔們便一步步往後退。

在這個一切色彩消失、所有物體的輪廓都只剩下濃淡不同的灰階世界裡，聲音和味道成爲異樣的存在，進逼而來。

另外，還有一點。在天上和地下，彷彿有無數條眼睛看不見，卻不斷脈動的絲線，讓他覺得自己跟一切都有所連結。

每當凡恩往前走，那張由看不見的線所織的網，便會隨之凹陷，4仔們受到這張網的壓迫，逐漸後退。

突然間，那張網有了幾道微小波浪，凡恩抬高鼻子。

是人的味道。

他聞到男人們的味道，還有馬的嗆鼻味道——但卻感覺不到馬的存在。男人們從帳篷那邊走來。金屬的味道。是男人們手裡持的槍尖所散發出的惱人氣味。

「……」

聽到聲音了。他們正在說著什麼。凡恩專注地凝視走近的男人們，傾聽他們的聲音。

「……缺……角凡恩。」

聽到這個名字時，野獸的感覺開始淡去。味道和聲音漸漸淡薄，世界的色彩又回來了。

那些身上斜裹著鮮紅色肩布、手裡持槍的男人們大步走過來。

男人們在長槍足以攻擊、但柴刀無法觸及的距離外看著凡恩，全身都散發出強壯戰士的冰冷威嚇感。

奇怪的是，凡恩並不覺得害怕。

（……好想咬。）

他突然起了這個念頭。

從鼻腔深處直至腦門，都感受到那股強烈的可疑臭味。

腦中閃過一個幻影，在紅色霧靄的另一邊好像可以看到什麼，但隨即又消失不見。爲了不輸給那令人暈眩的凶暴衝動，凡恩拚命緊咬牙關。

（我越來越奇怪……）

凡恩覺得好像有兩個不一樣的自我，非常詭異。

一個是想撲上前去啃咬他們、被這股衝動驅使的自己；另一個則是對這樣的自己感到怪異的自己。兩個自我正激烈地彼此撞擊。

太陽穴附近劇烈搏動著，耳朵深處還可以聽到血液流動的聲音。

凡恩深深吸了一口氣，閉上眼睛，等待這股讓全身爲之動搖的衝動退去。

他用盡全力，想平息體內這股逐漸膨脹的凶暴力量，肩膀、手臂、腰際都不自覺微微顫抖起來。

身體深處傳來一個彷彿來自遠方的微小聲音。

（……不能咬、不能咬、不能咬……咬了就會被他們殺掉。）

他低下頭，將注意力集中在那個微小的聲音上。

那聲音就像一根拐杖，爲了不輸給這有如暴風般動搖身體的衝擊，他拚命緊靠著這唯一的拐杖——不能殺人。只要殺了一個，就再也無法停止，會想殺光所有的人。

「……缺角凡恩。」

聽到對方的聲音，凡恩慢慢張開眼睛。

在搖晃的視野中，終於，他再次清楚看見站在眼前的男人們。

接著，彷彿魔咒解除般，牛仔打了個哆嗦，轉身奔進森林中。

不知爲何，目送牛仔們離去的戰士，眼裡竟浮現出安心和歡喜的神色。

在這些戰士中央，有個男人向前跨了一步——一頭白髮就像鬃毛般披在背上，隨風飛揚。他用嘶啞的聲音說道：

「你是『獨角』的首領吧，我等你很久了。」

## 三　傲梵

凡恩被帶到一處比其他帳篷大約一倍的帳篷。對方拿走凡恩的柴刀，並讓他卸下武裝後，領他進了那座帳篷。他們對待凡恩的態度既不粗暴，但也說不上客氣。

帳篷中央有座炕爐，正面懸掛著一面大大的旗幟，旗幟上繡著一隻宛如火焰般的紅馬，正高舉兩隻前腳，用後腳站立，彷彿隨時就要拔腿奔出。

炕爐四周放著三把低矮的椅子。

白髮老戰士繞到火爐對面，背對著旗幟坐下，一位壯年男子和一位年輕男性則分別坐在兩邊椅子。大概是他的兒孫或侄子和侄孫吧，無論如何應該都是老戰士的親戚。他們長得非常像。

其他的戰士們將槍放在帳篷外的槍架上，手按著短劍劍柄走進來，在凡恩背後排成一列。

老戰士抬頭看著凡恩，要他入座，但凡恩並沒有前進，只是站在原地，低頭看著老人。

背後的戰士不耐煩地趨前一步，手放在凡恩肩膀上，想逼他坐下。那瞬間，凡恩身體一低。出奇不意的動作讓對方的身體失去平衡。凡恩抓住那人的手，一口氣將他往下拉，反手抓住手腕，再踩住他的後頸。

「……別動。」

背後的戰士們拔出短劍，凡恩制止他們。

「你們一動，我就踩斷這傢伙的脖子。」

戰士們停下了動作，但坐在正面的白髮老戰士，卻面不改色地盯著凡恩。

老戰士的嘴角微微上揚。

「那就殺了他吧。掉以輕心的傢伙死不足惜。在這裡的人，沒有一個人會變成人質。」

看到老戰士眼中的冰冷，凡恩胸口頓時有種毛蟲爬過的噁心感。

凡恩抓住那男人的手臂，用力一扭，手便脫臼了。

那男子翻了個白眼，痛苦慘叫出聲。

叫聲還沒消失，凡恩便跳過炕爐，用單手抓住老戰士瞪大眼睛的臉，再控制住對方的慣用手，將他制伏。

凡恩將老戰士的臉壓在地上的墊布，用膝蓋抵著背部的要害，環視著其他戰士。

「……沒有人會變成人質，眞的嗎？」

戰士們看似面無表情，但是眼裡都有藏不住的動搖。

戰士們的視線往同一個方向動了動，卻又很快拉了回來。凡恩的眼角感受到他們不自然的舉動，略略皺起眉頭。

至於被他制伏的老戰士，嘴角一邊淌著唾液，一邊嘶啞地大叫：殺吧！

「你剛剛叫我『獨角』。」

凡恩一邊盯著眼前這群男人，一邊問。

「既然知道這一點，那麼應該也知道我另一個綽號吧？」

有個看來像老戰士兒子的男人抽動著半邊臉。凡恩看著那人，接著又說：

「我向來最討厭把士兵的生命當成自己私人物品的傢伙。要殺，就要從首領開始殺。」

像是老戰士兒子的男人微微吸了口氣，開口：

「……就算你殺了我父親，我也不會答應你任何要求。而且，你養女的命可能不保。」

凡恩的嘴角一鬆。

「要是殺了那孩子，你們就再也沒有能控制我的繩索。我雖然不知道爲什麼，但你們已經費了這麼大工夫，這樣眞的好嗎？如果你們眞敢動手，我也會豁出去。」

凡恩收起笑容。

「假如我再也無法把那孩子抱在懷裡，那不如洩完憤後一死了之……反正我這條命是撿回來的。我會先殺了你們，屆時到了地下，見到先走的弟兄們，還能當成話題閒聊呢。」

說出這段話的瞬間，凡恩突然覺得這個選擇也不錯，殺伐之心漸漸擴散在心裡。

老戰士兒子的眉心瞬間泛白。

這時，右邊傳來一個尖細的聲音。

「……請等一等。」

凡恩轉過去，一位跟老戰士長得很像的年輕人，正張開雙手從椅子上站起來。

「歐頌，你坐下！」

老戰士的兒子不耐煩地怒吼，但那個被喚做「歐頌」的年輕人並沒有轉過頭。他凝視著凡恩，站起身來。

「身爲小輩的我這麼做，手腳可能會先被打斷吧……」

那年輕人儘管臉色蒼白，聲音也顫抖著，但依然繼續往下說。

「就算會遭此下場，我還是要告訴你，沒有什麼比大義更重要。如果是爲了大義，我們的生命隨時可以捨棄——關於我們的無禮，我向您道歉，但請您先收起怒氣，聽聽我們的說法。」

凡恩看著年輕人。

「讓我憤怒的不是你們的無禮。」

他平靜地說，年輕人聽了彷彿很意外，睜大雙眼。

凡恩看著那張稚氣尚存的臉。

「你們到底找我有什麼事？你們是爲了引我來，才擄走那孩子的吧？」

年輕人眨眨眼睛。

「……對，沒錯。」

凡恩用毫無起伏的聲音說道：

「我既不知道什麼大義，你們不要自己的命也是你們的事；但我的命是我自己的，那孩子的命也是她的，你們沒有資格替我們決定生死。

「讓我感到憤怒的是你，還有這個在我手下流著口水的老頭！你們竟然認爲可以隨便利用一個毫無關係的孩子性命！而且你們連這種理所當然的道理都不懂！」

一片寂靜的帳篷中，只有老戰士呼吸的聲音惱人地迴響著。

凡恩睜大雙眼，瞪著靜靜佇立在帳篷一角的戰士。

「有事找我，就光明正大地來，面對面報上自己的名字，直說就好了。這麼簡單的事，爲什麼辦不到？」

那戰士驚訝地睜大了眼。

他也回望著凡恩好一會兒，然後終於開了口。

「爲什麼對我說？」

凡恩沒理會他的問題，抓起老戰士的頭，往地毯上就是狠狠一敲。一聲鈍音響起，老戰士發出呻吟。

凡恩放開老戰士的身體，拍拍雙手，站起來，伸個懶腰。

接著，他轉向那名站在帳篷一角的戰士，平靜地說：

「是我先問問題的。」

那戰士臉上漸漸綻放出微笑。

目前為止那如同其他士兵的低調表情頓時消失，取而代之的，是一張傲慢強勢的臉。

「……原來如此，『獨角』的首領果然不是簡單人物。」

那男人環望著周圍其他人，浮現苦笑。

「誰叫你只要一有動作，這些傢伙就會看我的臉色……算了，這也沒辦法。事已至此，就別再兜圈子，我們從頭來過吧。」

那男人搖搖頭，脖頸發出喀啦聲響，他往前跨出一步，跟凡恩面對面。

接著，他用那對閃著鈍光的眼睛盯著凡恩。

「我是火馬之民的族長——傲梵。」

他的年紀大概二十七、八歲吧，這個體格健壯的男人有一對靈活的大眼睛。

凡恩沉默，只是看著那自稱傲梵的男人。

傲梵彷彿也不以為意，接著說：

「擄走小孩確實是個卑鄙手段，也難怪你會生氣。但我們這麼做是有原因的。假如能摸清你這男人的斤兩，也不需要這麼費工夫了。」

凡恩瞇起眼。

「……斤兩？」

傲梵發現他聲音裡的怒氣，連忙舉起手來。

「我這樣說眞是太沒禮貌了，我向你道歉。但我們確實想觀察你，畢竟你跟那些東乎瑠移住民住在一起啊。」

傲梵還想繼續說下去，但似乎又改變了心意，他請凡恩坐下。

「說來話長，先坐下吧。我也想坐著。」

那個叫歐頌的年輕人像是從椅子上彈起來似的，將自己的座位讓給凡恩；白髮戰士的兒子也將自己的位置讓給傲梵。

傲梵穩穩坐在椅子上，對老戰士的兒子說：

「辛苦了，去照顧你父親跟歐頌吧。」

老戰士的兒子似乎爲自己的失態感到很難爲情，他垂著頭微微點了點，小聲對歐頌說了幾句話，然後抱起摀著額頭的老戰士，帶到角落讓老戰士睡下。

至於被凡恩扭斷了胳膊的男人，則被夥伴們抱著離開帳篷。

等到帳篷裡又恢復平靜，傲梵回頭看看背後的戰士，做了個倒酒的姿勢。戰士俐落地從帳篷角落拿來酒壺和兩只酒杯。

傲梵將一只酒杯交給凡恩，在自己和凡恩的杯中都倒了酒。

「這杯酒象徵從頭來過。來，喝吧。」

說完後，他一口氣乾了。

凡恩也將杯子拿近唇邊。大概是馬奶酒吧。白濁的酒有些刮舌，就這樣通過喉嚨。

傲梵馬上又倒了第二杯，轉頭看了另一個戰士：

「喂，去拿點吃的過來。」

站在門邊的戰士鞠了躬，立刻走向外面。

等那位戰士離開後，傲梵這才面對凡恩。

「好，該從何說起呢？」

傲梵像是自言自語般，說完後又閉上嘴。

他也不知道在思考什麼，有很長一段時間什麼也沒說，只是看著凡恩的臉。最後，他撇了撇嘴角。

「原來你就是『缺角凡恩』，神出鬼沒的飛鹿騎士，讓東乎瑠那些畜牲傷透腦筋的男人……我本來還在想，不知道你是個怎樣的人；原來見過地獄的男人是這種長相啊。」

傲梵的笑意更深。

「我們手中明明握有人質，而且你還處於這種孤立無援的狀態，沒想到竟然主動開口跟我交涉。」

傲梵臉上的笑意瞬間消失。

「不過那張決定性的王牌，還是握在我手中。」

傲梵眼睛裡浮現冰冷的光芒，跟剛剛那位白髮老戰士的眼神又不同；是一種徹底的冰冷。

「你剛剛誇口如果不能再抱那孩子，就要殺了我們，然後赴死。我並不認爲你是在虛張聲勢。

「因爲你的臉上寫著虛無……只要退一步，就會跌進黑暗深淵的那種虛無。我想，掉進深淵時，你應該不會發出任何叫聲吧，甚至還會露出安心的表情……」

傲梵嘴巴微張，低聲說道：

「儘管如此，你還是很疼愛那個孩子對吧？要是一口氣被殺也就算了，你忍心看到她被削耳、割鼻、斷腸，痛苦至死嗎？」

凡恩盯著傲梵，看著他帶有微微笑意的冰冷雙眼。

「你到底是什麼人？」

凡恩低聲詢問。頓了頓，又說：

「我不認爲你會做出這麼殘酷的事。」

傲梵眨眨眼，眼角擠出些皺紋。

他沉默了一會兒，深深嘆了一口氣。

「我心裡有個目標，不管用多麼殘酷的手段，都非達到不可。」

凡恩無言地凝視著他閃著鈍光的眼睛。

突然，傲梵丟下杯子，站了起來。

「來，我有東西要讓你看。」

## 四　雪原的火馬

森林裡，白色的光線在樹木如針般的葉隙間閃動跳躍。

離開帳篷後，傲梵挑了一條已鏟完雪的路走。

早上已經開始幹活的人們停下了手邊的工作，盯著大步走去的傲梵和跟在他身後的男人們。他們眼裡浮現的並不是看見異邦人的好奇，而是彷彿深切祈求般的急迫眼光。所有人似乎都散發著無言的祈願，縈繞不去。

孩子們的天真，稍稍緩和了這異樣的沉重氣氛。

他們用好奇的視線仰望著父母親，淘氣地戳弄彼此，有時被同伴一推，踉蹌了幾步的孩子，還會發出刻意壓低的笑聲。

放養的雞隻則完全沒把這些人的動向放在眼裡，自顧自地四處走著，不斷在鋪著白雪的地面上輕啄翻找。

炊煮食物的香味中，還混雜著嗆鼻的煙味，以及白雪、濕泥和家畜的味道，就這樣飄散在空中。這是冬天聚落的味道。

凡恩突然想起小時候，母親經常帶自己到阿姨婆家的聚落。那是一個位於深山的小聚落，直到春天仍殘雪未消，那裡就有類似的氣味。

聞到陌生氣息的獵犬們興奮不已，齜牙咧嘴，不斷低吼，但並沒有撲上前來。

（……還馴養得真聽話。）

不管是獵犬的毛流、長相，或是豎耳擺尾的方式，都是能讓獵人一眼傾心的精良獵犬。

傲梵已穿過聚落，正要走入森林中。

凡恩慢慢跟在後頭，和大步往前走的傲梵之間漸漸拉開距離。凡恩知道守在身後的戰士們很不耐煩，但並沒有加快腳步，因爲他想了解這附近的地形。

在這片混雜著針葉樹和闊葉樹的陰暗森林中，偶爾會感受到人的氣息。遠方還會傳來狗叫聲，可能是有人在森林裡打獵吧。

這片森林讓他覺得很熟悉，甚至有種懷念的感覺，彷彿繼續走下去，就可以看見故鄉的家園。

森林中連綿的道路如獸道般狹窄，但看樣子時常有人行經這條路，路面的雪都被踏實了。

這條微微上坡的道路終於中斷，眼前驟然出現一片藍天。

這片光景牢牢抓住凡恩的視線。

那是一片遼闊的雪原。

一看到這片雪原邊緣的山群，凡恩喉頭一熱：那是夢裡曾見過的故鄉山群。

（那是烏卡喇岳！這麼說來，這裡就是猶拉伊卡平原囉……）

沒想到自己竟然身在這裡，讓凡恩訝異得無法自已。

眼下這片草原位於土迦山地的東端，只要花上一天時間，就能從這裡回到故鄉。

（難怪我從剛剛開始就有種熟悉的感覺。）

喉頭一陣溫熱，並且漸漸擴散到鼻腔深處。

那邊就是故鄉。那裡有孕育自己的山河，還有跟父母兄弟、許多朋友共同生活的時光，以及與妻子相遇、和兒子共同生活的日子。

他突然覺得，好像嗅到自己那幢小小房子的味道。

爐子裡閃動的火光，溫柔地照著在爐邊說話的妻子和兒子。凡恩眼前浮現那讓人懷念的小屋，一股淒楚宛如撲面而來的海浪，擠壓著他的胸口，一時令人無法呼吸。

現在就算回到山的那一邊，那個家也已經不存在了。儘管知道這個事實，凡恩還是控制不住自己，強烈的思鄉之情讓他忍不住揪緊胸口。

凡恩深吸一口氣。

夏日綠草如蔭的猶拉伊卡平原上，現在覆蓋了一層白雪。

在那片原野上聚集了零星幾群紅色的動物，看來正刨著薄薄的雪，想挖出下方的草來吃。

傲梵的身影消失在岩石之間。大概是有條通往崖下的道路吧。凡恩一轉頭，戰士們用眼神示意他跟在傲梵身後。

他們的開朗讓凡恩訝異。

剛才那種抑鬱不耐的表情頓時煙消雲散。他們就像即將出門遠行的少年一樣，臉上滿是藏不住的喜悅，煥發著光采。

凡恩踩著處處仍留有殘雪的岩石，步下崖道來到雪原上。傲梵回頭，就連他也是一臉開朗暢快的樣子。

傲梵揚起眉，突然一笑，又將視線拉回雪原。他將手放在嘴邊，大大發出「喝！」的聲音。喝！喝！響亮地叫了好幾次。

那聲音傳遍遠方，散落在遠處的紅色獸群開始有了動靜。

有如散落在白色原野上的火花。

其中一頭將夥伴遠遠甩在後方，奮力奔來。牠有著流麗的身體曲線，全身散發充沛精力。

凡恩起了一陣雞皮疙瘩。

當眼睛漸漸習慣雪原眩目的反光後，凡恩才知道，那些漸漸走近的動物其實是馬；雖然知道，但他不敢相信眼前所見。

（真的是馬嗎？）

雖然比一般的馬小了一圈，但牠們四肢結實，渾身充滿力量。

那毛髮之美幾乎沒有其他東西足以比擬，身體只要稍有動靜，紅色的豔亮光澤便會如波浪般撫過牠們的背。

凡恩無聲地盯著這些從雪原馳騁而來的美麗馬匹。

馬筆直地跑到傲梵身邊，像個開心至極的孩子，用鼻子蹭著傲梵胸口。

「喂，喂！」

傲梵笑著抱住馬脖子，將手伸進馬鬃裡，撫摸那結實強壯的頭。

傲梵回過頭問：

「很美吧？」

凡恩點點頭。

傲梵笑了。

「這傢伙可不只是美，牠還很快。對吧，火花，你最棒了。沒錯，你是最棒的。」

那匹馬似乎知道自己正受到稱讚，牠鼓起鼻翼，驕傲地昂首。

戰士們紛紛喚來自己的愛馬，一時之間，聲音甚至大到聽不見彼此的說話聲，但傲梵非但沒責罵他們，反而寬容地微笑，聽著他們的呼喚聲。

接收到呼喚的馬群奔馳過來。

看到戰士們迎接愛馬的側臉，凡恩突然想起已經去世的兄弟們，胸口又是一揪。他們迎接自己的飛鹿時，臉上也是這種表情……

每當看到回應自己的叫聲而揚起頭、離開夥伴奔上前來的飛鹿，心中就會瀰漫一股幸福。沐浴在陽光下的鹿散發著好聞的味道，晶亮黑眼珠筆直凝視著自己。

此刻，這些年輕戰士的聲音，也讓他回想起老夥伴們的笑聲。

跑過來的馬全都無比精悍。

但沒有一匹比得上傲梵愛馬那奪目的光輝。傲梵稱讚牠最棒，不單純是因為喜愛，而是不爭的事實。

男人們紛紛溫柔地對愛馬說起話來、撫摸牠們的鼻子，確認四肢及身體狀況。大家都忘了凡恩就在身旁，只顧著撫摸馬、聊著馬的一切。

凡恩心想，就算現在往後退一兩步，消失在山崖小徑上，可能也不會有人發現吧。他不禁一陣苦笑。

凡恩和傲梵正好四目相對。傲梵抬起眉，五官因難為情而有些扭曲。

「……飛鹿，腰應該比馬還窄吧？」

為了掩飾自己的害臊而開口的傲梵，聲音裡聽不到先前的傲慢。

「是啊。」

「我一直很好奇，以飛鹿的體格載著像你這樣的大男人跑，到底能跑多快？」

凡恩微笑。

「飛鹿的體格很健壯，能載著我在陡峭山崖輕鬆地跑上跑下，就算連跑一天一夜也不累。在我看來，反而覺得馬比較瘦弱。」

傲梵揚起眉，一臉狐疑。

「那種鹿這麼健壯嗎？」

「是啊。不只身體強韌，還很快。在平地上或許贏不過火馬；如果在山地裡，絕對是飛鹿比較快。」

傲梵咧嘴一笑。

「火馬也能攀下山崖啊！不過，亞路路凡斷崖倒沒辦法。那飛鹿呢？」

凡恩皺起眉頭。

（亞路路凡斷崖？是指阿卡法東邊那座？）

凡恩心想：那確實是一座極為險峻的山崖，但他怎麼會舉個距離這麼遙遠的例子呢？

「可以啊。」

凡恩回答。

「眞的嗎？你試過嗎？」

「是啊。以前為了尋找能有效擊破東乎瑠軍的地點，我們曾經到處遠征。那座斷崖對飛鹿來說沒問題，不過馬應該不行吧——即使是火馬。」

傲梵臉上頓時失去笑意。凡恩本來以為他是因為聽到火馬不及飛鹿而感到生氣，但看來並非如此。

傲梵輕撫著愛馬的脖子，嘆了一口氣。

「……畢竟飛鹿屬於山，火馬屬於原野啊。」

他喃喃說著，又將視線移回凡恩身上。傲梵伸出手，指著那群比剛剛更接近的火馬。

「我想你對馬應該不太熟悉；不過你現在看到牠們，有什麼感覺？」

這群馬應該以母馬為主，其中也混雜著幾匹已去勢的公馬和小馬。乍看之下沒什麼特別，不過小馬的毛色看來不怎麼有光澤；凡恩還看到幾隻被雪絆倒的小馬。

「那些小馬是今年春天生的嗎？」

凡恩曾聽說馬通常在早春生產。如果以出生將近一年來說，這些馬的腳力看來還不怎麼穩定，所以凡恩才問了這句話。但傲梵等人臉上卻露出激憤的表情。

「沒錯！是今年生的，正是該在大地上馳騁奔跑的年紀……如果還在故鄉的原野的話。」

他的聲音顫抖著。裡頭不只帶著怒氣，從他的側臉還可以看到強烈的悲哀和不安。

# 五　神之聲

傲梵凝望著成群火馬，低吟：

「這裡太冷了。」

凡恩皺著眉。

「不過馬應該很耐寒吧？」

傲梵搖搖頭。

「其他的馬是，不過火馬就該沐浴在陽光下散發光芒。牠們不適合這種多雪的原野。已經有好幾頭母馬生下的小馬都死在深雪中，凍到甚至無法靠自己的腳站起來。」

傲梵說著，嘴唇不住發抖，眼裡充滿憤怒。

「火馬不會在有屋頂的地方生孩子，我們也學著北方人蓋了馬廄，但等到生產的時期，母馬光是被牆壁包圍就快氣瘋了，牠們會用身體去撞牆，還有些母馬因此骨折……看了讓人很不忍心。」

傲梵搖搖頭，臉上浮現苦笑。

「火馬必須生存在燦爛陽光照射的原野。猶加塔平原是孕育火馬的舒適母親懷抱，離開故鄉，被帶到這種有厚厚積雪的原野，讓這些傢伙一年比一年更衰弱。

「明年不知道能生下幾匹小馬……也不知道其中有幾匹能站得起來……」

傲梵緊抿著唇，調整了一下呼吸，盯著凡恩。

「如果是你，你會怎麼做？如果這些是飛鹿的話，你看得下去嗎？你忍心看著飛鹿痛苦，漸漸衰弱下去嗎？」

凡恩眼中浮現飛鹿們被綁在木樁上的可憐樣子，沉下臉來。

看見飛鹿健康成長時的歡欣、看見飛鹿生病時的痛苦，這對甘薩氏族的男人來說，是一種超越理論、發自內心深處的情感。

這些男人或許也一樣吧。

看著火馬逐漸衰弱的痛苦日子，簡直就是對身心的虐待。

這也是一種看不見未來的痛苦。猶加塔平原受到東乎瑠統治，他們不可能有回去的一天。唯有當火馬全部死絕，絕望變成死心時，痛苦才有終結之日。

傲梵表情扭曲。

「被趕出故鄉時，我曾經大喊。」

他的聲音低沉而嘶啞。

「我攀上岩山山頂，朝著猶加塔平原吼到嗓子都啞了……

「晉瑪神啊！我們做錯了什麼？我問祂，是不是因爲我們太軟弱，敗給貪婪的侵略者，所以祂才發怒了？

「我覺得自己眞沒用，就像渾身骨頭都散了一樣，軟弱沒用到了極點。但我又覺得，這實在太沒道理了。難道不是嗎？我們只是安安穩穩地在故鄉生活，那些傢伙突然跑過來，把別人的土地當成自己的，還極盡囂張跋扈之能事！連小孩都懂這個道理。」

傲梵的聲音響遍原野，又漸漸消失。

「我們只是個小氏族，但我們過得無愧於天地，絕對不會去搶奪別人的東西。」

傲梵眼裡泛著淚，看著凡恩。

「你曾經覺得命運很不公平嗎？那時候，我眞的這麼想。

「難道這世界就是這樣，就是這麼不公平？難道弱者只有被吞噬、成爲強者血肉的道理？身爲小氏族的我們，活在世上是爲了成爲強者的餌食？我們誕生在這個世界上，只是爲了受苦？爲什麼有人得承擔這樣的命運？」

凡恩靜靜地聽著傲梵的聲音。耳朵深處，聽見了另一個微弱的聲音：

——爲什麼是我？

那是飽受痛苦，甚至因此無法成眠的年幼兒子，在艱難喘息下最後發出的聲音。

那聲音從未消失在凡恩耳中。

有人能健康成長，有人卻不能，究竟是誰決定這一切？

「我不斷祈禱。我在岩山祈禱了兩天兩夜。

「神啊！我們並不想祈求什麼過分的事情，只希望能擁有公平，請讓善者擁有喜悅，請懲罰爲他人帶來痛苦的人。」

傲梵的表情突然鬆緩了下來。

「結果你猜怎麼樣？」

傲梵沒等他回答，繼續說道：

「我沒有聽到神啓，我很絕望。我帶著有如身處灰色霧靄中的心情離開岩山，回到氏族暫居的聚落。

「而在那裡等著我的，非但不是救贖，反而是更深一層的痛苦——我父親被狗咬了。」

一陣風聲傳來，馬群抖動著身體，響起一陣踏踩雪地的喀喀聲。

「我心想，原來這就是答案。我覺得神在告訴我們：『你們應當死絕。』因爲那些狗就是『晉瑪之犬』。」

「『晉瑪之犬』？」

傲梵點點頭。

「沒錯。是晉瑪神賜予的狗。這些狗吃了被埋在墓裡的病死火馬肉，後來戰勝疾病，獲得神賜予的力量，我們把那些狗稱爲『晉瑪之犬』。

「當東乎瑠那些傢伙把火馬的故鄉變成汙穢羊群的住處時，那些骯髒的羊也都接二連三地死了……」

哼，傲梵苦笑一聲，回頭看著戰士們。

「我還眞是遲鈍，爲什麼那時候沒發現，神已經有所作爲了呢？到岩山祈禱的時候，我就像個完全沒察覺父親的深謀遠慮，反而拚命追問的小鬼一樣，不是嗎？」

戰士們臉上也浮現苦笑，點點頭。

傲梵又轉過頭看著凡恩，表示抱歉。

「我想你應該聽不懂吧……其實，就是這麼回事。

「東乎瑠的移住民，想把他們老家的生活方式，原封不動地搬到猶加塔平原來，不只是羊，他們甚至還帶了麥子來種。

「可是猶加塔平原不是他們的。所以他們帶來種植的麥子跟原本生長在猶加塔平原的麥子混在一起時，就產生了毒性。他們的羊吃了這種麥子之後，一隻一隻都死了。」

年輕的歐頌插了嘴：

「原來，那就是最早的徵兆。那是神已經有所作爲的徵兆。」

傲梵沒有斥責他，只是點點頭。

「一點也沒錯。」

「請問……」

凡恩開了口，男人們同時看著他。

「你們的狗吃下了被毒麥毒死的羊嗎？」

傲梵的眼睛閃過一絲光芒。

「吃毒麥而死的不只是羊，火馬也死了——我們把吃了毒麥而死的火馬埋葬在墓裡，但那些移住民竟然也把吃了毒麥而死掉的羊埋在我們的墓塚旁邊。都是因爲被他們汙染，所以聖光才沒有降臨在墓塚上！狗跟平時一樣，挖出肉來吃……」

傲梵的表情顯得很痛苦。

「那些狗死了，吃了汙穢的肉，痛苦地死了。眞是可憐——不過……」

他的眼裡再次閃現光芒。

「晉瑪神向我們展示了祂的作爲，有部分墓塚再次顯現聖光。

「事實上，埋在那些墓塚裡的火馬和羊雖然吃了毒麥，卻不是因此送命，是後來被米寄（蜱蟎）叮咬才死的。不過，那就表示這些傢伙的生命力很強韌吧！

「晉瑪神在這些強大野獸的肉上，灌注了特別的力量。吃了這些傢伙的母狗並沒有死！牠們生下許多聰明的孩子。這些幼犬長得快，數量越來越多，而且比以前晉瑪神的狗都要聰明，實在令人讚嘆。」

聽到這些話的瞬間，凡恩覺得覆蓋著來時路的那片濃霧似乎漸漸消散、放晴。不過，展開在眼前的，卻是一條他並不想看的路，內心充滿不安。

那野獸的眼睛清楚地浮現腦中，衝進陰暗地底鹽礦的野獸的那雙眼睛；讓他覺得宛如士兵的那雙眼睛。

「這些狗，吃下即使食用毒麥後，還能活下去的馬或羊肉……」

凡恩低喃。

「那些狗的身體裡藏著毒嗎？」

傲梵用熱切的目光盯著凡恩。

「沒錯！那些狗成了神之手，神讓這些逃過侵略者帶來的毒、保住一命的狗，擁有殺害侵略者的能力。

「就算被侵略者的毒汙染，也要繼續活下去！這麼一來，你們就能變得比以前更強！沒錯，晉瑪神就是這麼告訴我們的——祂賦予這些狗利牙，讓牠們帶有只會殺害猶加塔大地侵略者的毒！」

傲梵的臉上慢慢展露微笑。

「後來我父親並沒有死。」

笑容漸漸擴展到整張臉上。

「但東乎瑠的移住民只要稍稍被犬牙掠過就必死無疑。

「你懂嗎？晉瑪之犬不會殺正直的人。但是對有罪的人來說，這就是奪命的獠牙——不被允許住在這片土地上的人，只要被咬，就必死無疑。」

傲梵吸了一口氣，收起笑容，接著說：

「……在你眼中，那些狗或許就像死亡的使者。畢竟聽說鹽礦裡的慘狀非比尋常。」

凡恩沉默地看著傲梵。

傲梵並沒有移開目光，也直盯著凡恩。

「不過，你仔細想想，在那裡的奴隸有阿卡法人嗎？還是有猶加塔地方的三個氏族？或是像你一樣的土迦山地民？」

這個意料之外的問題，讓凡恩蹙眉深思。

那些跟他在陰暗地底一起工作、同眠的男人們，雖然從長相看不太出來，但確實沒有任何語言和自己互通的人。

「沒有吧？在阿卡法鹽礦工作的奴隸，都是從東邊帶來的戰俘。只有你這個例外。」

傲梵的眼睛浮現出白色亮光。

「你得到了神助。即使被咬了，也沒有死。我們得知此事時，相當震驚，但同時也向晉瑪神獻上感謝的祈禱。我們祈禱、歌唱了一天一夜。」

傲梵吸了口氣，說道。

「因爲從你身上，我們知道那些狗不僅是爲了我們火馬之民，同時也是神爲了拯救苦於東乎瑠暴虐的所有阿卡法人，而派遣下來的仁慈使者。」

傲梵的話漸漸滲入腦中、成形，在那一瞬間，令人麻痺的寒氣穿過凡恩的背脊。

傲梵的眼裡綻放強烈的光輝。

「不管是人是獸，神都給了我們故鄉。誕生、交配、產子，然後回歸大地。重複著這個循環的故鄉，就等同於我們自己。我們的父母親，還有他們的父母親，以及更早的祖先，大家都住在那裡。」

傲梵突然用力張開雙臂。

「我們一定要回故鄉，回到那有火馬馳騁的美麗猶加塔原野。」

# 六　入夢者

人死後會變小。

茫然看著變得小到不可思議的妻子臉龐，手肘偶爾會傳來碰到兒子肩膀的觸感。

他害怕看到兒子的臉。

那張稚嫩、布滿淚痕的臉抬頭看著自己，小小的嘴巴正在張口問：爲什麼？

——爲什麼，媽媽她……爲什麼……

母親爲什麼會生病？同樣生了病的婿婿都康復了，爲什麼母親……

大概知道就算問了也得不到回答吧，孩子只是重複說著「爲什麼」。那離變聲還早的尖細聲音，輕輕迴盪在耳中。

（我不想聽。）

凡恩用力閉上眼，摀著耳朵。

如果早知道那稚嫩的聲音最後會問「爲什麼是我」的話……

凡恩努力從夢中掙扎著甦醒。

他粗聲喘氣，用手擦拭了汗濕的臉，脈搏劇烈跳動，連心臟都覺得難受。

深深吸了一口氣，又慢慢吐出來，惡夢的殘渣這才遠離。

傍晚的光線從帳篷的排煙口斜斜照進來。

凡恩不經意地看著白煙冉冉上升，彷彿撫過那道光。

在這一人用的小帳篷中，放了床、火爐、水瓶和尿壺。

雖然帳篷的布門關著，外面也有人在監視，但這根本算不上是堅固的牢籠。如果想逃，隨時逃得掉。

這座帳篷是明知凡恩不會逃走而設置的軟禁場所。

凡恩躺在床上，想起剛剛做的那個惡夢。

（……已經好久沒做這個夢了。）

兒子剛死的時候，他幾乎每天晚上都會做這個夢。

大概是因爲今天早上傲梵那番話的關係吧。

（那是我的聲音。）

兒子那問著「爲什麼」的聲音，其實是自己心裡的聲音。

明明有人並未罹病，爲什麼生病的偏偏是自己的妻兒？如果他們做了什麼壞事也就罷了，正因爲找不出任何理由，他才不禁要問。

爲什麼世界上有人能長生終老，有人的生命卻轉瞬即逝呢？

既然轉瞬即逝，又爲什麼要被生下來？

（不公平的命運……）

凡恩伸手掩著自己的臉。

閉上眼，他看見黃昏時那個空蕩蕩的廚房。斷氣的女人們、靜靜躺在那裡的屍骸、在母親掩護下保住一命的幼子；還有被淚水沾濕的臉頰、定定看著自己的那對晶亮眼睛。

（那孩子活了下來，我也活了下來。）

抱在懷中的悠娜，那帶著點潮濕的溫暖和重量，喚醒了他的記憶——那活生生的孩子，她的重量，還在自己的雙臂裡。

那孩子還活著，那孩子還能靠自己的雙手來拯救。

凡恩深深吸了一口氣，放開手，抬頭望著排煙口。

（……這是一種執著嗎？）

他非常了解那個叫傲梵的年輕族長，還有這個氏族人民的心情。

他們所經歷過的苦、想讓帶來這些痛苦的人也嘗嘗同等痛苦的心情，以及想再次回到故鄉生活的心情，凡恩都再了解不過。

但即使如此，他還是不禁覺得，這些人的想法只是種虛妄的執著。

他們一心以爲那帶著毒牙的犲仔是神之手。他們說，那些狗是晉瑪神爲了從東乎瑠手中解放西方大地而派來的使者。

但不管眼前是女人或孩子，生病的野獸一律咬了再說，把這種生死視爲神的意志，實在太不正常了，而他們竟沒有一個人發現到這件事。

（東乎瑠人也是人。）

他們也只不過是孜孜矻矻過著普通生活的一般人。

多馬的母親季耶，她溫暖的笑容浮現眼前。

自從被「靈主」召喚後，一直沒有機會連絡，季耶他們應該非常擔心吧。凡恩心裡實在很過意不去。

他很懷念在歐基地方的生活。如果可以，他想和悠娜一起回去，再次跟大家共同生活。

在那裡，一個人來自何方不再具有意義。只有因緣分牽繫下，相聚並共同度過的那些日子，才是一切。

移住民有移住民的問題。他們有離開故鄉被迫遷居的苦、有爲了在移居地扎根所流的汗，也有在新天地獲得的幸福。

但傲梵等人並沒有考慮到這一切，一心認爲移住民是不被神所原諒的人，完全不想探究移住民的心裡到底在想什麼。

（神眞是個方便的理由。）

在鹽礦裡，被那些狗所殺的奴隸確實是來自東方的人民。

但他們卻和西方人民一樣，是共同奮戰對抗東乎瑠的人。在自己身邊同寢共食的男人們……大家都是被趕出故鄉，忍受著極大痛苦的人。

（我們有什麼不一樣？）

難道大家不是同處於痛苦深淵的人嗎？沒有任何人該那樣斷送性命。

只不過，就算說這些，也不可能動搖傲梵的成見。

傲梵大可換個說法，說神是爲了將他們從身爲奴隸的痛苦中解放出來，所以才這麼做的。

那些人絕對不會願意承認，神其實是個極爲方便的理由，好讓他們合理化自己的想法。

如果他們知道凡恩這麼想，或許還會打從心裡覺得驚訝。

他們一定覺得，爲了守護故鄉跟東乎瑠軍經歷一番浴血纏鬥，結果所有夥伴全部犧牲、最後還淪爲奴隸的這個男人，怎麼會沒有跟他們一樣的想法？

（東乎瑠的將領和軍人確實可恨。）

把別人的土地視爲己有的傲慢，讓凡恩憤怒到血液幾乎凍結。被當成奴隸在那地獄生活的怨恨，他也並沒有遺忘。

但是翻遍自己的內心，依然找不到一絲跟傲梵等人那樣，只要是東乎瑠人，想不分男女老幼全部趕盡殺絕的憎惡。

（或許……）

或許奪走自己最重要東西的，並不是東乎瑠吧。

聞著枕邊小壺裡飄來的水果酒甜香，凡恩閉上眼睛。

盤踞在內心這虛無的根源若是來自其他人或國家，或許還能得到救贖。假設自己能像那些男人，把全副熱情投注於復仇，或許就能不去注視心中的黑暗。

凡恩輕嘆了一口氣——那是不可能的。

就算奪走妻兒的是東乎瑠，就算眞的站在他們面前，自己所看到的東西，一定還是跟現在一樣吧——深沉、永不消失的虛無。

這種想法無法化爲言語向人傳述。就算告訴傲梵，他們可能也不會懂。

（他們到底想讓我做什麼……）

那些狗確實很令人害怕。

不過，儘管不知道總共有多少隻，狗畢竟是狗，就算有上百頭，也不可能派牠們去殲滅東乎瑠軍。

東乎瑠是個大國。

光靠這群帶來疾病的狗，不可能將東乎瑠趕走。腦中再怎麼充滿虛妄執著，火馬之民應該不至於連這一點都不懂。

還是說，他們已經信奉那個所謂的晉瑪神到瘋狂的地步，連這點道理都看不清？或者，他們還有一張沒亮出來的王牌？

或許眞是如此。傲梵最後並沒有開口說明到底想要凡恩做什麼，他只說，到晚上就知道了。

但傲梵說完後又補充的那句話，卻像個難以下嚥的異物，一直梗在胸口。

——到晚上就知道了……畢竟你是從晉瑪之犬的死亡中復活的人。

（晉瑪之犬的死亡……）

被那狗咬過後，凡恩曾做過一個奇怪的惡夢。把那場惡夢形容爲死亡，讓凡恩感到一股渾身發毛的詭異。

（在那之後的我……）

確實不一樣了。雖然不知道是哪裡、如何不同，可是身體裡彷彿有個跟以往的自己徹底不同的生物。

過去，那東西曾有好幾次探出頭來，企圖占據身心。

（過去都還能找回自己，但……）

凡恩內心深處隱隱有個預感：總有一天，那東西會成爲主宰，自己則會消失。

他雙手輕掩著臉。

（我害怕的是……）

他打從心底害怕的是……其實，自己並不覺得恐懼。

也不知道是什麼時候發現的，不知不覺中，他有了這種感覺。

（當另一個存在主宰自己時，虛無感會消失。）

一直折磨著內心、讓他覺得生命如此空虛的心情不復存在，剩下的，只有生命的衝動。

而且，他不再感到孤獨。個體當然還是存在的，但卻有種融入廣大河川中，跟其他存在融爲一體的感覺。

（難道，傲梵知道我的身體裡有那東西的存在？）

或許吧。

他說過，他父親被咬傷後，一樣活了下來。被那些狗咬傷後，又存活下來的人，可能都有相同的現象。

想到這裡，悠娜的臉浮現眼前。

那些狗襲來時，悠娜曾經鑽進自己懷裡哭，當時的聲音鮮活地在他耳邊甦醒。

——歐蹌、歐蹌……那個……黑黑的……

（悠娜……）

說不定那孩子也一樣。

被狂犬咬過的人，會像狂犬一樣怕水、痛苦。同樣的，被那些狗咬過的人，即使沒死，或許也在身體裡豢養著某種東西。

那是一個充滿光的世界。是個就連黑暗看來都如此光亮的異樣視野，彷彿一切都漸漸改變的感覺……

凡恩凝視著從排煙口照射進來的夕陽餘暉，他感覺彷彿有什麼冰涼的東西慢慢擴散到全身。

凡恩並不清楚，火馬之民爲了奪回故鄉，究竟想讓他做什麼；不過，現在他深陷的狀況早已不是單純的復仇，而是無比複雜、更難以捉摸的東西。

就在凡恩這麼想的時候，耳邊突然響起女人的聲音。

——還有更複雜的內情。

凡恩緊皺眉頭。

（墨爾法和阿卡法王……）

他們和火馬之民又有什麼關係？

將排煙口染成金黃的光芒，慢慢地失去了色彩。

就在周圍沉入一片藍黑色時，發生了奇怪的變化。

# 七　犬王

最先感覺到的是味道。

像是長滿青苔、在地上的倒樹被雨水淋濕後散發的那種腥臭。

似乎有誰在不知不覺中走進帳篷。布門明明沒被掀開，也沒聽到腳步聲；但一回神，凡恩就感覺到角落暗處裡有人。

凡恩起身，盯著彷彿有誰在那裡的帳篷一角。

黑暗中微微聽得見呼吸聲，可是卻沒看到人，連個影子都沒有。

當日落後的暗藍色消失天際，沉寂的黑暗造訪時，他終於看見了。

彷彿熱浪般晃動著的鬼火。無數顆極小的藍白色光點凝集，悠然款擺，然後漸漸匯集成人形。

——（靜默。）

腦中好像聽到了什麼。

那股腥臭籠罩全身，滲入毛孔。

——過來。

帶著微綠的藍白色光線，一邊晃動、一邊呼喊。

那隻手往前不斷延伸，凡恩還沒來得及驚訝，那手已觸到眉間——那一刻，軀殼彷彿瞬間脫落。

空氣如此甘甜。四周一片光明，身體輕盈得像要飄起來。

意識再回到身體裡時，凡恩已走出帳外。

眼前是個男人的背影，看上去是個上了年紀的矮胖男人。他微微駝著背走著。

四周猶如滿月之夜，出奇明亮。男人的身影很清楚，但四周的帳篷全都像幻影一樣模糊。

男人走進森林。

森林中充滿妖異的光芒——這麼多光是怎麼回事？無法計數、如輕煙般舞動、極微小極微小的光點群聚在一起。

各種味道像波浪一樣迎面襲來。

終於，一股熟悉的味道接近，那群野獸伴隨著輕盈的腳步聲跑上前來。

（……牛仔。）

每十幾頭結成一群的牛仔，從四面方八方逐漸接近。

——不要用「牛仔」那種低賤的名字叫牠們。

凡恩突然聽到這個聲音。

不知何時，男人已停下腳步，轉過身來。牛仔接近那男人，圍成一圈，磕頭般匍匐在地。

——牠們是「晉瑪之犬」。我的獵犬們跟這裡的黑狼交配後，帶著晉瑪的血而生，牠們是神的獵犬。

眼前的光景如此神聖。

以這個昂然挺立的男人爲頂點，數十隻犬群低頭平伏，儼然就像從高山山腳綿延開來的原野。

「……你是誰？」

凡恩問。那男人回答：

——我是「犬王」。

男人看來彷彿在笑。

——當我還是人的時候，名叫肯諾伊。過去我是「火馬之民」的族長，在晉瑪神的召喚下重生。

男人靜靜指向某處。

——看，我的身體在那裡。當我在那個身體裡時，是個生病的老人，已經不久於人世……

男人手指指著的大樹根部有個人影。低垂著頭、背倚著大樹。

——成爲犬王的時候，我可以像這樣脫離軀體；一脫離軀殼，我就能變強。

男人抬起頭，感覺上像是直視著凡恩。

——你也一樣，很強……感覺到了嗎？「晉瑪之犬」都很畏懼你。

這一點，凡恩也感覺到了。狗群傳來一波波既畏懼又仰慕的情緒。如果自己下令，或許能隨心所欲驅使他們……

——過去也有幾個勇猛的男人，自願被「晉瑪之犬」啃咬，嘗試要成爲牠們的王。但儘管身體裡有「晉瑪之犬」的血，能建立連繫，卻沒有任何人能當上「犬王」。就算群體中有再多雄性，能成爲首領的往往只有一頭。看來，要當上「犬王」，也需要某種資質。

男人彷彿在微笑。

——你是我發現的唯一一個例外……唯一一個希望。

那男人走了過來，明明踏著草，卻沒發出聲音。

男人慢慢走過來，伸出手，拉起凡恩的手。那時，好像有溫暖的液體流過來一樣，無數聲音也跟著流了進來，凡恩不覺發出呻吟。

聲音在他腦中響起，既像是男人的聲音，也像是自己的聲音。

（共享「晉瑪之犬」之血的兄弟啊，請你聽我說……）

宛如成群蚊子嗡嗚般的尖銳聲充斥全身，凡恩的夢就此開始。

＊

帳篷籠罩在白光中。

柔和的晨光停在睫毛上，輕輕舞動。

凡恩慢慢張開眼睛，眼皮沉重，臉頰一片濕。因爲剛剛做了一場夢，在夢中流了淚。

他雙手摀住冰冷的臉，聞到自己掌心的味道。

一聞到那熟悉的味道，淚水再次滿盈，沿著臉頰流了下來。

（……怎麼會這樣？）

剛剛做了一場夢，一場漫長，充滿哀愁、苦惱和歡喜的夢。

和那個自稱「犬王」的老人融爲一體後，凡恩看到他住在故鄉時「火馬之民」的生活，還有當時突然遭到侵略者蠻橫搶奪而崩壞失去的所有回憶。

故鄉被奪走、人們遭到放逐、彷彿被撕裂的悲哀和憤怒。在絕望深淵，突然看見一絲希望之光……

離開肉身，在彼此交融的夢中所看見的一切都栩栩如生，鮮活地融入心中，幾乎成了自己的記憶。

但是，比夢中震撼性的記憶更清晰烙在腦中的，是夢境結束後，肯諾伊回到衰老身軀時的表情。

他一臉不堪。

表情和他身爲「犬王」時的耀眼截然不同。那是一張身心被疾病痛苦折磨得萎靡衰頹的蒼老面孔。

這也難怪，因爲他身上承擔著太過沉重的悔恨——故鄉被自己的同胞奪走，策畫那件移住民襲擊事件的是他弟弟，他明知道弟弟的企圖，卻無法阻止。

弟弟因愛馬吃了毒麥而死，心中自此產生瘋狂的念頭，他雖然口頭上勸阻弟弟這麼做有百害而無一利，但並沒有認眞地阻止。

身爲族長，自己沒能平息同胞的憤怒，也無法說服他們，時間就這樣一天拖過一天。而他的優柔寡斷，終於帶給氏族決定性的悲劇。

故鄉徹底遭到剝奪。當大家不得不離開，頻頻回首，邊哭邊望著再也不能回去的故鄉時，他只能一身承擔起所有人的憤怒、悲哀，還有無言的責難。

凡恩靜靜放下雙手，看著帳篷的排煙口。

在那個洞外看見的早晨天空，那個習以爲常的天空，現在看來卻如此陌生。

凡恩表情苦澀，用力閉上眼睛。

他心裡有股無邊無際的寂寞。

那是長久以來一直感受到的寂寞——再也回不去的故鄉，再也回不去的時間。心愛的亞里莎和兒子摩熙爾。他們的笑臉、溫暖的肌膚、身上的味道……

年邁的父母看著剛會走路的孫子，開心得臉上滿是笑意。他摟著亞里莎，緊貼著她柔滑的肌膚、感受她後頸的香氣、貼著臉……

不管再怎麼渴望，那些日子都不會回來了。

被急流沖刷而下的落葉。

閃著寒光的刀刃、血和內臟的味道、汗水，還有摀著臉、肩膀顫抖著痛哭的弟兄。

（……眞想回家。）

決戰前夕，戰友瓦沙魯流著淚，輕聲地說。

（我老婆和女兒在我家的灶前煮著我最愛的蕈菇燉豬肉。老媽雙腳打直，坐著那裡邊曬太陽，邊剝著豆莢……）

眞想再次回到逝去的家人曾住過的故鄉，眞想再回去一次……

沒有擦去眼淚，凡恩開始啜泣。

他想哭很久了。

他一直走在無邊的悲哀中。生活在異鄉時，內心深處仍渴望著和家人共同生活的故鄉，那種心情未曾消失。

自己的身軀就像是離枝飄落的樹葉，隨波逐流，最後只能消失在大海。儘管知道這個結局，悲哀和渴望依然不曾消失。

「火馬之民」也是強行被迫和故鄉分離的落葉，是不斷渴求能回到故鄉的悲哀落葉。

凡恩終於知道「火馬之民」希望自己做什麼了。

當自己和肯諾伊融爲一體、擁有肯諾伊的記憶後，這件事已像是自己血液中流動的一部分，如此理所當然。

帳外一陣鼓譟。

雖然之前也一直有吵雜聲，但現在的聲音明顯不同。凡恩聽到人們的對話聲，有人正朝著這座帳篷走來。

剛好就在凡恩起身，掀起布門時，對方稍微低著頭走了進來。一看到那個男人，凡恩瞪大了眼睛。

看到凡恩時，那男人的五官也隨之扭曲。那表情實在跟妻子太像，凡恩一見，又忍不住一陣心酸。

凡恩站起來，終於拖動那似乎已經發麻的雙腳，走近那男人。

「……大哥。」

凡恩輕聲叫喊，顫抖地牽起那男人——既是妻子的哥哥，同時也是兒時玩伴的手。

那人嘴唇顫抖著，流下眼淚，緊緊抱住凡恩。

# 第八章　邊境之民

## 一　幕後主使

夕陽餘暉淡去，這間堆放薪柴的小屋沉入一片深藍色的黑暗中。

姊姊彎下腰，看著馬柯康的臉，淺淺一笑。

「……你老了很多嘛。」

伊莉亞。他想說出姊姊的名字，卻發不出聲音。

姊姊用小刀割斷綁住馬柯康手腕的繩子，遞給他一只小壺。

「喝下吧，吹箭的毒差不多快退了，但喉嚨應該很乾。小心喝，別嗆到。」

馬柯康將壺拿到嘴邊，冰涼的水在口中擴散，卻無法順利喝下。他試著一小口一小口喝，不小心嗆了一口。

「看，我才剛說完呢……」

伊莉亞啐了一聲，替他拍拍背。

馬柯康擦去眼淚，抬頭看著伊莉亞。

「……到底怎麼回事？」

伊莉亞蹲下身子，單膝著地，面色凝重地說：

「你這傢伙，爲什麼跑去當悠格拉爾家兒子的隨從呢？好不容易從這個無聊的世界逃走，卻自己綁上繩子回來，也太蠢了吧。」

「……」

「我很想幫你，但是既然已經到了這個地步，你只能走到最後了。」

馬柯康皺著眉。

「姊姊，妳到底在說什麼？我完全聽不懂。」

伊莉亞嘆了一口氣，撥了撥頭髮。

「我是說，你已經一腳踏進泥沼，而且還淹到胸口了──但他們竟然使用吹箭！明明告訴他們這件事交給我辦了，眞拿那些傢伙沒辦法。」

「那些傢伙？妳是指火馬之民？」

馬柯康壓低了聲音詢問，伊莉亞「哼」了一聲。

「你不用壓低聲音，這裡是我們家的薪柴小屋，那些人不能踏進我們家的地盤。」

「什麼？」

「我們家有這種小屋嗎？」

馬柯康環望四周。

伊莉亞又嘆了一口氣。

「你以爲你離家幾年了？」

馬柯康一臉不悅地看著伊莉亞。

「妳是什麼意思？明知道是我，還把我綁在小屋的柱子上，搞什麼啊？」

伊莉亞眼裡閃過冰冷光芒。

「我才沒跟你開玩笑。如果你不是我弟弟，我早就讓他們殺了你。畢竟他身邊沒有隨從，對我們來說，下手也比較方便。」

馬柯康額頭一陣冰冷。

他直盯著伊莉亞的眼睛，但是她只用那雙沒有表情的眼睛回看著他。

「懂了嗎？你的命就是這麼不值錢，如果他們覺得你還有用，或許會留你活口；只要被認定可能有那麼點礙事，一切就完了。」

伊莉亞把臉貼近，接著又說：

「我嘛，當然不想殺你，所以才會過來找你。你仔細聽我的話，好好想想該怎麼做才能活下去。」

馬柯康的心跳變快。

姊姊過去曾殺了哥哥——他想起這件事，喉嚨周圍冰冷的僵硬感開始擴散到下巴。

「……是『奧』把我們送到這裡來的。」

伊莉亞彎起嘴角，臉又更靠近了些，輕聲說道：

「那又怎樣？現在我們的氏族正在熱烈款待你們，有什麼問題嗎？」

一片陰暗中，那雙眼睛散發著平靜的光芒。

「我現在依然忠實地在執行奇哈娜大人吩咐的工作。但是，當中還有其他內情，非常重要的內情。」

伊莉亞的臉遠離，聲音極其冰冷。

「歐塔瓦爾是映在池子裡的月亮，不會自己發光。以前它反映著阿卡法的光輝，現在則是東乎瑠，他們永遠讓當時的爲政者發光發亮，再靠爲政者的力量來彰顯自己，就像映在水面的月亮一樣……」

馬柯康沉默地盯著伊莉亞。

姊姊繼承了席諾克家的家業，代代事奉歐塔瓦爾的「奧」，她的心裡到底在想什麼，過去他從不知道。

「奇哈娜大人命令妳進行的工作是尋找火馬之民嗎？」

「沒錯。」

伊莉亞毫不猶豫地回答。

「他們遭到放逐後，我們還接納他們、提供住處，所以比較容易獲得情報。不過，光靠跟他們交情深厚的我們所回傳的資訊，還是覺得不夠，所以偶爾也會有其他人來這裡打探。」

伊莉亞哼笑著。

「其實無所謂，反正我們已經深知『奧』的手段，只要有異邦人跟氏族接觸，消息馬上就會傳進我耳裡。我也知道他們收買了一些氏族，只不過……」

她的表情突然變得嚴肅。

「以後可不能再這麼悠哉下去了。現在不能讓聖領插手，多管閒事。」

伊莉亞的這番話聽在耳裡，彷彿看著一隻手在厚布下移動一樣，馬柯康似懂非懂。

他只知道姊姊站在那些利用病犬策畫襲擊的人那邊，背叛了歐塔瓦爾聖領的「奧」。

而姊姊站在陰謀者那邊，表示故鄉的人們——所有山地氏族，也都站在那一邊囉？

（火馬之民和山地之民……）

自古即有牽絆的猶加塔氏族聯手，正在策動著什麼。

（也就是說，黑狼熱的復活，都是我家鄉的氏族一手策畫的？）

馬柯康突然覺得無比沮喪。

（原來如此，我確實深陷泥沼，還淹到胸口了。）

馬柯康看著伊莉亞。

「……赫薩爾大人呢？」

「不用擔心，他是重要的人質，也是可用之人，我們會慎重地接待他。」

「人質？」

伊莉亞聳聳肩。

「當然，聽到這裡還不懂嗎？我剛剛不是說了，現在我們不希望聖領多管閒事。他就是那顆用來制衡歐塔瓦爾的砝碼。」

伊莉亞站了起來，也催促馬柯康站起。

馬柯康起身後，伊莉亞要他轉過身來，迅速用繩子綁住他的手腕。那巧妙的繩結雖然綁得不緊，不過手腕再怎麼動，繩索也不會鬆脫。

「你就當個木偶吧。」

伊莉亞的聲音從背後傳來。

「不管聽到什麼都不要有反應，照我們說的去做，這樣才能救你自己跟赫薩爾……千萬不要擅自判斷、輕舉妄動，你不懂的事情多得是。」

馬柯康沒有回答，轉過頭看著姊姊。

伊莉亞輕輕用手推著他的背。

「走吧。我帶你去赫薩爾那裡。」

＊

姊姊說得沒錯，赫薩爾確實受到了盛大款待。

馬柯康通過漆黑的密道，被帶到現任族長的堂弟——烏卡尼．歐克撒的宅邸。

歐克撒家是當地的名門，這座宅邸蓋在族都西邊的山中，遠離塵囂。可能因爲如此，才挑選這裡做爲軟禁地點吧。

伊莉亞雖然帶著馬柯康從後門進去，不過宅邸裡前來迎接的人，卻只是稍微行揖作禮，什麼也沒說，領著兩人來到走廊後，便立刻退下。

「就是這裡，進去吧。」

伊莉亞解開馬柯康手腕上的繩索，順手把繩子捲好，轉身就走。

馬柯康嘆口氣，敲敲門。

裡面傳來一聲「進來吧」。打開門，屋裡瀰漫著一股烤鴨的香味。

獵到鴨後，先吊掛一陣子，讓肉熟成，接著淋上加入蜂蜜製成的特製醬料，仔細燒烤，外皮就能烤出獨特光澤，又香又脆。鴨肚裡塞著栗子和胡桃等堅果，佐鴨肉一起入口，一股香醇滋味便會在口中擴散開來。這是這一帶的秋冬美食之一。

赫薩爾一個人坐在餐桌前，正用小刀切著鴨肉，嚼得津津有味。就算馬柯康走進房間，他也只稍微抬起頭看了一眼，並沒有停下手。

「……幸好您平安無事。」

馬柯康說，但赫薩爾還是繼續嚼著口中的食物，咕嚕一聲吞下去後，又喝了一口水果酒。這時候他才停下來，看向馬柯康。

「很好吃呢，你也來一點吧。」

馬柯康依言拉開椅子坐下，但一點食欲都沒有。

「眞虧你吃得下。」

聽到馬柯康碎念，赫薩爾「哼」了一聲：

「我越生氣，肚子就越餓。」

他故意用力切肉，讓盤子發出嘎吱嘎吱的聲音，再送到嘴邊。

「……您在生氣？不是擔心？」

「擔心？擔心什麼？」

「擔心什麼？我們被吹箭弄昏，被關在這裡耶！」

「所以我才生氣啊！可惡！竟然敢用吹箭。就算毒用得再少，遇到某些體質還是有可能出大事的！」

赫薩爾咕嚕咕嚕喝下水果酒。

「奇哈娜那個臭老太婆，明知會發生這種事，還把我們送到這裡來。混蛋老太婆！」

「什麼？是這樣嗎？」

赫薩爾憤憤說道：

「當然是這樣！她想尋找『火馬之民』的下落，又不相信出身於附近山地之民的『侍奧』，所以才把我們送過來，想試探他們的反應，因爲我們還可以順便打探關於疾病的消息——可惡，那個臭老太婆，竟然把我當做石頭！想把我丟進池水裡，看看會激起什麼漣漪！眞有妳的，混帳東西！」

馬柯康啞然無語，只能看著瘋狂發怒的少主。

「……關於這件事，我可以說兩句嗎？」

赫薩爾隨便揮了兩下手，表示「隨便你」。

馬柯康用平靜的聲音，告訴赫薩爾剛剛跟伊莉亞那番對話的內容。

赫薩爾一邊吃，一邊安靜地聽著。聽完後，他深深嘆了一口氣。

「你姊姊打骨子裡是個『侍奥』。我可以了解你想離家的心情。」

「……」

赫薩爾轉著手裡裝有水果酒的杯子。他看著隨之旋轉的酒，說：

「你好像覺得黑狼熱這件事是猶加塔氏族策畫的，但我想應該不是。」

馬柯康睁大了眼睛。

「爲什麼？」

「假如這件事牽涉到猶加塔氏族的陰謀，那麼聖領早已透過阿卡法王，趁事態還不嚴重的時候滅了火，不可能在御前狩獵時，眼睁睁看著王幡侯的兒子被襲擊。」

馬柯康皺起眉頭。

「那麼……」

赫薩爾嘆了一口氣。

「啊，可惡，眞麻煩……」

赫薩爾正要說話的同時，敲門聲響起。

看到走進房裡的人，馬柯康幾乎要懷疑起自己的眼睛——裹著一身厚毛皮走進來的，是此時人應該在卡山醫院的米拉兒。

米拉兒滿臉通紅，看起來凍壞了，一走進來便說：

「啊，好暖和喔！太好了，房子裡真暖。」

她繼續說著：

「我人先來了，顯微鏡那些東西大概後天會送到吧。」

她語氣開朗地說著，卻發現赫薩爾和馬柯康呆呆望著自己，米拉兒眨眨眼。

「你們為什麼露出這種表情？」

「……妳為什麼在這裡？」

米拉兒臉上的笑意消失了。

「為什麼？因為你叫我來啊！」

赫薩爾頓時面色凝重。

「我叫妳來？」

「咦？不是嗎？可是……」

這時門開了。一位初老男子走了進來，手裡還提著水果酒。那正是阿卡法王的心腹——多力姆。

## 二　駐軍之火

「喔，是烤火打鴨呢。」

多力姆微笑著，微微拎高手上的水果酒。

「幸好我帶來了，鴨肉配酒正好。不過，要用這個爲吹箭的事道歉，確實太微不足道。」

赫薩爾面無表情地盯著多力姆，並沒有回話。

多力姆向赫薩爾深深低頭道歉。

「發射吹箭並不是我們的意思，是那些害怕你們跟東乎瑠官員要一起調查什麼事的傢伙，擅自作主射的。

「可是沒能控制住他們確實是我的責任。眞的非常抱歉。」

叮！銳利的聲音響起。

那是赫薩爾用小刀彈著酒瓶的聲音。他將小刀放在餐桌上，盯著多力姆。

多力姆嘆了口氣，將酒瓶放在餐桌上，轉向米拉兒。

「米拉兒小姐，眞不好意思，雖然您才剛到，但請您先別脫外衣。」

「……咦？」

多力姆瞥了赫薩爾和馬柯康一眼，說道：

「明明有想知道的事，卻一直得不到答案，也不能安心享用美食吧？我有東西想讓您看，請跟我來。」

在多力姆的引導下，眾人爬上宅邸中狹窄的螺旋梯，來到星空下的屋頂。

冰冷的晚風打在臉上，風裡有雪的氣味。

這座削去山腰斜坡後建造的宅邸屋頂，其高度在整個族都中算是相當高的。來到圍牆邊，可看到家家戶戶連綿而去的屋頂。

「請看看那裡，那個正在燃燒著篝火的廣場。」

多力姆所指的，是氏族會堂前的中央廣場。

那裡有好幾個火堆正在燃燒。黑暗中，只有那個地方清楚可見。看來好像有許多人群聚在那裡，大概正在炊煮吧，還升起陣陣白色煙氣。

廣場邊緣有一排密密麻麻的東西，仔細一看，原來都是帳篷。

「那是東乎瑠駐軍的帳篷。為了跟西邊土迦山地碉堡裡的士兵換班，今天剛到的士兵正在那裡吃晚餐。

「到了明天早上，他們就會離開這裡，後天晚上又會有其他的士兵到來。每到這個時期，成群的駐軍就會像波浪陣陣湧來。」

多力姆按著他被夜風吹亂的白髮，平靜地說道。

「這幾年來，穆可尼亞王國嘗試在冬天進攻阿卡法。箇中原因說來話長，我就暫且不說。總之，東乎瑠軍就像這樣，持續把兵力送到西邊的防衛線來。」

多力姆輕輕揮動他朝向廣場的那隻手。

「每當有駐軍來，猶加塔山地的人就得提供他們所需的糧食和軍資。在東乎瑠士兵的必經之路上，人們還被迫提供租稅以外的糧食。」

多力姆看著火堆說道。

「我並不是要譴責東乎瑠。從前，在還沒有東乎瑠的時代，這裡一樣不斷跟穆可尼亞作戰，那時候西方氏族的戰士們也得成為最前線的盾牌。有了東乎瑠軍助陣，現在這個地方的人自己流血上陣的狀況，已經比以前少了很多。」

多力姆背對廣場，轉向赫薩爾他們。

「但自從東乎瑠將阿卡法納入版圖後，穆可尼亞的襲擊越演越烈，想盡辦法要進攻。」

「……因為他們害怕吧？」

赫薩爾喃喃說著，多力姆點點頭。

「沒有錯。穆可尼亞很害怕。一個龐大的國家從東邊慢慢將勢力延伸到自己身邊，而且還獲得了一個能永久提供糧食、水和武器的安定據點。總有一天，東乎瑠會越過土迦山地，進攻自己的國家。」

看到米拉兒在顫抖，多力姆輕輕摸著她的肩膀。

「這裡太冷了，我們進去吧。」

回到剛才的房間，餐桌上重新擺好了三人份的菜色。

暖爐裡添滿薪柴，火燒得很旺，屋裡溫暖得讓人放鬆。

坐在冒著煙的燒烤料理前，赫薩爾催促米拉兒和馬柯康快吃，自己卻看著多力姆。

「剛剛兜了那麼大圈子，你是想說因為穆可尼亞日漸施壓，所以阿卡法的邊境變得更窮困，是嗎？」

多力姆點點頭。

「對，簡單說就是這樣，但不光是這樣。除了軍備以外，東乎瑠讓移住民進入阿卡法，也導致了阿卡法人的窮困。

「或許有人會覺得，這片土地這麼大，多了移住民又有什麼關係……但是，牧地和可耕地相當有限，那些地方一旦被占據，一定會有人因此得不到收成。再加上移住民的稅賦很輕，但對原本的阿卡法人卻沒有減稅措施。」

多力姆苦笑著說。

「老實說，不管在軍事或經濟上，成爲東乎瑠帝國屬地這件事本身都是好事，我們完全沒有要反叛的念頭。

「可是移住民對我們來說的確是重擔。當然，我們最大的威脅是穆可尼亞那些傢伙，不過移住民也是不小的威脅。」

赫薩爾皺著眉。

「所以呢？」

多力姆並沒有馬上回答，他拔開瓶栓，在赫薩爾和米拉兒的杯中倒了淡紅色的水果酒，也替自己倒了一杯。然後把酒瓶交給馬柯康，讓他自己倒。

「……過去曾經發生過這麼一起事件。純粹是偶然，並非有意製造的。」

多力姆看著赫薩爾。

「就是你正在調查的毒麥事件。當時我也派部下詳細調查過了，所以那個時候我們就已經知道，『黑狼熱』很可能再次爆發。這件事也已向歐塔瓦爾的『奧』報告過了。」

多力姆用手指輕撫著杯緣，努努嘴。

「不知道您聽說過沒有，當我們聽到『黑狼熱』這個病名時，會覺得受到諸神的祝福。」

赫薩爾的視線動搖，眼底第一次浮現出某種難以言喻的表情。

「對你們這些歐塔瓦爾貴族來說，這或許是令人忌憚的疾病。不過對我們阿卡法人來說，卻是解放故鄉的美好疾病。

「自古以來，居住在西北山地的美麗黑狼就被認為是神明的使者，牠們帶來的疾病雖然會殺害歐塔瓦爾人，卻殺不了我們。」

多力姆臉上浮現平靜的微笑，他拿起杯子，喝了一口水果酒。

「所以毒麥事件發生時，我們也不以為意。移住民雖然死了，但養馬的『火馬之民』卻沒有出現死者。我們甚至認為，這彷彿是某種好兆頭。不過，話雖如此……」

多力姆放下杯子，凝視著赫薩爾。

「我們也沒有什麼多餘的期待。」

啪的一聲，燃斷的薪柴崩垮下來。

「在那次事件中，火馬之民從猶加塔平原遭到放逐，當時我奔走在四方氏族之間，希望大家能接納他們……他們真的很可憐。看到那些人痛哭流涕、不得不離開故鄉時，我心裡真的很難受。這讓我想起阿卡法鹽礦被東乎瑠搶走時的那種錐心之痛——那種心情只有經歷過的人才會了解。」

赫薩爾皺起眉

「……所以你出於同情，加入了他們的陰謀嗎……應該不是這種無聊的故事吧？」

多力姆苦笑著。

「當然不是。我說過了，我並沒有多餘的期待——火馬之民的族長頻頻來找我，向我提議可利用晉瑪之犬趕走東乎瑠，等到順利將東乎瑠驅逐出去，再把阿卡法歸還給阿卡法王，然後他們就能回到故鄉。當時我們雖然很同情他們的苦難，卻也沒給他們任何保證。

「就算身上帶有黑狼熱，也只不過是區區幾十隻狗。叫我們怎麼期待呢……直到阿卡法鹽礦事件發生爲止。」

多力姆臉上的笑容消失。

「他們說：『我就讓你瞧瞧幾頭晉瑪之犬能做到什麼地步。』

「我心想，他們應該沒什麼把戲可玩。鹽礦內部的構造我比誰都清楚——你們也看過了吧，如果不下到天通坑，就進不了那幾條地下坑道。而狗又不可能爬梯子……但是……」

回想起那通往地底的巨大豎井，馬柯康滿腦子都是驚悚的回憶——如果說，那樁慘案眞的是狗所引起的，那就表示所謂的「晉瑪之犬」，眞的從豎井下到坑道。

「放狗的馴犬人若無其事地說，晉瑪之犬下了天通坑。牠們交錯踢著梯子和牆壁，就這樣跳到最底層。」

赫薩爾臉上也浮現凝重的表情。

「那一天……跟你們一起下坑道時，我一直很擔心自己表情的變化會被看穿，畢竟我眞的打從心裡驚訝。

「他們只放出了五隻。僅僅五隻狗，竟然能把那麼多人殲滅殆盡——而且……」

「……只有土迦山地民活了下來。」

聽到赫薩爾這麼說，多力姆點點頭。

「沒錯。過去土迦山地住著許多黑狼。只有生長在那邊境之地的戰士『缺角凡恩』被咬傷後依然活了下來。」

多力姆沒再說下去，房間裡只聽得到柴火燃燒的微小聲音。

「但是，你並不知道那傢伙是不是還活著吧？」

赫薩爾輕聲問。又說：

「絲露米娜夫人看起來對那種病具備耐受性，可是當時如果沒有注射新藥，之後病情會不會惡化，誰也不知道。有可能只是潛伏期較長，最後一樣會發病、經歷相同的病程。」

多力姆突然微笑。

「『缺角凡恩』還活著。」

什麼？馬柯康忍不住將身體往前探。

「您找到他了？」

多力姆瞥了馬柯康一眼，並沒有回答這個問題。

接著，他嘆了一口氣，又將視線拉回赫薩爾身上。

「這件事說來話長。總之，鹽礦事件以後，我們開始想認真研究『晉瑪之犬』的力量。然後，我們發現『火馬之民』的想法，或許存在著不同的可能性。」

赫薩爾皺著眉。

「……可能性？」

多力姆靜靜地說：

「不費一兵一卒，就能讓這個地方再也不受穆可尼亞和東乎瑠統治的可能性。」

赫薩爾揚起眉，微張著嘴，盯著多力姆。

「穆可尼亞人被那些狗咬了以後，也一樣會死。我們在奇襲戰中放出那些狗，確認過這件事。不管對穆可尼亞人或是東乎瑠人，那都是令人驚恐的致死疾病，既然如此……」

赫薩爾表情扭曲，忿忿地說：

「所以你們想把阿卡法變成一塊蔓延著可怕疾病的土地，讓他們自動放棄這片土地離開，是嗎？眞是太荒唐了！」

赫薩爾緊握著拳頭，盯著多力姆。

「疾病沒有絕對的道理，病素的性格也有可能一夕之間轉變。要是這麼做，將來……」

多力姆打斷赫薩爾。

「我知道——我們太天眞了。這一點我們已經充分了解，所以才請你到這裡來，把一切和盤托出。」

多力姆露出一絲苦笑。

「我們的立場很微妙。不管是對東乎瑠，或是對派你來這裡探究事件眞相的歐塔瓦爾都一樣。」

赫薩爾哼了一聲。

「我想也是，不過這是你們自掘墳墓。」

說完後，赫薩爾瞇起眼。

「所以，你想封我的口？你害怕歐塔瓦爾在觀望情勢對嗎？你害怕他們一旦發現阿卡法做了蠢事，馬上會拋棄阿卡法向東乎瑠示好，對嗎？」

多力姆搖搖頭。

「您大可告訴歐塔瓦爾的貴族，只不過希望您報告的時候，能考慮到我們的立場。」

說著，多力姆苦笑起來。

「我們很了解歐塔瓦爾的貴族，只要老實向他們報告，相信他們也會同意，直到平安度過明年春天前，最好都不要張揚這件事比較妥當。」

「明年春天？」

赫薩爾馬上露出恍然大悟的表情。

「『玉眼來訪』……原來如此。」

東乎瑠的皇帝為了滴水不漏地監控自己所統治的土地，會定期派遣代理人出巡。明年春天，皇帝的外甥將以「皇帝之眼」的身分造訪阿卡法。

另外，這次還有掌握極大權力的選帝侯——王阿侯隨行，想必與多瑠等人現在正為了迎接他們而費盡苦心籌備吧。

如果發現邊境地區的管理有嚴重瑕疵，王幡侯的總督權就會遭到剝奪，自此失勢。三年一度的「玉眼來訪」，可是左右他們未來的頭等大事。

赫薩爾嘆了口氣。

「他們在等這個時機？」

「……對。對火馬之民來說，這是個絕佳的時機。」

「在這個最糟糕的時機，那群瘋狂的傢伙手裡竟握有空前絕後的凶器。」

多力姆點點頭。

「王的心意已定，阻止他們是我們的責任。」

多力姆身子微微前傾，盯著赫薩爾。

「可是現在我們的對手是疾病，事態會怎麼發展，還有許多我們無法掌握的部分。」

赫薩爾苦笑著搖搖頭。

「你要我在明年春天前做出黑狼熱的特效藥嗎？這是不可能的。開發新藥不可能這麼快。」

「這一點我了解。我並沒有想把期限訂在明年春天。只不過，除了您、米拉兒，還有歐塔瓦爾的貴族外，不可能有人做得出這種藥。」

多力姆壓低了聲音。

「我們做了個短暫又愚蠢的夢，放任這種病蔓延。假如這種病會帶來漫長永久的痛苦，到時就後悔莫及了——請您幫幫我。不僅爲了愚蠢的我們，也爲了住在這個地方的所有人。」

## 三 「沼地之民」的故鄉

寢室裡的暖爐已經生好火，把房間裡烘得暖熱。

米拉兒隨意摺了摺自己的衣服，放在赫薩爾疊得一絲不苟的衣服旁。她轉向臥床。

赫薩爾仰躺在床上，正盯著天花板，米拉兒掀起毛毯，鑽進被裡。赫薩爾像平時一樣，將手伸進米拉兒的腋下，緊抱著她。

感受著彼此肌膚的溫度，米拉兒輕嘆了一聲。

她很喜歡赫薩爾後頸的味道，像這樣被他抱在懷中，鼻子湊近他的頸子，就有一種彷彿回到小時候的安心感。

「……眞抱歉。」

她聽到赫薩爾模糊的聲音。

「抱歉什麼？」

赫薩爾頓了一會兒。

「我看錯多力姆這個人了。我知道他是個冷淡的男人，但我沒想到他會冷酷到把妳也捲進來。」

米拉兒沒說話，將嘴唇貼在赫薩爾微微流著汗的頸窩。

就這樣過了好一會兒，原本在胸口模糊不成形的感覺漸漸清晰。米拉兒開口：

「我可是挺開心的。」

赫薩爾稍稍拉開身體，看著米拉兒的臉，微皺著眉。

米拉兒苦笑。

「多力姆不是說了嗎？有事希望我來調查。也就是說，我被帶到這裡不只是爲了牽制你，他還看中了我的才識。再說，這也是個研究黑狼熱治療方法的難得機會。」

米拉兒將額頭抵著赫薩爾的額頭，輕聲說：

「而且，還能像這樣跟你在一起……你一定沒想過等的人有多難受吧。」

赫薩爾什麼也沒說。他總是這樣。每次遇到確認彼此心意的時刻，他永遠不說話。

這人就是這樣。再說，兩人的身分天差地遠，將來也不可能生下孩子。這些她都清楚，所以才發展成現在這樣的關係，都不知道過了幾年呢。

米拉兒嘆了口氣。

（……沒辦法。）

誰叫自己喜歡上這種男人呢？抱怨也沒用。

她輕輕將嘴唇印在赫薩爾的唇上，過了一會兒，赫薩爾才回吻她。

隱約傳來敲在屋頂上的潮濕聲音，外面好像開始下雨了。

＊

半夜開始下的雨，早上就停了，就在東乎瑠的駐軍出發時，雲也正好散去。明亮的陽光籠罩著族都。

離開族都的後門，走下山路，多力姆擔心地回頭看著米拉兒。

「昨天夜裡那場雨讓路變得很濕滑，接下來還會更難走，請小心別滑倒了。」

赫薩爾抬頭看了馬柯康一眼，用下巴一比。

「你到米拉兒那邊去，她要是快滑倒的話，就扶她一把。」

馬柯康皺起眉。

「我覺得你去扶她比較好。」

赫薩爾哼了一聲。

「我怎麼扶得住她，那傢伙挺重的呢。」

米拉兒轉過頭，瞪著赫薩爾。

「我聽見了。」

赫薩爾臭著臉回她一句：

「就是故意說給妳聽的。」

看著他倆一來一往，馬柯康突然覺得，少主跟米拉兒在一起的時候，就像個小孩子。

米拉兒雖然有張娃娃臉，個頭也小，但馬柯康卻從來不覺得她孩子氣，有時候甚至覺得她成熟到令人安心。

每當看見米拉兒望著赫薩爾的眼神，馬柯康便覺得米拉兒打從心底愛著赫薩爾這個身分懸殊、個性彆扭難相處的年輕人。但她把一切藏進內心深處，只露出開朗的笑容。

或許正是因爲這樣，看著米拉兒的側臉時，馬柯康偶爾會覺得心裡難受。

多力姆腳步輕快地走下山路。

（……要去沼澤地嗎？）

猶加塔山地邊緣零星存在的沼澤地是很危險的地方，那裡也是「沼地之民」的領域，小時候很少會走這條路。

「沼地之民」的階級比「火馬之民」更低，就像他們的僕從一樣。

（那次事件之後，他們還留在自己的故鄉嗎？）

或許吧。這些人本來就不怎麼引人注意。可能直到現在都還安安靜靜住在沼澤地吧。

鳥群發出響亮的叫聲，橫空而過。

聽著那聲音，馬柯康突然想起小時候父親和祖父曾帶自己到沼澤地去獵鴨的事。

那時候，他記得有個「沼地之民」的年輕人來領路。他們或許就是靠這些工作換取些許報酬。

水和潮濕泥巴的氣味越來越濃，終於，眼前出現了一片沼澤。在風大的日子裡，水面看起來是黑色的。但今天無風晴朗，在晨光之下，水面閃爍著細碎的光輝。

多力姆好像來過很多次，他巧妙穿過沼澤邊緣的小路，走進聚落。

一聽到狗叫聲，馬柯康反射性地將手放在劍柄上，但有個男人從前面的房子走出來，喝了一聲。往前衝的狗頓時止步，只是低吼著，並沒有再靠近。

男人一看到多力姆，便深深低頭鞠躬，這是表示歡迎的動作。

各家各戶的女人和孩子全跑出來，直盯著這裡。不過他們只是看，一句話也沒說，就連孩子們都謹守沉默。

多力姆走向位於聚落外、離群獨立的一間小屋。

打開那扇粗陋的木門，微暗中可以感覺到有人的氣息。

馬柯康緊跟著多力姆後頭踏入房裡，表情不禁爲之一僵——一名女子躺在鋪了骯髒寢具的床上，一眼就能看出她生病了。房子裡面還有被草蓆蓋著、看似遺體的東西。

眼前令人意外的景象也讓赫薩爾和米拉兒不禁沉下臉，赫薩爾馬上回頭看著多力姆，低聲對他說：

「笨蛋！既然有病人，爲什麼不早告訴我？」

多力姆神色陰沉地回答：

「很抱歉……」

米拉兒從懷中取出一塊布遞給赫薩爾。赫薩爾什麼都沒說，用布摀住口鼻。

馬柯康看到米拉兒遞過來的布，蹙眉問道：

「黑狼熱不是不會人傳人嗎？」

米拉兒搖搖頭。

「現在什麼都還不確定，而且也有可能發生變異。再說，生病的人身體很弱，總不能被我們感染感冒。」

「別囉嗦，你快戴上就是。」

赫薩爾不耐地說著，然後奮力把腳上的長靴脫掉、爬上高床。跟米拉兒一起診治病人。

赫薩爾把脈時，那女人完全沒有反應。她皮膚上出現了黑狼熱的特徵，密密麻麻浮現帶紫色的疹子。

赫薩爾屈膝在病人身邊，抬頭看著多力姆。

「這個人是什麼時候被狗咬的？」

多力姆看著赫薩爾。

「她好像沒有被狗咬。」

赫薩爾瞪大了眼睛。

「那是被其他動物咬傷的嗎？狼？還是山犬？」

「不。她沒有被任何動物咬傷。」

赫薩爾和米拉兒的臉頓時鐵青，就算用眼角餘光也能清楚看出。

他倆面面相覷，離開病人身邊。

看到他們的模樣，多力姆說：

「如果您擔心蟲子，那大可放心，我們已經仔細灑過殺蟲礦粉了。」

赫薩爾皺起眉，緊抿著唇。接著他對米拉兒點點頭，把生病的女人交給她，自己走向裡頭的遺體，慎重地掀開草蓆、解開遺體的衣服，仔細觀察身體。

過了好一會兒，米拉兒低聲道：

「……找到了。」

她指著病人的側腹。乍看之下以爲是顆黑痣，仔細一看，原來是蜱蟎——一隻吸了血後，身體變得又圓又大的野蜱蟎。

蜱蟎一旦咬住人，沒有七天十天是不會離開的。等到牠們吸飽了血，自然就會走。但如果硬要扯掉，牠們的下顎便會嵌在皮膚裡留下來，甚至還會化膿，相當棘手。

這隻野蜱蟎大概是在吸血的時候，因爲殺蟲礦粉的緣故，就這樣死了吧。

米拉兒站起來，滿臉鐵青。她什麼都沒說，快步走到屋外。

馬柯康追在她身後離開小屋。

米拉兒背對小屋，站在陽光照射得到的地方，身體微微顫抖。馬柯康正想上前說話，這時赫薩爾也從小屋走出來，來到米拉兒身邊。

米拉兒抬頭看著赫薩爾，嘴唇顫抖，輕聲說道：

「……你覺得是哪一種？」

赫薩爾搖搖頭。

「光看病人還不知道，還得問問村裡的人。」

米拉兒眨眨眼，大口呼吸，臉頰終於稍微恢復了血色。

「也對。現在不是害怕的時候，這反而有可能成爲重要的線索。」

壓抑住想詢問的心情，馬柯康沉默著。但米拉兒發現了他的好奇，對他說：

「這可能是找出病因的線索。」

她繼續往下說。

「沒被狗咬過，卻被蜱蟎咬到的人，出現了跟黑狼熱類似的症狀。這表示黑狼熱的病素很有可能原本就存在蜱蟎之中，而被蜱蟎咬過的狗，再將來自蜱蟎的病素轉移到人體裡。」

多力姆也離開小屋，認眞聽著他們的對話。

「但是還有兩件事必須考慮：病素究竟是不經過狗、直接從蜱蟎轉移到人身上？還是這些蜱蟎先吸了身爲黑狼熱宿主的狗血後，再咬人，把病素傳到人身上？」

赫薩爾繼續說：

「如果是前者，那麼到現在，理應有很多人罹患黑狼熱才對。但以往從未發生的情況，卻到近年來才出現，這其中的原因到底是什麼？還有，目前爲止都沒有發作的理由又是什麼？如果能查出原因，或許能夠找到治療方法的線索。」

赫薩爾的聲音裡帶著無法遏抑的興奮。

他盯著多力姆。

「總之，先專心治療那個人。接下來，可以問問村人這件事嗎？」

多力姆點點頭。

「就是為了這個，才帶你們過來的。」

接著，多力姆壓低了聲音：

「老實說，要從他們口中問出什麼可能不太容易。他們跟火馬之民一樣篤信晉瑪神，把發病視為一種天譴。所以根本不照顧病人，就這樣丟在小屋裡。

「但他們心裡其實也很害怕，如果表明你們正在尋找能治病的方法，我想他們一定願意開口。」

赫薩爾跟米拉兒回到小屋，多力姆也走了進去，但馬柯康不想再踏進小屋，始終站在太陽下。

自己本來就是一待在病人身邊就很容易消沉的個性。話說回來，現在不是說這種話的時候。他嘆了口氣，正要走回小屋，眼角餘光突然感覺有個東西在動，馬柯康轉過頭去。

小屋旁放著一只大水瓶。

有張小小的臉從那水瓶後面探了出來。兩人目光一對上，那張臉迅速往後一躲。

馬柯康悄悄走近。從上面俯瞰水瓶後方，一個小女孩正屈膝蹲在那裡。她應該也注意到馬柯康吧。她轉過來，抬頭看著他，瞬間板起臉。

「……不口以看！」

這孩子雖然還不太會說話，但生起氣來氣勢倒很不得了。

「妳在這裡做什麼？」

馬柯康問。那女孩誇張地皺著臉，豎起手指噓了一聲。

「我在躲幾來！不口以看！」

馬柯康忍不住笑了出來。

「鼻要笑！」

女孩越來越生氣。

馬柯康心裡閃過一個念頭，收起笑意。

「妳媽媽在這裡嗎？」

女孩搖搖頭。馬柯康這才鬆了一口氣，撫著下巴。

「不是啊——那妳是哪一家的孩子？」

那女孩顯得有些爲難，抬頭看著馬柯康，但沒回答。

她氣呼呼地鼓著那張充滿光澤的紅臉蛋，看起來很可愛。

「妳叫什麼名字？」

馬柯康溫柔地問，女孩突然露出泫然欲泣的表情，小聲回答：

「……悠娜。」

## 四 飛鹿「曉」

不知從哪裡傳來了積雪落地的聲音。

以這個季節來說，今天還算滿溫暖的。白天的陽光照著樹枝上的積雪，森林裡各處都傳來積雪「啪沙」一聲落地融化的聲音。

凡恩的大舅子查卡和「火馬之民」族長傲梵走在前面，兩人的背上點點閃爍著透過葉隙灑落的陽光。

傲梵面對著查卡，聲音清楚地傳了過來：

「那麼，是札喀托峽谷道囉？」

查卡點點頭。

「是，應該不會有錯。前天札喀托氏族的人緊急傳來消息，說發現了那些傢伙的雪橇痕跡，今天之內應該就能查出他們的蹤跡吧。雖然他們很巧妙地隱藏，不過在這裡發現了其他兩條峽谷道上沒看到的雪橇痕跡，上面還載著重物。」

傲梵一副難掩興奮的樣子，握拳擊掌。

「終於來了，終於來到札喀托了！」

火馬之民的戰士們默默跟在傲梵和查卡身後，凡恩也跟著他們一起走，帶著複雜的心情望著查卡的背影。

跟查卡重逢已過了半個月，這段期間，凡恩都生活在火馬之民的聚落，這才知道故鄉的人和火馬之民竟意外有著深刻的關聯。

火馬之民被趕出猶加塔平原後，在阿卡法王的安排下被分成十幾個家族，散居各地——這件事他曾經聽說過。而負責接收輾轉來到土迦山地的傲梵他們的，竟然就是甘薩氏族，他不禁覺得命運的牽連實在太奇妙。

「跟東乎瑠的那場漫長戰爭，讓我們失去很多像你這樣的老練戰士。」

重逢的第二天早上，查卡在帳篷裡一邊吃著早餐，一邊說道。

「可靠的戰士減少，穆可尼亞的進攻又急遽增加，我們根本沒時間休息，實在很累。

「每當敵人來攻，我們都會通知東乎瑠的駐軍，可是他們不到最後關頭不會來幫忙。其實就是想以我們爲盾、削弱我們的力量，盡量保留東乎瑠的兵力。」

查卡臉上浮現苦笑。

「所以接收火馬之民對我們也有好處。他們是勇猛的戰士，而且願意賭上性命跟我們一起奮戰，現在我們就像結拜兄弟一樣。

「他們或許也有自己的算計。不過他們期待的結局，跟我們的希望是朝著同一個方向的。」

本來是由土迦更南邊的山地民接收傲梵他們的。不過後來因爲一些小事起了爭執，所以才遷居到對東乎瑠相當恭順的甘薩氏族這裡。

查卡說，在那之後，甘薩氏族跟傲梵他們一起想了許多策略，共同奮戰。

火馬之民跟接收他們的氏族共同奮戰，看來很理所當然，所以要避開東乎瑠的注意、研擬戰略並非難事。查卡笑著說，這倒是挺方便的。

（也就是說……）

襲擊阿卡法鹽礦那件事，故鄉的人可能早就知情。

查卡並沒有提到此事，他或許覺得，保住一命卻淪爲奴隸的凡恩，就算被晉瑪之犬咬死，也比在地獄般的鹽礦受苦來得好吧。

就在凡恩心裡掠過這個念頭時，突然想起另一件事，臉上蒙了一層陰影。

（難道大費周章擄走悠娜，也是查卡他們出的主意？）

查卡非常清楚，凡恩有多麼憎恨疾病。

就算爲了奪回故鄉而戰，如果知道要以疾病爲武器，凡恩可能會拒絕出力。所以也不能排除查卡將這件事告訴傲梵等人的可能。

來到大樹下，查卡停下了腳步。

傲梵等人也停了下來，靜靜看著查卡的動作。

查卡將手放在嘴邊，然後對著森林深處「噗歐～」一叫，發出響亮的「呼鹿聲」。

草叢一陣騷動，飛鹿奔了過來，筆直跑向查卡，蹭著他的腰際。

凡恩瞇起眼，看著熟悉的飛鹿。

「『夕雲』看起來眞有精神。」

查卡低語，然後抬起頭看著凡恩。

「你也叫叫看吧。」

凡恩驚訝地看著查卡。

「……怎麼可能？」

查卡微笑著說：

「當然可能，今天我讓他們把『曉』帶來了。叫叫看吧。那傢伙不喜歡火馬之民，可能會猶豫不知道該不該跑出來。」

凡恩緊咬牙關，稍微閉了閉眼，接著睜開眼睛，把手放在嘴邊，用力地吸了一大口氣，發出呼鹿聲。

這時，草叢開始沙沙搖晃，出現一叢漂亮的犄角。

一隻飛鹿在陽光下奔了過來。一看到牠的樣子，凡恩便覺鼻子深處湧起一股熱意。

他淚水滿溢，眼前懷念的飛鹿身影變得模糊。

在庫許納河畔戰場失散的老夥伴「雷雲」之子——「曉」。第一次摸到這在黎明時分誕生的孩子時，牠身上還沾滿了母鹿的羊水。

離開故鄉時，曉還是隻稚氣尚存的小鹿，現在卻已是體格壯碩、威風凜凜的公鹿了。

牠從草叢裡衝出來，又猛然停下腳步，顯得有些猶豫，那對黑色的眼睛閃閃發亮，直盯著凡恩。

「……曉。」

凡恩叫了牠的名字，再輕輕一打舌，曉的耳朵微微抽動。

牠發出撒嬌的聲音走了過來，似乎在埋怨主人長時間不在身邊，稍微用鼻尖撞了撞凡恩，又用頭不住地摩擦凡恩的胸口。

嗅聞著曉身上的味道、撫摸牠的背和頭，再伸手環抱牠的身軀，凡恩喉間一陣顫抖。眼淚不停流出，沿著臉頰滑下。

「……都長這麼大啦，曉。長得跟你爸一模一樣呢。」

查卡和傲梵臉上露出溫暖的微笑。

「騎騎看吧。」

聽到查卡這麼說，凡恩燦然一笑，翻身騎在曉的背上。

熟悉的感覺又回到身上，凡恩雙腳夾住曉的身體，催促牠往前跑。

曉反彈似的拔腿奔馳，流暢地避開樹木，不斷往前跑。

鹿很怕雪。

飛鹿的蹄張得很開，所以跟其他的鹿比起來算是很能走的；儘管如此，在積雪較深的地方，腳還是會往下沉，無法快跑。所以要讓飛鹿在雪上奔跑是有訣竅的。

還來不及思考，身體的直覺已經回來了，凡恩瞬間找出較穩固的地面，配合曉奔馳的動作，巧妙移動重心，駕馭著曉。

就是這樣。

這種速度，這種聲音，這種振動。這就是以往自己所愛的一切。

把下顎放在飛鹿那雙樹枝般的犄角間，自己和飛鹿的視野就能疊合在一起。

看著同樣的風景、聞著相同的味道，一起迎風奔馳、融爲一體。跳過草叢、穿梭樹木間，再回到查卡等人身邊時，傲梵他們驚訝得合不攏嘴。

「太厲害了。」

傲梵眼裡閃著光輝、囈語般說著，臉頰彷彿少年一樣通紅。

「之前聽你說，我還半信半疑……這眞是太驚人了。」

「很快吧。」

傲梵點點頭。

「快，而且還相當敏捷。」

傲梵轉過頭看著查卡。

「過去我看過很多飛鹿騎士，但像他這樣的還是第一次，沒想到飛鹿眞能奔馳如風。」

查卡露出苦笑。

「這傢伙可不一樣。不過很遺憾的，在我們的氏族裡，沒人能像凡恩這樣駕馭飛鹿。」

查卡嘆了一口氣。

「以前有很多戰士，都像這傢伙一樣，能自由自在駕馭飛鹿在雪地上奔馳。那時候啊，就算是冬天，穆可尼亞那些傢伙也從來不敢入侵甘薩的土地——一想到現在他們這麼不把我們放在眼裡，就覺得難以忍受。」

傲梵沉吟：

「原來如此。我現在才眞的相信了，老實說，當我聽說『獨角』能奔馳在下雪結凍的斷崖絕壁，心裡覺得根本不可能……」

聽著兩人的對話，凡恩似乎隱約能了解故鄉發生過什麼事。

過去，穆可尼亞的士兵從不曾在冬天入侵土迦山地，因爲山路會結冰，無法行走；如果沿著峽谷底下的小路走，又會遭到飛鹿騎士由上方射箭攻擊。

以前穆可尼亞頻繁進軍時，走的是土迦南部大河沿岸的草原道路，不過聽說東乎瑠軍已經在那附近築起連綿石牆，還蓋了幾座碉堡。

穆可尼亞軍夏天騎馬，冬天坐著由大如小牛的狗拉動的雪橇進攻。儘管防衛牆的高度不過及腰，卻還是能發揮阻止他們前進的強大效果。

（所以……）

現在穆可尼亞軍嘗試在山地尋找新的入侵路徑。

在春夏樹木蒼鬱茂盛的季節，神出鬼沒的飛鹿騎士們，不知會從哪裡攻擊；至於堆滿枯葉的秋天，則會因為明顯的腳步聲，無法隱匿蹤跡。

但現在，騎術熟練的飛鹿戰隊「獨角」已經全軍覆沒，能像查卡這樣駕馭飛鹿自在奔馳在雪地斜坡上的人，也已所剩無幾，光靠他們幾人，真能確實守住遼闊的山地嗎？穆可尼亞也察覺了這個狀況，正嘗試在冬天入侵。

如果在有一定寬度的山路上，而且雪積得夠硬，那麼對穆可尼亞軍來說，還是很有優勢。他們靈活地操作由巨犬拖拉的雪橇或滑板，不斷進攻。雖然上坡路會成為他們的弱點，可是只要山崖上沒有弓箭攻擊，就能拖著補給物資和攻城道具，以相當快的速度進軍。

（原來如此。）

所以傲梵聽到穆可尼亞軍走札喀托峽谷道進攻，才會那麼興奮。

因為那條路通往東乎瑠碉堡的後山。

要是從後山襲擊，可能會給碉堡帶來莫大損傷。就算沒能一口氣攻陷，只要在修復碉堡的期間一波波增援、反覆攻擊，要占領碉堡並不是夢。

而且峽谷道兩端多半是險峻的斷崖絕壁，除非是技術夠精湛的飛鹿騎士，否則很難從上方發動奇襲。

（重要的是如何調整時機。只要能巧妙設計，就能讓穆可尼亞攻陷碉堡。）

飛鹿在雪原上動作較遲緩，如果遭到東乎瑠軍和土迦山地民夾擊，確實很危險。可是，假如能巧妙調整增派援軍的時機，反過來說，就有可能前後夾擊後方的土迦山地民，將其一舉殲滅。

穆可尼亞軍向來喜歡採取派出數支部隊擾亂敵方、隱藏主力部隊的戰術。查卡他們應該是想假裝受到混淆，誘導穆可尼亞軍主力選擇札喀托峽谷道。

（但是，他們的目的何在？）

要讓遲遲等不到援軍的東乎瑠軍心慌嗎？

事到如今，就算給東乎瑠碉堡帶來損傷，對土迦山地民也沒什麼好處吧，不過是徒然增加受到穆可尼亞侵略的危險罷了。

凡恩從曉的背上下來，站在傲梵身邊，傲梵抬頭看著凡恩，咧嘴一笑。

「好好期待明天晚上吧，這次輪到我們表演了。」

## 五　札喀托的奇襲

札喀托峽谷道轉為徐緩的上坡、通往碉堡後山山頂的這段坡道，原本應該是土迦山地民攻擊的地點。

穆可尼亞的軍隊也深知這一點，會在上坡前先充分休息，做好爬坡的準備，並派遣斥候先行。

派出的斥候多半是住在土迦山地西側、穆可尼亞境內的山地居民。他們很熟悉這座山地的生態，動作俐落迅速。

凡恩跟傲梵等人一起埋伏在草叢裡，維持一段距離，觀察對方謹慎入山的過程。

查卡那些甘薩氏族的戰士，已繞到穆可尼亞軍背後。

——穆可尼亞軍開始爬坡後，就會通知東乎瑠軍，不過困難的是該如何掌握時機。

傲梵說過：

——如果太快通知，東乎瑠軍就有足夠時間做好戰鬥準備。

對方大概還不相信自己吧。

傲梵只願意一步步片段說明，因此凡恩無法掌握整體戰略，不過看著傲梵和查卡等人的行動，凡恩也大概明白了他們的計畫。

也就是說，傲梵等人打算讓穆可尼亞攻擊碉堡。

通知東乎瑠軍，讓他們事先知道穆可尼亞要攻擊，並表示會從背後夾擊，一方面向東乎瑠表示忠誠，一方面又想同時引發另一起事件。

（到底是什麼？）

凡恩腦中有個猜測，也認為自己的猜測十之八九沒錯。

（可是……）

傲梵動了動兩根手指頭。

兩名斥候一邊觀察著周圍，一邊歸回部隊。

看到那兩人消失在坡道下，傲梵對背後的戰士點點頭。戰士維持著壓低身體的姿勢，消失在森林深處。大概是前往東乎瑠軍的碉堡吧。

傲梵稍微瞄了這裡一眼，露出大膽的微笑。

不知不覺中，照射在樹幹上的陽光角度和顏色已跟剛才不同。

穆可尼亞軍一定希望能在日落前上山布陣，所以應該差不多要開始爬坡了。

閉上眼睛、側耳靜聽，以往絕不可能聽到的遠方喧囂，現在微微傳進耳中——穆可尼亞軍已經開始行動了。

傲梵靜靜站起來，打了個暗號，示意出發。

＊

說這座能俯瞰碉堡的後山是山，其實就高度來說，更像是丘陵。

傲梵走向距離穆可尼亞軍可能布陣的地方稍遠的森林中，從這裡也可以清楚地看見碉堡。

在一個能從上方發射弓箭的地方建造碉堡，其實是違反兵法的；不過這附近過去曾有沼澤，除了這裡以外，其他地方的地層都相當脆弱，很難建造碉堡。

土迦山地乍看之下很平緩，但山區遼闊複雜，地形也相當多變，能容納多人經過的道路很有限。如果在這裡建造碉堡，就像封住出口一樣，可以防止大軍進軍平地。

再說，東乎瑠建造的碉堡確實很堅固。

如果不運來大型攻城器具，要攻下這座碉堡並不容易。可是要帶著如此龐大的工具，行軍速度勢必會減緩。

以往還有許多老練的飛鹿騎士時，龜速行進的敵軍正是最好的目標。

現在就很難說了。東乎瑠軍大概不知道，雪季時的戰爭最能考驗飛鹿騎士的技巧。諷刺的是，將「獨角」殲滅殆盡後，現在東乎瑠軍的國境防衛面臨了極大問題。

獲知有敵人來襲後，碉堡裡燃起赤紅篝火，東乎瑠軍正慌忙地準備應戰。

這座碉堡很有東乎瑠的風格。

門有正門和後門兩處，每道門都由半圓形的「半月城牆」圍住。

有了半月城牆，就算從上方也看不出城門是開是關，更無法使用破城槌。如果想突擊大門，就會成為城牆上弓箭兵的標靶。率領「獨角」作戰時，的確曾在攻略這類城堡時吃過很大的苦頭。

（該怎麼攻下這座碉堡呢？）

俯瞰碉堡時，身為「獨角」首領時的心情再次甦醒。

（還是用火吧！）

碉堡本身雖然堅固，但並不是完全密封的箱子。在士兵們居住的兵舍附近有個搬運各種物資的廣場，那裡並沒有屋頂。

由於距離相當遠，直接射火箭是不可能的。但只要能用某種方法把火箭射到那裡，應該能帶來不小的損傷。

凡恩一邊想，一邊俯瞰著碉堡，突然覺得背後有人。

一回頭，凡恩一驚。

是位戰士，背著一個人過來。那樣子他很熟悉。

（……啊。）

凡恩臉上蒙上一層陰影——那夜的夢又鮮活地重現。

戰士來到凡恩身邊，慢慢把老人放在他旁邊。

老人看著凡恩，臉上浮現笑容。

「眞悲哀。」

老人嘶啞地說著。

「肉身竟是個久病纏身的老頭。」

傲梵走近，屈膝蹲在老人身邊。

「父親。」

老人對兒子點點頭，視線朝向碉堡。

「差不多了吧。」

說著，老人瞇起眼睛，看著凡恩。

「你聞到了嗎？」

凡恩也正好聞到了某種味道——那是混雜了硝石、木炭，還有硫磺的味道。

「是火彈吧。」

是東乎瑠軍使用的火彈味道。

凡恩的後頸反射性地起了一片雞皮疙瘩。跟東乎瑠軍作戰時，許多夥伴都死於這種武器。整個身體會被炸裂，死狀悽慘。

可是現在聞到的火彈味並不是從東乎瑠軍的碉堡飄來的。方向不一樣。

明白其中的意義後，凡恩一陣戰慄。

「穆可尼亞也學會使用火彈了嗎？」

傲梵輕輕點點頭。

「雖然遠比東乎瑠的粗糙、不穩定，我也看過他們操作錯誤而自爆。啊，要開始了。你看著吧。」

隔著樹林，可以很清楚看見穆可尼亞的陣營。

現在的凡恩不管是看暗處或遠方，視力都比以前好，可以把士兵的動作看得一清二楚。有幾個人站起來，橫向站成一排。凡恩看到他們的姿勢，瞇起眼。

（那是拉槃族嗎？）

拉槃族是穆可尼亞屬地內的山地居民，很擅長使用投石器，過去凡恩也曾經跟他們交手過幾次。

投石器投擲出的彈藥能飛得很遠。如果有了像拉樊族那樣精湛的高手，就算目標再遠，也能正確命中，威力不輸給弓箭。

可是投石器一旦開始丟擲，就無法中途改變方向，所以對飛鹿騎士來說，只要掌握到他們的動向，並不算是太可怕的敵人。

（啊……）

對方的身影突然變得清晰。放在投石器上的彈藥已點燃火繩。

拉樊族的人使盡全力轉動投石器，一口氣將火彈投入空中。

火彈縱身飛入夜空，畫出一條大大的弧線。小小的亮光，一個接一個飛到碉堡的屋頂上。

當這些亮光掉落到碉堡上，同時有好幾道閃光劃破黑夜，不斷發出悶鈍的爆炸聲。

在屋頂上待命的弓兵們身體被炸飛，屋頂的木材也四處飛散。

頓時引起一陣騷動。

可以看見碉堡的守衛兵不知所措地大叫著。

拉樊族繼續投擲火彈，在那小規模爆發持續的過程中，穆可尼亞的主力部隊開始移動。

巨犬拖著雪橇陸續登上坡道，再巧妙地滑下凍結的雪道。

凡恩回頭看著傲梵。

再這樣下去，碉堡會被攻陷的。

對火馬之民來說，看到憎恨的東乎瑠受苦或許有種快感，但碉堡被穆可尼亞軍奪走，將讓土迦山地民被捲入新的戰火中。

傲梵看出凡恩表情裡的含意。

「沒問題的。」

他說。聲音非常低沉。

「我們會打倒穆可尼亞。」

接著，他回頭看了父親一眼。

在那個不可思議的夢中自稱「犬王」的老人，只是一直盯著戰局。這時，他突然露出微笑，伸手握住凡恩的手腕。

（……走吧！）

凡恩腦中響起老人的聲音。

同時皮膚也有一股搔癢的感覺，凡恩開始呻吟。

頭從內部開始膨脹——要離開身體了……

一回神，老人已抱住了自己。與其說抱住，不如說兩人的身體融爲一體。

老人以極快的速度奔下山路。

不知不覺中，凡恩跟老人一起變成一隻發著光的大狗。

一股凶猛的衝動突然湧上——好想張口大咬。不管是什麼東西，總之，好想一口咬下……

老人身子往後一仰，開始吠叫。

用那拖著長長尾音卻幾乎不成聲的聲音，呼喚著晉瑪之犬。

狗群呼應著這無聲的叫喚。晉瑪之犬接二連三從黑暗中衝出，牠們緊跟在身邊，靈巧地衝下積雪的山路。

跑在最前面的是一隻黑狗。其中一隻眼睛閃爍著光芒，流暢而敏捷地奔馳著，率領其他犬隻前進。

穆可尼亞的雪橇犬也發現了，牠們發出低吼，開始扭動身體。穆可尼亞兵大吃一驚，揮鞭企圖控制這些狗。

碉堡近在眼前。

碉堡的屋頂燒了起來，附近亮如白晝。東乎瑠軍騎馬離開碉堡，前來迎戰穆可尼亞軍，他們手持槍盾，只靠腳巧妙地控制著馬身，節節進逼。

人馬的汗味、雪的味道、屋頂燃燒的味道、四散的肉片和血的味道。凡恩和老人一起在這許多氣味交雜當中奔馳，從旁邊撲向穆可尼亞軍。

當他們奮力一躍，晉瑪之犬也仿效動作，跟著就是一跳。牠們的獠牙撕裂了那些驚訝而回頭的穆可尼亞士兵的脖子，接著又跳到另一邊去。

穆可尼亞士兵往後一倒，掉在雪地上彈了幾下。

老人一邊奔跑，一邊就像有數十隻手拉著牽繩般，誘導著這批晉瑪之犬。

老人並沒有攻擊山地居民，他只讓晉瑪之犬攻擊穆可尼亞的正規士兵。穆可尼亞士兵的頭盔掉落，金色頭髮反射出火焰的光，也跟著發亮。

當晉瑪之犬咬斷他們的脖子，牙齒貫穿柔軟肌膚的瞬間，凡恩全身感受到一股難以言喻的快感。帶著金屬味的鹹濕血液擴散在嘴裡，唾液和細微的光線，也一起進入對方的喉嚨裡……

穆可尼亞軍陷入一片混亂。

不知從哪裡出現的剽悍犬群，躲過揮來的劍、跳上雪橇，似乎像在嘲笑那些巨大雪橇犬的遲鈍動作般，蹬著牠們的背跳過，咬向穆可尼亞的正規士兵。

如果他們冷靜下來仔細觀察，會發現來襲的不過區區二十隻狗。但是晉瑪之犬的動作異常敏捷，眼睛很難追上牠們的速度。再加上牠們的身影在火焰下跳躍，這些奔馳在夜晚雪原上的二十隻狗，看起來就像有無數多隻。

東乎瑠騎兵看到突如其來、開始襲擊穆可尼亞兵的犬群，慌張地拉住牽繩停下馬。

他們臉上也浮現怯懦的神色。

穆可尼亞軍潰散瓦解，大家開始四散逃亡。他們無法回到坡道上，只能拚命駕著雪橇想尋求一條活路。也有人放棄雪橇、徒步逃進森林中，按著被晉瑪之犬咬傷的手，拖著腳步消失在黑暗裡。

老人朗聲笑著。

他沒讓犬群去追那些殘兵敗將。他慢慢揮動那十幾隻看不見的手臂，晉瑪之犬的目光轉向東乎瑠騎兵。

凡恩看見東乎瑠軍畏怯的表情——那些年輕士兵讓他想起了多馬，看到他們的眼睛，凡恩就像吹到一陣冷風，突然回過神來。

他突然明白了老人的企圖，猛然抽身往後退。

老人不耐地想阻止凡恩，但凡恩卻試圖反抗他的控制。

兩人的力量開始互相對抗……就在此時，雙眉之間突然迸裂。

## 六　拯救敵人

凡恩感到一陣暈眩。大地彷彿湧動的湖面。

他粗聲喘著氣，手按著膝頭，忍住噁心的感覺。膝蓋硬實的觸感讓他覺得終於回到自己身體裡。

凡恩顫抖的手按住眉間，抬起頭來，傲梵正滿身大汗地叫喊著父親、從老人的上方按住他的手臂。

「父親！請振作一點！父親！」

凡恩聞到血的味道。老人的手臂正淌著血。

傲梵身邊的火馬之民戰士們，迅速撕下自己的衣服，將老人從腋下到肩部全都包紮起來，替他止血。

仔細一看，老人身邊的地上豎著一枝箭——有人射傷了他。

凡恩心想，應該是穆可尼亞士兵。看看拉樊族和穆可尼亞兵所在的地點，那裡一陣激烈亂鬥。

拉樊族手上的火把掉在雪地上。每當劍身反射著散落四處的火把亮光時，就會傳來一陣慘叫。

還有些拉樊族藏在森林裡，雖然偶爾會有箭飛過來，但拉樊族並沒有勝算。火馬之民的戰士一一將他們擊潰。

老人睜開眼睛。

他揮開兒子的手，掙扎起身看著凡恩。在那頭凌亂白髮下的目光炯炯。

「……爲什麼？」

老人從喉間擠出聲音。

凡恩沒回答，只是回望著老人。

凡恩嘴裡一陣苦澀。這股餘味眞令人難受——他開始厭惡跟那些狗融爲一體後，沉醉在咬人快感中的自己。

凡恩讓潛伏在身體裡的某個東西奪走了自己、操控自己，這股悔恨正煎熬著他的內心。

（那個被和我的靈魂融爲一體的狗咬傷的年輕人……）

一定感染了黑狼熱，已經沒救了。

（我竟然讓人生病。）

凡恩不禁嗚咽。後悔已經太遲了。自己竟然犯下最不想做的事。

藏在身體裡的那個東西，是個怪物。

（它緊緊貼在我身邊，看起來跟我一模一樣，用不是我的聲音在耳邊傾訴，誘惑我心裡深處的黑暗渴望，讓我全身瘋狂……）

但是，牠又讓人覺得宛如融入滔滔大河中，有種「這樣就好」的安心感。是一股讓人覺得理所當然能將身體交付出去的安心。

老人眼中浮現出瘋狂和悲哀。

眼裡藏著許多疑問。

老人在問：難道你不明白我想彌補同胞、想給他們能回到故鄉的未來？然後，再一次親眼看看故鄉——那怕只有一眼也好。難道你不明白我這炙熱的渴望？

會因病而死的只有穆可尼亞人跟東乎瑠人。他們進入本不屬於自己的土地，企圖強行搶奪。這些貪婪的人只不過是受到相應的懲罰而已。

難道你不是要代替生病的我率領那些狗，不費一兵一卒奪回故鄉，奔走在能獲得永久和平的道路上嗎？

只是想找回那被奪走的平靜生活——你心裡應該也有這種無奈的渴望吧。但是，為什麼？凡恩從緊咬的牙關之間，吐出粗喘的氣息。

他不知道該怎麼把內心深處的想法告訴對方。他回想著東乎瑠年輕士兵眼中浮現的怯懦，慢慢開了口：

「戰爭……」

他只能擠出斷啞的聲音。

「應該要弄髒自己的手……在伸手可及之處。」

老人激烈地搖著頭，他抓著兒子的手，低吼般嚷著：

「戰爭把這傢伙……」

就在這時，周圍起了一片騷動。

他看見幾名戰士拖著一個纖瘦的人影走過來。走近之後，他才發現被拖行的是個女人。

勇猛的戰士們將女子丟在傲梵面前。

「她在樹上。射箭攻擊肯諾伊大人的就是這個女人。」

那女子似乎還有一點意識，她的眼皮顫抖著，但已全身無力癱軟在地上。脖子上纏著拉樊族祈求精靈守護的白布。

傲梵皺著眉，低頭看著那名女子。

「拉樊也有女射手？」

說完之後，他對部下點點頭。

身爲部下的戰士鞠了一躬，用已染滿鮮血的劍尖抵著女人喉嚨，瞄準，正準備動手——

下一個瞬間，那名戰士發出慘叫，伸手搗住自己的眼睛。

凡恩就這樣維持著丟出小石頭的姿勢，往前奔竄，手伸入那名女子腋下，將她扛上肩膀。

接下來的動作，只有老人看得見。

凡恩扛著那女子，從旁踢了那持劍戰士的手臂一腳。那名戰士的手臂順勢一揮，劍尖筆直逼近傲梵。

傲梵一驚，將腳收回，但劍尖仍擦過了他的腳。

「你這傢伙！」

傲梵大叫時，凡恩已衝進森林。

他一邊跑，一邊吸氣，響亮地發出「呼鹿聲」。

那聲音還沒消失在黑暗中，「曉」便跳過草叢出現了。

「……別讓他跑了！發射！」

隨著傲梵的聲音，幾道弓弦聲響起，弓箭呼嘯飛來，但凡恩並沒有停下。

他將那名女子放在「曉」背上，翻身躍上鹿背，從後方護住女子的身體，用腳催促飛鹿往前跑。

「曉」就像射出的飛箭一樣，縱身一躍，拔腿往前奔。

牠跳過草叢、穿過林間，輕盈地越過蒼鬱茂密的灌木叢。

風打在臉頰上。

悲哀從身體深處湧現。

被遠遠丟在身後的老人的那雙眼睛——那股絕望彷彿緊貼在自己背後。

凡恩實在不想這樣背叛老人。他希望能傾盡所有言語、尋找彼此都能接受的解決之道。

但已經太遲了。還沒來得及仔細思考，骰子已經擲下。他無法眼睜睜看著這女子被殺……而這也是自己所選擇的道路。

「跑吧，曉！」

凡恩抑制住身體深處的動搖，大叫著。

＊

天亮時，甘薩氏族的戰士和火馬之民會合。

傲梵一看到查卡，便用眼神示意，引他來到距離戰士有一段距離的樹林中。

查卡表情嚴肅，聽傲梵說完昨天晚上發生的事後，嘆了一口氣，對傲梵深深低下頭。

「很抱歉。」

傲梵看著查卡，搖搖頭。

「你不需要向我道歉，不過事已至此，我也無法再將那男人視為你的親人。」

查卡對傲梵點點頭，接著伸手摸摸自己的臉，開口說道：

「自從他成為『獨角』後，就已經不是我的親戚了。」

查卡出神地看著埋在雪裡的樹林，低聲開口：

「……他救了女人啊。」

查卡的視線回到傲梵身上。

深藍色的夜幕褪去，森林慢慢罩上一層白色晨光。

「那傢伙的妻子死了。可能是不忍心看到女人被殺吧。」

傲梵用冰冷的目光看著查卡。

「如果是這樣，那他只是個蠢蛋。但也可能不是。」

查卡狐疑地瞇起眼。

「什麼意思？」

傲梵面色凝重地說：

「我們收集了被殺的拉樊族所留下的武器，發現了一件奇怪的事。在遺體中，有個不是拉樊族的人。」

查卡抬起眉。

「你說什麼？」

「那人的脖子上雖然纏著拉樊族常見的白色頸帶，但手上並沒有投石器磨出來的繭。」

拉樊族從小就使用投石器。就算是使用弓的弓箭手，手上也一定會有投石器磨出來的厚繭。

「如果不是拉樊族的人，那會是誰呢？」

傲梵盯著查卡看了一會兒。終於，查卡表情扭曲。

「……原來如此。」

他下意識地用手摩擦著粗糙的臉，低聲說道：

「所以，王選擇了保身之道。」

查卡的眼睛茫然望著前方。傲梵敏感地察覺了這表情背後的意義，緊咬著牙。

「我們……」

緊咬的齒縫間，傲梵擠出聲音：

「為了奪回故鄉，不計任何代價。」

查卡緊蹙眉頭。

「你的心情我懂，但現在最好先避避風頭，等待時機成熟。阿卡法王在意的只有東乎瑠的臉色。如果為了阻止穆可尼亞而願意使用晉瑪之犬，情況說不定還會有改變。」

傲梵搖搖頭。

「我們已經沒時間了。」

「……也對，還有你父親的問題。他的傷勢如何？」

「不太樂觀。箭傷和割傷都是小事，但他率領晉瑪之犬，再加上幾度失望，現在他發著高燒。原本能不能撐過今年就已經很難說了，現在根本是靠意志力在撐。」

傲梵遠望著營地。

「但是，我父親並沒有放棄。」

他拉回視線，用炙熱的眼神盯著查卡，接著彎起嘴角。

「我也沒有放棄。我不會去討好那個見風轉舵的阿卡法王。正義屬於我們，而這一點，神明最清楚。」

傲梵就這樣沉默地看著查卡好一會兒，然後，又恢復了平靜的表情。

「跟你們的並肩作戰，就到此為止吧。」

查卡也默默看著傲梵。

「父親和我還有精銳的戰士，馬上會離開氏族。」

查卡表情僵硬。

「你們……」

傲梵點點頭，然後深深低頭致意。

「你願意接納我們、跟我們共同作戰，這份恩情即使到了黃泉我也不會忘記。」

傲梵抬起頭來，對著查卡微笑。

「如果最後你還願意聽我們一個請求，請幫助我們，躲進土迦山地深處。」

「……」

「王和我們之間的戰爭，不能引起東乎瑠的注意。我想那些背叛我們、前來攻擊的人，也不至於太過張揚，追到深山裡來討伐沒有抵抗能力的人。」

查卡沒有馬上回答，只是盯著傲梵。

自己現在所處的狀況、邊境民族的未來、現在該做的事——這些事情在腦中還沒理出個頭緒，但心裡湧上的哀傷，卻把這些重要的千頭萬緒全都壓了下去。

這個傲慢又頑固，卻深愛著同胞的男人，其實並不可憐。這個受到四面八方吹來的強風捉弄，不斷掙扎又陷入孤立的小小氏族之長……

（看樣子，勝負已分。）

阿卡法王既然已經決定明哲保身，不管再怎麼做，過去和他們共同描繪的夢想都已經不可能成真。

是收手的時候了。現在收手，對甘薩氏族不會造成傷害。

（但是……）

眼前這個男人，並沒有收手的選擇。

退縮，就等於接受那欺壓自己的不合理命運。這種事，頑固的火馬之民是做不出來的。

傲梵執著於自己才是對的，他一心認爲，只要行得正，神明就會幫助自己。

想必他們還會再繼續前進吧，那怕眼前的路只是一條懸掛在地獄深淵上的細繩。

（儘管如此……）

傲梵還是不希望讓土迦山地民捲入紛爭。他也是個這樣的男人。

查卡默默地依序將拳頭抵在腹部、胸部和額頭上，向傲梵深深行了一禮。

＊

接獲阿卡法王之命的戰士團，在那之後約半個月，夜襲了火馬之民在土迦山地的聚落。

那天從早就開始飄雪，到了晚上，風才稍微平息。就在這安靜得連樹木都要凍結的黑暗中，阿卡法戰士團避開東乎瑠的耳目，悄悄突襲。

火馬之民大多已在甘薩氏族的誘導下藏進深山。只有「犬王」肯諾伊率領的火馬戰士共十二人留在聚落裡，迎戰阿卡法戰士團。

雖然這其中沒有傲梵等精銳戰士，但火馬戰士的戰鬥依然相當激烈。在數量上占了壓倒性優勢的阿卡法戰士團精銳，竟有半數都在此役中喪命。也有些戰士雖在當下保住一命，卻遭到「晉瑪之犬」咬傷，於歸途中喪生。

那是一場密而不宣、短暫又淒慘的戰鬥。

十二名火馬戰士中，有十人戰死。只有幾個人還能在再度飄下的雪和黑暗夜晚的掩護下逃跑，其中包括了「犬王」肯諾伊。

天亮時，阿卡法戰士繼續追蹤火馬戰士的殘兵，只是風雪掩滅了痕跡，他們沒能找到傲梵。但阿卡法戰士團仍有一大收穫，因爲他們找到了一個倒在樹幹旁的遺體。

那具深埋在雪中的，正是傲梵之父——「犬王」肯諾伊的遺體。

## 七　弦月與犄角

有煙的味道。

儘管閉著眼，還是覺得暈眩。莎耶閉上眼，靜心等待暈眩平息。

左大腿很痛。應該是吹箭射到的地方，伴隨著脈搏陣陣抽痛。雖然馬上弄掉了吹箭，但被刺傷的地方依然很緊繃。

她大概還記得昨晚的事。儘管箭毒讓身體無法動彈，但她意識還算清楚。男人們像處理物品一樣對待自己的身體。她聽到他們說要殺掉她，卻無法動彈。

放箭的時候，早有被殺的準備，但現在竟然還活著，反而覺得有點不可思議。

天快亮了。空氣越來越冷，身體卻很溫暖。

堆高的雪牆擋住風，身旁有個小火堆。雖然幾乎只剩下灰燼，還是能感覺到些微溫暖。

後頸感覺到那抱著自己入睡的男人的呼吸聲，莎耶輕輕睜開眼。

破曉的天空裡掛著一彎細細的弦月。

冰凍的森林裡，什麼都是藍色的。雪、樹，還有從縫隙間透出的天空，都是一樣的顏色。

其中只有一個發亮的東西——是飛鹿的雙眸。

一隻龐然飛鹿坐在雪中，抬頭看著這裡。暗藍色的天空下，飛鹿的身影融入雪景，唯有那雙眼睛綻放出強烈光芒，直盯著這裡。

耳邊傳來一個平靜的聲音。

「……那傢伙幾乎不睡的。」

莎耶輕輕點點頭。

也不知爲什麼，雖然跟這男人只說過幾次話，但是像這樣被他抱在懷裡，卻覺得很放心。

雪、樹、飛鹿，還有自己跟男人。她心想，在弦月之下，不如讓只有這些東西存在的世界就此凍結吧。

她已經觀察了這個男人很久。

這男人有著如野獸般的敏銳直覺，雖然得隔著相當遠的距離觀察，但她早已習慣從遠方觀察目標。即使從樹林深處，也能夠清楚地看見這男人的動作、聲音，還有表情。

第一次看到他時，覺得這人眞像狼。一匹離群索居的狼。

脫離群體的狼很慘，但這個男人身上卻完全沒有悲慘的感覺，就像隻刻意遠離群體、獨自闖進山野中的狼，散發著平靜的堅毅。

明明是個令人覺得難以親近的男人，不過跟少年們相處時，又有著溫厚的表情。那時候的他，就像冬天裡的晴朗森林一樣，暢然明亮。

他或許沒發現，不過跟他一起在山野裡行走的少年們，表情都非常安穩。

還有那小女孩。那頑皮的孩子總是直直衝過來，跳到他身上；一被他抱在懷中，就會露出嬰孩般的安穩表情。而當他把孩子抱在懷裡時，神色也是如此平靜。

這個男人行事冷靜，情感絲毫不外顯——但是當他獨處時，給人的印象變化極大，簡直到了讓人嚇一跳的地步。第一次看到他那種表情時，莎耶不覺心口一冷。

望著他直直往深山走去的背影，莎耶心裡湧現強烈的不安，心想：不知道這個人是不是今晚就要回到他的故鄉？那走在陰暗森林、直入深處的背影，彷彿就要融入那片黑暗。

那一天，他跨越了不能跨越的界線，從此失去人類的樣態。這男人身上有一種就算發生這種事也不奇怪的危險氣息。

草叢中響起沙沙聲，飛鹿立刻轉過頭去。

凡恩鬆開抱著莎耶的手，站起身。黎明的寒氣撲上背來，莎耶抖了抖。

「……還好嗎？」

凡恩低聲問。莎耶點點頭。凡恩透過微暗天色看著她。

「我去檢查陷阱。如果妳身體還可以，就幫忙生個火吧。」

看到莎耶仍然面色凝重，凡恩對她微笑著說：

「放心，這個季節的馬是追不上『曉』的。」

莎耶這才終於放鬆——確實沒錯。

過去雖曾聽說過，但若非親眼見到，她還真無法想像飛鹿這種生物奔跑的樣子。

而實際見到後，她打從心底感到驚訝。

雖然都以「鹿」爲名，但飛鹿跟一般的鹿完全不同，不僅更強壯，也敏捷得嚇人。

正如其名，飛鹿的跳躍力相當驚人。但也正因爲如此，跟馬相較之下，飛鹿的動作更受到騎士技術所左右。

在漆黑夜晚的森林裡，能瞬間當機立斷，挑選不會被樹根絆倒，也不會擦過樹枝、被雪阻礙腳步的地方，凡恩的技巧實在令人驚嘆。曉昨夜不但翻過山崖，還越過了兩片沼澤。

不管火馬再怎麼厲害，都不可能在冬天，而且還是入夜的山裡追上那樣奔馳而去的飛鹿。就算要追蹤留在雪裡的痕跡，也得等到天亮才行。駕馭飛鹿的甘薩氏族男子，昨晚還在追擊穆可尼亞軍，現在即使派出追兵，應該也拉開了很長一段距離。

凡恩走過身邊，曉便用鼻子蹭著牠的腿。凡恩像是回應似的摸摸牠的角，接著走進草叢深處。

莎耶一邊調整呼吸，一邊站起來，準備生火。

左腳很痛，身體無法隨心所欲地活動，不過還是設法在凡恩回來之前生了一堆火。

凡恩單手拎著兩隻兔子，已乾淨地剝下毛皮、挖出內臟。

莎耶交給他幾根適合的樹枝，凡恩用小刀削尖樹枝前端，做成木籤。

兔肉烤得金黃，莎耶從繫著繩子的小皮袋中拿出用油紙包好的鹽，撒在烤肉上，拿了一塊給凡恩。

這時曉一個翻身站了起來，走近火堆。

「小心，鹽會被牠吃掉的。」

凡恩說得沒錯，曉的鼻子湊近莎耶手邊。莎耶微笑著拿起一撮鹽，讓曉舔了舔，再把剩下的疊好收回皮袋中。

光是一小口好像還不夠。曉不斷用鼻子抵住莎耶的胸口。

「好了好了，夠了。」

聽到凡恩這麼說，牠不高興地噴著氣，這才離開莎耶身邊。在山裡，鹽比金子還貴重。雖然被曉吃了一小口，不過只要覺得是用來報答牠的救命之恩，也沒什麼可惜的。

莎耶咬著熱燙的烤肉。

這個季節的兔子油脂並不豐厚，不過凍壞了的身體能吃到撒上鹽的溫熱鮮肉，已經是無可比擬的美味。

兩人大口大口地嚼著烤肉，舔了舔沾在手指上的油脂。吃下一隻兔子後，身體已舒服許多，也暖了起來。

不知不覺中，天已經亮了，雪地閃著白光。

凡恩用雪擦拭沾了油脂的小刀，莎耶對他深深低頭致意。

「謝謝你救了我。」

凡恩抬起頭，微微點頭，算是接受她的謝意。

「你爲什麼要救我？」

凡恩沒回答，只是將小刀收進刀鞘，放回懷中。

「請告訴我，妳爲什麼要射殺『犬王』？」

莎耶沉默著，思考了一會兒——想想這件事的來龍去脈，現在繼續隱瞞也沒有意義了。雖然還有一點猶豫，但莎耶下定了決心說：

「爲了拯救阿卡法。」

凡恩皺著眉。

「『犬王』做這些事，並沒有獲得阿卡法王的認可嗎？」

莎耶眨眨眼。

「他這麼告訴你的嗎？」

「……他把我帶進一個夢中，說要利用晉瑪之犬擴散疾病，從東乎瑠和穆可尼亞手中搶回阿卡法。」

莎耶點點頭。

「那種病對異邦人來說雖是致命疾病，但卻不會殺害在當地出生的人。他是這麼說的嗎？」

「沒錯。」

莎耶嘆了一口氣。

「那是騙人的。」

「騙人？」

「對，那種病──『黑狼熱』對阿卡法人並非無害，現在已經出現死者了。」

莎耶開始解釋。

阿卡法王也以爲阿卡法人不會罹患「黑狼熱」。

所以，他默許火馬之民的計畫，覺得如果一切順利的話，簡直就是上天賜予的幸運。

但寄宿在晉瑪之犬中、捲土重來的「黑狼熱」，跟幾百年前的疾病比起來，早就已經產生變異了……

「你聽說過御前狩獵那件事嗎？」

「妳是說迂多瑠被咬傷致死的那件事嗎？」

「對。其實身爲王族的伊撒姆少爺也一度陷入險境，後來雖然保住一命，但是現在身體出現殘疾。這對我們來說是很大的衝擊。

「經過調查才發現，目前爲止，各地都有阿卡法人死於相同疾病的零星病例。

「再說，御前狩獵那件事實在太明顯了。自從那次之後，東乎瑠開始懷疑阿卡法王是否牽涉其中。現在雖然只是暗地裡威脅，表面上並沒有對阿卡法王做出責罰，可是如果不趁現在阻止火馬之民的計畫，放任他們做出無可挽回的事，東乎瑠絕對不會袖手旁觀。」

凡恩眼睛一亮。

「所以妳才在『犬王』駕馭晉瑪之犬攻擊東乎瑠兵時放箭？」

莎耶點點頭。

凡恩盯著莎耶。

「妳以爲自己逃得掉嗎？」

莎耶沒回答。

「……妳已經做好最壞的打算是吧？」

莎耶別開視線，盯著火堆。

但是她感覺到凡恩還注視著自己，只好繼續說下去。

「經歷漫長的戰爭……流了那麼多血，好不容易才獲得現在的平衡。」

凡恩嘆了口氣，把手放在下巴。

過了好一會兒，他才放開手，換個話題。

「那妳爲什麼要監視我？妳從我在歐基時就開始監視了吧？」

莎耶猛然抬頭。

「你發現了？」

凡恩苦笑著說：

「說來慚愧，其實當時我並沒有發現。是之前妳抱著我時，我才發現的。我想起在歐基的森林裡，曾幾度聞過一樣的味道。」

莎耶困惑地抬起眉。

「……味道？」

凡恩尷尬地嘆了口氣。

「自從被那些狗咬傷之後，鼻子就變得特別靈敏。」

原來如此。莎耶不禁漲紅了雙頰。味道被人記住，總覺得挺難為情的。

為了掩飾心裡的動搖，莎耶連珠炮似的說：

「我奉命監視你，因為你是得了新『黑狼熱』後還保住一命的人。另外，我從父親他們那聽說，肯諾伊——也就是你說的『犬王』正在找你。」

說著說著，心裡的漣漪也漸漸平息。莎耶用樹枝翻動火堆，接著往下說：

「肯諾伊病了。聽說他正在尋找跟自己一樣，被晉瑪之犬咬了以後還能活著的男人做為繼承人。這個消息我很早之前就聽說了。」

凡恩緊蹙眉頭。

「但這麼長一段時間，妳都沒有跟我接觸。」

「因為還沒做好準備，我們還沒完全掌握事情的全貌。」

凡恩臉色一沉。

「……這麼說來，『靈主』也受到火馬之民的控制囉？」

莎耶搖搖頭。

「不，不。由米達之森的主人跟肯諾伊他們沒有關係。我想他應該是看到你因晉瑪之犬的事而覺得不安，才召喚你去的吧？」

「可是妳人也在那裡不是嗎？還有那個叫納卡的男人。」

莎耶張口正要辯解，卻又閉口不語。接著，她字斟句酌地說：

「要向你說明這件事並不容易……該怎麼說呢，那時候，就好像有好幾個套索，分別從不同方向同時套到你身上……我在浴場時說過，我之前受過傷。」

「對。」

「那是眞的。在鹽礦事件之後，我爲了追蹤你受了重傷。那時候是歐基人救了我，帶我到『靈主』身邊。從那以後，我就經常到那裡去治療。再說，那也是個探聽歐基地方傳聞的好去處。」

「那時候妳人在那裡，只是個單純的巧合？」

莎耶搖搖頭。

「不，那時候我知道阿西諾彌去找你，所以事先繞過去等你。既然肯諾伊已試圖正式與你接觸，我就不能讓你離開視線。」

凡恩眉頭深鎖，搔著下巴。

「我還是不太懂，納卡看起來好像在那裡工作很久了啊？」

「沒有錯，那個人確實已經在那裡工作很長一段時間了。」

「可是……」

「對，擄走悠娜的確實是那個男人。我想，應該是當時他人剛好在那裡，才被緊急交付了這項任務。因爲那男人是『沼地之民』。」

「『沼地之民』？」

凡恩聽了，瞪大著眼。

「對了，他說他是猶加塔人。」他說。

「沒錯。以前我曾試探過他的來歷，他沒什麼警戒，老實告訴了我。他說自己是沼地之民，因爲捲入火馬之民從猶加塔平原遭到放逐的事，才淪落到北方邊境來。

「沼地之民原本就是火馬之民的僕從，他們必須遵從火馬之民的命令。」

兩人盯著火堆，沉默了一陣子。

凡恩開口。

「……那時候，爲什麼妳要引導我到火馬之民那裡去？依妳的任務，應該要阻止我才對。」

莎耶心口一陣刺痛，低下頭來。

這個人的頭腦很好，如果隨口敷衍，他一定會發現破綻。只要有一丁點懷疑，兩人之間微妙的互信關係就會崩潰。

莎耶低下頭。過了一會兒，下定決心，抬起頭來。

「因爲我要利用你。」

凡恩的表情變得凝重。

「利用？」

「對，因爲我們已經陷入瓶頸。」

莎耶淺淺地吸了一口氣。

「火馬之民一直對阿卡法王的三心二意有所警戒，所以巧妙地隱藏了自己的意圖。雖然阿卡法王事先已知道火馬之民跟甘薩氏族聯手設下陷阱，要攻擊穆可尼亞，但他們接下來有什麼打算，我們遲遲掌握不到消息。」

凡恩瞇起眼。

「所以你們乾脆把獵物趕進獵犬群裡，是嗎？你們想看看他們得到我之後，會有什麼動靜，對吧？」

莎耶點點頭。

當時自己心裡所想的，並不只有這件事——同時也很擔心這個人和悠娜的安危。

如果凡恩沒有繼續追蹤悠娜，向來固執己見的火馬之民可能會認爲悠娜沒有人質的價值。一想到那孩子可能會被殺，莎耶就坐立難安，無論如何都想設法救她。

（如果可以……）

那時眞想把一切都說出來。對他說出眞相，兩人一起討論怎麼救悠娜，也同時拯救凡恩。

可是她辦不到——那時候，父親他們就藏身在附近。

父親只把這個人當成工具。一旦覺得他沒有用處，可能會毫不猶豫地殺了他。父親很久以前就說過，不能讓這個人成爲肯諾伊的工具，要看準時機殺了他。

「妳達到目的了嗎？」

莎耶一時不懂凡恩在問什麼，眨了眨眼睛。

「什麼？」

漸漸了解這個問題的意義後，莎耶搖搖頭。

「不，還沒有。」

她不禁浮現苦笑。

「如果沒有變成現在這種局面，說不定已經知道了。」

遠方傳來鳥叫聲。森林逐漸被早晨的喧鬧聲所包圍。

凡恩茫然地望著鳥兒接連跳過一個又一個樹梢。接著他拉回視線，平靜地問：

「接下來有什麼打算？」

有什麼打算？不用說，當然是跟父親他們會合，再次進行監視肯諾伊他們的任務。

可是光想到這裡，就覺得胸口沉悶。

能遠離父親他們，不再感受到那些視線的現在，她覺得眞是無比珍貴的時間。

「……那你有什麼打算？」

莎耶反問，凡恩撫著下巴。

「我要去找悠娜——雖然我想了很久，但還是不知道從何找起。火馬之民的聚落裡完全沒有悠娜的氣息。」

說著，凡恩露出苦笑。

「那孩子的哭聲可嚇人呢。她個性很頑固，如果被陌生人包圍，一定會哭到整個聚落都聽得到，鬧得天翻地覆。當然，也有可能被灌了安眠藥，儘管如此，我想我還是能感覺到，那孩子不在聚落裡。」

莎耶點點頭。

「我也覺得悠娜不在那裡。聽我的夥伴說，納卡雖然進了聚落，但不久後又離開了。他們說當時他背著孩子。我想試著追蹤納卡的足跡，但是上面不允許。」

「是嗎？」

凡恩點點頭。

「也就是說，她又被帶到其他地方去了。」

單就自己順利逃走這件事來看，如果悠娜仍有成爲人質的價値，對方應該不至於對她下手。但只要想到那孩子現在隻身一人，一定很不安害怕，凡恩心裡就有股難以忍受的焦躁。

「我想拜託妳一件事，或許妳會覺得奇怪……」

凡恩開了口，很是猶豫。

「如果妳的情況許可的話，能幫我一起找女兒嗎？」

莎耶驚訝地盯著凡恩。

凡恩表情苦澀。

「我對猶加塔平原的地理狀況不熟，如果妳願意幫忙，我會由衷感激。」

父親他們允許自己跟這個人一起行動嗎？莎耶下意識浮現這個念頭，但是，她馬上在心裡嘲笑著這樣的自己。

父親他們怎麼想，都無所謂了。

莎耶盯著凡恩，點點頭。

# 八 石火隊

遠方傳來刺耳的爆裂聲。又有木頭耐不住如此淒厲的寒冷。

凡恩閉著眼睛，靜靜回想往事。

一聽到這聲音，祖母就會說，啊，又是白魔鬼在踢木頭了。祖母那個年代的人相信，奔過冬天森林的飛鹿精靈會用後腳踢樹木，把木頭踢裂。

這聲音響起的日子裡，氣溫會驟然降低，山裡天候大亂。木頭的爆裂聲確實很像解放冬季妖魔的徵兆。

昨天傍晚聽到這聲音後，凡恩便早早停下腳步，跟莎耶一起在大樹的樹根附近挖了個雪洞。

通常冬天在山裡旅行時，一定會隨身攜帶挖雪棒，但兩人畢竟什麼也沒帶就倉皇逃走，最近幾天能稱得上工具的，大概只有小刀。

不過只要有了小刀，總會有辦法。趁著天氣好的時候，得先想辦法準備如何活著翻越冬季高山。凡恩一天會花幾個小時在山地裡採集各種食糧，莎耶則製作挖雪棒或雪橇鞋套等在山裡旅行所需的裝備，所以儘管出現天色將變的徵兆，也不覺得太可怕。

岩石底部很冰冷，不過大樹根部卻出奇的溫暖。挖個大雪洞、鋪上帶有葉子的樹枝，洞穴上方再用常綠樹的樹枝覆蓋住。讓曉坐在雪洞裡，身體緊貼著牠，如此一來，即使在酷寒之中，也不至於送命。

風雪大作時，飛鹿習慣安靜躲在大樹的樹蔭或草叢裡度過。而曉待在這既局促又令人窒息的雪洞中，也絲毫不顯得躁動，平靜地跟兩人分享自己的溫度。

兩人就這樣睡睡醒醒的，不時還得搬動洞穴上方的樹枝透氣，接著再入睡。

就這麼過了一個無法熟睡的夜晚，風雪聲也漸漸減弱，微弱的陽光照射進洞中，但溫度還是很冷。外面又傳出木頭爆裂的聲音。

聽著那迴盪在空氣中的聲音，凡恩不覺笑了。

莎耶好奇地抬起眉。

「悠娜她啊……」

凡恩說。

「每次聽到木頭爆裂的聲音，就會嚇得跳起來。」

第一次聽到木頭的爆裂聲時，悠娜嚇得跳了起來。看到她的樣子，奧馬他們大笑不止。悠娜看到大家這麼笑也很開心，後來只要聽到木頭爆裂的聲音，她就會假裝驚訝，像兔子一樣跳起來。

而且她每次都會下不少工夫，表演出逼眞的演技，看的人也挺期待，不知道她這回又會是怎麼個跳法。

莎耶聽著，輕笑了起來。

能逗這麼安靜內斂的人笑，凡恩覺得好像獲得了小小的稱讚。

（……還眞奇怪。）

凡恩在心裡低語。

自己和這個負責監視他的女人，就這麼互相依偎著過了好幾夜。

明明不是長年相伴的妻子，但這麼做卻又好像很自然。雖然仔細一想，這眞的很奇怪；但不去細想的話，似乎也不會太在意。

莎耶也是，跟一個並不熟識的男人互相依靠，卻絲毫感覺不出她的緊張。

當身體漸漸暖和，感受到女性肌膚的氣味時，胸口確實有股躁動。這種時候，凡恩可以感覺到莎耶的情緒好像也跟著靠了過來，就像另一波緊接而來的波浪般。只是他們兩人都裝做什麼也沒發現，就這樣過了幾天。

「悠娜見到我，會不會又氣嘟嘟的？」

莎耶的聲音裡含著微微笑意。

凡恩沒說話。莎耶接著又說道：

「三歲之前是最難預測的，到了四、五歲，大概就能猜到她有什麼反應。」

聽到她這麼說，凡恩突然問了個過去從沒問過的問題。

「妳有孩子嗎？」

莎耶沉默了一會兒，嘴角浮現一抹淒涼的笑。

「不，沒有。」

凡恩摸摸自己的下巴。

「是嗎。我好像問了太私人的事。」

莎耶搖搖頭。

「這大概是天生的吧，所以也沒辦法。我因爲這樣跟丈夫離婚，回到墨爾法。那是三十多歲時，我自己主動提的。」

「……」

莎耶微笑看著凡恩。

「剛回到故鄉的時候，我滿腦子只想著丈夫；但後來不想起他的時間漸漸拉長。雖然覺得很空虛……但這樣也好，就表示我能忘記他。」

莎耶閉上嘴，風聲圍繞在她四周。

時間能讓心裡的傷口閉合，讓人遺忘。為了繼續活下去，這一點確實很重要。

（但是……）

凡恩心裡暗想，對自己來說，逝者的記憶漸漸淡薄，並沒有讓自己活得更輕鬆。

當他發現妻子和兒子的容貌漸漸淡去的同時，也覺得內在漸漸變得空洞。妻子和兒子的存在感變淡，自己活著的意義也隨之變淡。

莎耶閉上眼。

凡恩看著她，想著這個人一路走來的軌跡。漸漸地，短暫的睡眠再次造訪。

風雪吹了一天一夜，終於平息。

從雪洞中一出來，曉便用力扭動身體、伸展四肢。牠甩甩頭，奮力往前奔，朝著樹根大聲撒尿。

猛烈的風吹過之後，天空一片清澈湛藍，在新雪覆蓋下的森林，充滿刺眼的光線。

曉回來之後，凡恩讓莎耶騎上牠，自己也跨坐在後，凡恩用舌頭發出「匹奇！」的聲音，駕著曉往西北方前進。

莎耶驚訝地回頭。

「我們不是要到猶加塔平原去嗎？」

凡恩搖搖頭。

「我想先去一個地方——雖然是個有點危險的賭注。」

從這裡往西北方走，是一條被稱爲「塔克拉森林道」的路。可能是帶著雪的狂風被塔克拉山遮擋，也或者是因爲這裡有茂密的常綠針葉樹林，這條森林裡的山路並沒有太多積雪。

冬季時，要從土迦山地前往東部，這是最快的捷徑。

「『犬王』看起來對我還沒死心，爲了用悠娜當餌釣我出來，他應該會派使者到悠娜所在的地方去。」

莎耶的表情有些沉重。

「但是……如果眞是這樣，這條路也可能是引誘你的陷阱。」

凡恩微笑著。

「妳覺得不去比較好嗎？」

莎耶想了想，微笑著說：

「走吧。」

這附近對凡恩來說幾乎就像自家後院，每寸土地他都瞭若指掌。火馬之民的戰士必須從碉堡下到平地，挑選積雪較少的路行走。這麼一想，大概就能推算出他們現在身在何處。

凡恩想搶在他們來到之前，藏身在森林道路，探查他們的動向，但莎耶不同意。

「他們身邊一定帶著狗。雖然不是『晉瑪之犬』，但火馬之民的獵犬可不是一般獵犬。就算我們在下風處，只要進入牠能目視的距離，就有被發現的危險。」

凡恩緊皺著眉。

「這麼說，還是避開比較好嗎？」

莎耶沉吟了一陣子。

「最好錯開一點時間，等他們確實經過後再過去，比較不危險。」

凡恩笑了起來。

「……你笑什麼？」

莎耶好奇地揚起眉。

凡恩笑著說：

「沒什麼，我只是突然想到，身邊有優秀獵犬的，可不只他們呢。」

莎耶就這樣挑著眉，露出苦笑。

冬日天氣多變，這天傍晚開始又下起了雪。

雪掩蓋了所有痕跡。

雪如果下得太多，就算來到塔克拉森林道，火馬之民戰士通過的痕跡也可能被掩蓋住。抬頭看著越下越急的雪，凡恩忍不住在心中詛咒起來。

他們必須等火馬之民通過後再前往，但如果等得太久，痕跡就會消失、無法追蹤。

當凡恩說出自己的擔憂後，莎耶冷靜地搖頭。

「不要緊。就算經過兩、三天，還是有跡可循。我覺得應該以不被獵犬發現爲優先。」

她的語氣平靜。

「是嗎。那今天就先打獵，確保食糧吧。」

時間。

凡恩回答，莎耶也微笑著點點頭。

兩人分頭打獵，這一天提早紮營，讓身體休息。

曉也一樣，好久沒有這樣慢慢尋找食物。塡飽肚子後，牠露出一臉滿足的樣子。飛鹿是很耐餓的動物，在冬天，就算不太吃東西也能活命，不過持續載著人奔跑，身體難免有些吃不消。就算再怎麼趕路，飛鹿騎士也必須謹記，要在雪中替飛鹿找到能覓食的地點，給牠們覓食的時間。

夜幕降臨，雪下得越來越大，不知不覺間，外面又是一陣疾風暴雪。

幸好隔天早上風雪已經平息，天氣晴朗。積了新雪的道路走起來並不困難，來到塔克拉森林道時，已是即將日落的時刻。這時，落在雪道上的樹影已帶著些許藍色。

凡恩讓曉停在林道末端，閉上眼，側耳靜聽。

周圍一片寂靜，路上完全沒有人聲。偶爾能聽到有動物走過的細微聲音，還有雪從樹枝上落下的聲音。

沒有馬的味道。

火馬之民的戰士可能已經走過這條路，或者根本沒有經過這裡，又或者……各種想像閃過腦海。

莎耶從曉的背上下來，將手放在能俯瞰整條道路的斜坡上的樹，好像在讀取什麼，她的目光稍稍變換方向，望著那條路。

過了一會兒，莎耶似乎發現了什麼，穿著雪橇鞋套，一步一步往下走。

走到某個地方，她靜靜跪在雪地上，將臉貼近地面，繼續看著前方。然後她站了起來，抬頭望向凡恩。

她臉上浮現非比尋常的凝重表情。

「怎麼了？」

凡恩走近，莎耶緊繃著臉說：

「這裡有騎馬通過的痕跡——而且數量不少，至少有二、三十隻。」

凡恩一驚。

莎耶指著被昨天降下的雪輕輕包覆的路面。

「這裡、那裡……還有那個地方，這些地方最明顯。看得見痕跡嗎？」

聽她這麼一說，莎耶所指的雪面反射光線的角度確實不太一樣。在下雪的季節裡追蹤熊的時候，也看過類似的痕跡。只要在雪上留過足跡、上面又積上新的雪，就會變成這個樣子。

儘管如此，那也是極爲微妙的變化。要是莎耶不說，根本不會注意到。

可是一旦發現這些痕跡，就會連帶注意到其他痕跡——莎耶說得沒錯，馬蹄印痕散落在整條路上，數量相當龐大。

「……看來不是使者。」

凡恩輕聲說道，莎耶也點點頭。

「對。看這裡的馬蹄形狀，還有規模……」

莎耶鐵青著臉。

「這應該是『石火隊』留下的。他們以十騎爲一團，突襲敵軍。這是火馬之民精銳部隊行軍的痕跡。」

# 第九章　伊杞彌之光

## 一　火馬之塚

「……啊，不行！不能碰！」

米拉兒直起身子，試圖阻止那個正要摸裝有珍貴地衣竹籠的女孩。

小女孩嘟起嘴，問：

「爲什麼不能碰？」

每當赫薩爾他們拜訪「沼地之民」聚落時，這個自稱叫悠娜的小女孩，就會神不知鬼不覺地出現，跟著他們到處走。

不知道爲什麼，她似乎很喜歡馬柯康和米拉兒。

不過有一次，她被赫薩爾無情地趕跑，後來只要赫薩爾在身邊，她就會稍微跑遠。但她不會離得太遠，而且還是會睜著那對黑亮的眼睛好奇地看著。

她只要一生氣就會鼓起雙頰，動作也很敏捷，看起來簡直像隻小栗鼠，是個很可愛的孩子。

看來那孩子好像經常瞞著大人偷跑出來。有一個不知是父親還是叔叔的男人，經常一臉慌張地四處尋找她。這時候，剛剛明明還在附近的她，就會一溜煙消失不見，躲藏技巧相當高明。

新藥對那個呈現類似黑狼熱症狀的女人非常有效，她已經能坐起來了。

米拉兒盡心盡力治療住在那小屋裡的病人，這樣的舉動也打動了聚落村民的心。剛開始來訪時，總是表情僵硬的沼地之民，現在見到他們都會行禮致意，偶爾還會邀他們到家中，誠心招待一頓飯。

能像這樣跟他們平靜地談話，對赫薩爾和米拉兒來說相當難得。

他們兩人發現，黑狼熱跟附近的環境極有關聯。只要能解開這種病跟蜱蟎之間的關係，就能成為尋找治療方法的重要線索。

兩人在這裡借了一間小屋，放置藥品和治療工具，整理成方便工作的環境。問題是這裡的濕氣，幸好借來的小屋離沼澤有一段距離，現在氣溫也還低，出乎意料地形成了還不錯的實驗環境。

本來想就此在這個村裡住下來，但多力姆嚴厲阻止，不得已只好每天從族都來回。雖然麻煩，但只要一大早來到村裡，就能專心工作一整天。赫薩爾負責詢問村民關於疾病的大小事，米拉兒則負責調查這個地區的植物。

米拉兒擅長利用地衣類來製藥，對她來說，這個沼澤地是個相當有意思的寶庫。

赫薩爾不放心米拉兒單獨行動，一定會讓馬柯康跟著，但米拉兒總是專心採集地衣，甚至忘記有人跟在自己身邊。

風在鐵灰色的沼澤上吹起一陣小小漣漪，雖然風很冰冷，幸好有陽光增加些許暖意；晴朗的日子裡，還能感受到幾許春天的氣息。

大沼澤的岸邊有幾棵倒下的樹幹，每棵樹上都覆蓋著滿滿的苔蘚。即使在冬天一片枯寂的原野中，也有很多青苔依然保持著濕潤嫩綠。

苔蘚和地衣類看似相像，其實是完全不同的生物。只要習慣了，要分辨它們並不困難。地衣有各種形狀和顏色，有些宛如灰色瘢痕附著在樹幹上；有些則是黃中帶紅，光用眼睛就能看見那些密集叢生的鮮豔細小顆粒；還有些就像水裡的藻類，延伸出無數白色鬚根。

從古歐塔瓦爾王國時代至今，歐塔瓦爾人傾注心力開發了許多藥物，而史上最具劃時代意義的發明，就是顯微鏡。

有了顯微鏡，歐塔瓦爾人才終於能親眼觀察到致病因子的模樣。在這個世界上，除了眼睛看得到的東西以外，也有眼睛看不見的無數生命。這項事實獲得確認後，也為歐塔瓦爾人的世界觀帶來重大轉變。

這項劃時代的發明和發現，就像海浪一樣，引發一波接一波的浪潮。

成功製作出顯微鏡的第二年，醫藥上也有了破天荒的發現。他們發現某種菌類具備殺死病素細菌的能力，而且效果相當出色，讓整個深學院都陷入一片興奮雀躍。

不過這種藥偶爾會引起很強烈的過敏反應，還曾在給藥後出現死者，一時之間引起極大的騷動。不過醫術師都深知藥和毒不過是一線之隔，並沒有因為這起事件而捨棄抗細菌藥。

在那之後，他們持續研究如何因應過敏反應和改良藥效，經過踏實的努力，催生出對多種疾病有效的藥物。

另外，這種抗細菌藥還會引發嚴重下痢，在探究原因的過程中，才發現原來人體中本就有能幫助消化的所謂「好菌」存在。

人體裡住著許多眼睛看不見的生物，同時，這些生物也對自己的居所——也就是人體有益，這個事實對向來傾心於「為諸國注入活水，替自己找尋生路」理念的歐塔瓦爾人來說，實在是個令人開心的發現。

沒有國家，就像是沒有自己的身體。儘管如此，歐塔瓦爾人仍像微小生物般無孔不入，潛入不同國家，帶給各國豐富的活力……

而在距今約十年前，他們又有一項驚人的新發現。那就是很有可能存在著用顯微鏡也無法看見、遠比細菌更小的病素。

抗細菌藥對這些有可能穿過細菌過濾機的微小病素——命名為「極小病素」完全起不了作用。

但最後他們發現，阿蔕彌等地衣類具有抑制這些「極小病素」的力量。

發現這項事實時，米拉兒還是個剛入門的徒弟，她對地衣類竟具有如此強大的功效深感興趣，從此之後便開始專注研究。

當黑狼熱再次現身時，他們確認從阿卡法鹽礦裡的遺體所採樣的黑狼熱病素，的確是顯微鏡下看不見的「極小病素」。

這項重大發現，也讓深學院一片譁然。

他們很快地用過去曾對「極小病素」展現功效的十幾種地衣萃取藥物進行實驗，其中展現較強抑制效果的，是由阿蔕彌和伊杞彌這些地衣類產生的二次代謝產物所製成的藥——這也就是赫薩爾所稱的「抗病素藥」。

從地衣類製作的藥物很可能奏效。當米拉兒知道這一點時，長年以來一直存在於腦中的疑問也跟著浮現心頭：

過去歐塔瓦爾王國滅亡時，阿卡法人為什麼沒有死於黑狼熱？不，不只阿卡法人，原本黑狼棲息的土迦山地和歐基地方，為什麼沒有人出現黑狼熱的症狀？

前輩們說，也許是因為這些地方的人口密度並不像歐塔瓦爾那麼高，又地處邊境，因此沒有傳來病死的案例。但這種說法並沒有解決米拉兒的疑惑，因為她想起了地衣。

土迦山地的人飼養飛鹿，歐基地方的人飼養馴鹿。

飛鹿的習性她不清楚，但聽說馴鹿在植物稀少的冬天非常愛吃地衣。

牛羊不吃地衣。因為牠們跟馴鹿不同，胃裡沒有能消化地衣的細菌。一直以來，米拉兒都希望有一天能調查這些地方的人們每天攝取的飛鹿或馴鹿奶與地衣類的關係。

猶加塔平原這個地方沒有飛鹿，也沒有馴鹿。但火馬跟其他地區的馬不同，很愛吃地衣。

假如飼養火馬的人跟體內具有黑狼熱病素的狗一起生活而沒有發病，那麼這其中應該也有著某種因果關係。

米拉兒和赫薩爾一邊討論，一邊專注地調查這件事。

大概是累過頭了，或者有點感冒，最近米拉兒覺得身體有點吃不消。

喉嚨又緊又澀，今天一整天水壺都不離手。不過比起昨天調查的地方，這附近的植物生長得更好，地衣類也很豐富，這讓她光顧著採集，忘了身體的難受。

米拉兒彎著腰，用採集用的鏟子挖起傾倒樹幹上的地衣。突然聽到聲音，轉頭一看，一位沼地之民的年輕人快步走來。

「……馬柯康大人。」

年輕人揮揮手。

「赫薩爾大人叫您，請您過去一趟。」

馬柯康點點頭，說馬上過去。他低頭看著米拉兒。

「米拉兒小姐，您說怎麼辦？」

米拉兒仍彎著腰，搖搖頭。

「別管我，你去吧。我還要待一會兒。」

馬柯康皺著眉。

「可是……」

米拉兒微笑。

「沒關係，我又不是小孩子。快去吧！他性子急，你不馬上過去的話，他會生氣的。」

除了馬柯康和米拉兒兩人，沼地裡並沒有其他人影，只有極小的蟲子拍動著透明發亮的翅膀。眼前的風景一片寧靜安穩。

馬柯康點點頭，向米拉兒鞠了躬，跟著沼地之民的年輕人快步離開。

等他們的身影消失在森林中，四周更添寂靜。

米拉兒的採集鏟尖端抵在樹幹上，發出「喀喀」的聲響。米拉兒拿起脫落的塊狀地衣後，蹲在一旁盯著的悠娜開口了。

「那系什麼？」

「這個叫摩哈魯。綠綠的很漂亮吧！」

說著，悠娜的鼻子上擠出了些小皺紋。

「漂釀啊，但是沒有發光。」

米拉兒又笑著說：

「眞的沒有發光呢。可是妳看，這裡沾著水滴，亮晶晶的對吧？」

悠娜湊近一看，眼睛裡綻放出光采。

「眞的耶。」

悠娜伸出小小的手指摸了摸水滴，水沾上手指，讓她笑了出來。

「好～冰喔！」

接著，悠娜突然站起來，指著米拉兒說不能摸的籠子。

「那個也很漂釀，不過悠娜比較喜歡這個。」

米拉兒站起來，將剛採到的摩哈魯放進另一個小籠子裡。

「爲什麼？」她問。

接著，悠娜滿臉笑意地回答：

「因爲會發光啊！」

米拉兒微皺著眉，打量著放在籠子裡準備用來做新藥的地衣類。阿蒂彌是深綠色的，但看起來一點也不像在發光。

「發光……沒有發光啊！」

聽米拉兒低聲這麼說，悠娜一臉狐疑。

「有啊？看鼻見嗎？」

說著，悠娜走到並排的小竹籠邊，指著最左邊和中間的籠子。

「這個，還有這個，都在發光啊！跟聲音一樣，很漂釀喔～」

米拉兒完全聽不懂她在說什麼，皺著眉走到籠子邊。她將今天早上採集的地衣按種類分別放進籠子裡，偶爾會灑點水保持濕潤，但沒有一只籠子發出亮光。

悠娜的表情就像看著眞的很美的東西，無比陶醉地欣賞著最左邊籠子裡的地衣。

看著那兩種地衣，米拉兒心裡突然一驚。

（……該不會！）

放在最左邊籠子裡的，是名爲「塔薺」的地衣，而悠娜所指的另一只，則是放在正中間籠子裡的伊杞彌。

塔薺是從老樹的樹枝往下垂的地衣，看起來像淡綠色的毛。伊杞彌則是明亮的綠色，喜歡長在水邊，是相當罕見的地衣，很難發現。乍看之下，這兩種地衣跟深綠色的阿蒂彌完全不像。

不過，這些地衣都有一個共通點——儘管分屬不同種類，可是在體內製造出的二次代謝產物中，都包含著相同性質的成分；而對極小病素具有強力藥效的，正是這種成分。

菌類有時會發光沒錯，但米拉兒從未親眼看過蕈類或藻類發光。

（可是……）

再怎麼仔細看，她都看不出塔薺或伊杞彌在發光。過去也從沒聽過這兩種東西發光的報告。菌類產生的二次代謝產物有上千種，不仔細分析的話，根本無法判別。因爲那不是肉眼能分辨的東西。

米拉兒突然露出微笑，肩頭一鬆。

應該是碰巧吧。這孩子的腦中一定有著各種愉快的想像。

「有那麼漂亮嗎？」米拉兒問。

悠娜抬起頭，露出滿臉笑容。嗯！她用力點點頭。

接著她突然站起來。

「悠娜知道有粉多這種漂釀東西的地方喔。」

「喔，眞的嗎？」

米拉兒不禁反問。

悠娜點點頭，突然握住她的手。

「在這裡！」

米拉兒被那隻小手牽著，開始奔跑。

這孩子的腳程眞快，而且她沒有挑選特別好走的道路，反而若無其事地奔跑在各種艱險的路徑。

跨過倒樹、穿過泥地，米拉兒不禁心想：我到底爲什麼要跟著她跑？

但是穿過處處留有殘雪的森林後，竟意外來到一片寬闊草地。

眼前這片光景，讓米拉兒忍不住看呆了。

沼澤的這一端——也就是自己所在的岸邊，是一片足以遮擋住風的蓊鬱樹林，連墳墓和岩石上也覆蓋著厚厚地衣，樹隙間灑下的陽光把綠色地衣照得十分美麗。沼澤裡藻類繁生，呈現深濃綠色。長滿青苔的大樹和岩石環繞著沼澤，一陣濃密的生氣撲面而來。

但是，在沼澤另一端，則是一片連綿到遠方、沐浴在燦爛陽光下的草地，遠遠還能看得見羊群。

（原來如此……）

移住民應該是把另一邊的樹砍掉了吧。爲了拓寬牧地、方便利用沼澤的水。

因爲樹木遭到砍伐，所以這邊的風比較強，岩石也乾燥成白褐色。拜此之賜，兩邊地衣和青苔的種類截然不同。

「這裡，妳看。」

小手一拉，米拉兒回過神來。

悠娜將米拉兒拉到沼澤較淺的水邊，指著那裡。

「妳看！釀釀的東西有好多！」

米拉兒往水裡一看，心裡大吃一驚！她從未見過那麼大量的伊杞彌，就在水裡。

「太驚人了。」

米拉兒喃喃說著，但隨即倒抽了一口氣。在那片叢生的鮮綠色伊杞彌下面，水底有個白色的東西。

是骨頭——一個已變成白骨的巨大生物躺在水裡。

米拉兒忍不住站起來，往後退了一步，接著又發現自己腳邊被地衣覆蓋的土地下，也有白色的東西。

她渾身起了雞皮疙瘩。

「怎麼了？」悠娜問。

米拉兒一時答不出來。

悠娜指著被地衣埋住的白骨：

「妳怕馴鹿的骨頭嗎？」

「馴鹿？」

米拉兒仔細盯著那骨頭，皺起眉。

沼澤裡的白骨連著頭。那並不是馴鹿的頭。

「那不是馴鹿……是馬喔。」

聽到米拉兒這麼說，悠娜揚起眉。

「咦？眞的嗎？那是馬嗎？」

「對啊，是馬。」

她學過很多不同生物的骨骼，只要看過頭骨，就能一眼看出是不是馬。

（這該不會是火馬之墓吧？）

米拉兒再次張望四周，發現殘雪下方有零星的枯萎花朵，那些花都不是附近常見的種類，可能是拿來掃墓的花吧。

這時，背後有個小小的聲音。

米拉兒轉過頭，全身爲之凍結——男人們站在樹林裡，腰插著劍、手裡拿著槍，表情極度憤怒，直盯著她看。

## 二　「沼地之民」的長老

馬柯康被帶到沼地之民的長老家。

雖說是長老家，不過結構跟其他房子一樣，只是爲了防止濕氣，地板稍微墊高而已。爬上五階木梯進入房子裡，正隔著火爐跟長老面對面的赫薩爾轉過頭來。

「你來了……米拉兒呢？」

「她說還要再工作一會兒。」

赫薩爾皺著眉。

「笨蛋，你怎麼不把她帶回來？我不是說過不要讓她落單嗎？」

馬柯康無奈地苦笑。

「您覺得埋頭工作的米拉兒小姐，會聽我的話嗎？」

赫薩爾哼了一聲。

「……也是。」

過來。他招招手，馬柯康走到他身邊，赫薩爾要他坐下。

「長老正在對我說很重要的事，不過這裡的方言有些我聽不太懂。你來替我翻譯。」

馬柯康這才想到，原來如此。長老口音中的猶加塔腔太重，赫薩爾完全聽不懂他在說什麼。

馬柯康點點頭，請長老開始說話。長老點點頭，說道：

「可走了嗎？」

「可走了嗎」就是「可以開始說了嗎」的意思。

「咱彌這哩以往，就算給米寄夭過，啞謀死過人。」

馬柯康極力表現得老實認眞，事實上拚命忍著身體深處的笑意。

老人的猶加塔腔確實很重。而且除了用字遣詞，他的抑揚頓挫也是舊時老人家說話的方式，馬柯康聽來很是懷念。

長老告訴他們，最近被蜱蟎叮咬而死的人越來越多了。

這個地方的森林裡，天氣變暖，米寄（蜱蟎）就會變多。

而在這裡，從春天到秋天，只要進到森林，就會被米寄叮咬，這是理所當然的事；偶爾也會出現被米寄叮咬而發狂的野兔。這些野兔會亂竄亂跳，像跳舞一樣，最後全身僵硬，挺得像根木棒一樣後死掉。以前大家看到這樣的兔子，便會說：「啊，這是被米寄住了（入侵了）。」

當地人認爲，被米寄入侵後，牠的靈魂便會附身，而兔子爲了驅逐進到身體裡的蟲子靈魂，只能一邊跳一邊邁向死亡。

馬柯康隱約記得以前聽過這種故事。是祖母跟他說的，當時他還覺得很害怕。

被米寄叮咬後，不僅小型動物身體會出現異狀，人類也一樣會發燒、全身痙攣，可是過去從來沒有因米寄叮咬而死的例子。

不過，自從移住民搬來、發生毒麥事件、火馬之民被驅逐到這裡的幾年後，便開始發生小孩子被米寄叮咬後去世的慘痛事件。最近即使是大人，就像那個女人一樣身體原本就很虛弱的人，也開始出現被米寄叮咬後生病的情況。

「……一切都是他們的錯。」

長老扭曲著臉，咒罵著移住民。

當火馬之民還在猶加塔平原時，沼地之民替他們做各種工作，換取火馬奶。

長老說，火馬奶是萬能妙藥，以前大家常喝的時候，幾乎沒有人被米寄叮咬過。

畢竟火馬可是受到晉瑪神所喜愛、賞賜給人們的馬。

不管牠活著還是死後，都能給人們帶來恩惠。

火馬也會被米寄叮咬，但不會像兔子一樣發狂而死。

不過，如果火馬上了年紀，或者是生病時剛好被米寄叮咬，確實也會因此變得虛弱而死亡。對於這些馬，人們會先驅除米寄的靈魂，然後葬在沼澤邊緣的「晉瑪之塚」，讓牠們前往晉瑪神身邊。

被岩石和木頭包圍的這處墓塚，覆蓋著火馬愛吃的美麗伊杞彌，這裡總是微微泛著晉瑪之光。

火馬之民的馴犬人看準了葬在墓塚裡的火馬遺骸發出晉瑪之光的時刻，會把懷孕的母狗帶到墓塚，讓母狗吃火馬肉。

這麼一來，生下來的小狗就會承襲晉瑪之光的恩惠，成爲堅強又聰明的晉瑪之犬。

說到這裡，長老的臉一沉，閉上了嘴。

過了一會兒，他抬起眼，有些猶豫地說：

「但施茲從移住民伴來，以切都變了……」

那些移住民們所幹的事眞該遭天譴。他們竟然砍伐「晉瑪之塚」所在的那片森林，做爲羊的飲水處。

火馬之民相當憤怒，但那時候他們忍了下來。因爲移住民並沒有連「晉瑪之塚」這一側也砍伐。

只是自從移住民砍掉森林後，「晉瑪之塚」便開始起了變化。

原本以爲把吃毒麥而死的火馬葬在「晉瑪之塚」，可以獲得淨化。但是自此以後，晉瑪之光卻再也不降臨在遺骸上了，吃了這些肉的母狗開始痛苦而死。

晉瑪神生氣了——這樣的聲音如蒼蠅的嗡嗡聲般，覆蓋了整片大地。火馬之民的怒氣終於轉向移住民。

晉瑪神的憤怒依然沒有平息，祂讓這片大地生病了。

那時候，移住民所放牧的羊也經常死亡。有些是吃了毒麥而死，也有很多是被米寄叮咬而死。

移住民將這些羊的屍體埋在森林邊緣。但埋葬的地點很接近「晉瑪之塚」，所以火馬之民的獵犬經常把牠們挖出來吃。

這些狗吃了因毒麥而死的羊或火馬，後來也死了。

不過，在羊和火馬之中，也有吃了毒麥卻沒有死的。但或許是這些羊或火馬的身體因此變得比較虛弱，有很多都是被米寄叮咬後死的。

這些沒有因毒麥而死，卻被米寄叮咬致死的羊和火馬埋在其他墓塚。火馬之民的馴犬人說，這些覆蓋著伊杞彌和阿膥彌的墓塚跟以前一樣發出聖光，所以他們特地把狗帶到這裡，讓牠們吃裡面的肉。

吃了這些肉的狗並沒有死，非但沒有死，這些母狗所生的小狗，成長速度快得出奇，而且還很多產——而這些狗，成爲比以前的「晉瑪之犬」更加聰明，也更可怕的獵犬……

漫長的故事即將結束時，長老遲疑地補充了一句：

「那些狗是神派來的神聖動物，雖然心裡知道牠們不會咬正直的人，但老實說，當那些狗來到身邊時，還是會很害怕。所以當肯諾伊大人帶著那些狗搬到土迦山地去的時候，心裡確實鬆了一口氣。」

離開長老家時，太陽已經西斜。

夕陽餘暉照在赫薩爾臉上，他深深嘆了一口氣：

「……終於找到線索了。」

聲音裡有難以壓抑的亢奮。

「要是聽到剛剛那番話，米拉兒一定會高興到跳起來吧。」

赫薩爾臉上浮現笑容，往米拉兒採集地衣的沼澤走去。

看著少主難得一見的小跑步背影，馬柯康微笑著。不管怎麼說，這個人還是愛著米拉兒的。米拉兒一定也會很高興吧。如果能聽到赫薩爾這麼開心地告訴她這些消息的話……

可是，來到沼澤附近，卻沒看到米拉兒。

飛翔在黃昏天空中的火打鴨，陸續降落在沼澤，此起彼落地叫鬧著。但附近一個人影都沒有。

不過米拉兒用來裝地衣的籠子還整齊地放在她剛剛走過的路上。

馬柯康心裡湧起一陣不祥的預感，臉一沉。

「她可能進了森林裡，我們去找找吧。」

赫薩爾也低頭蹙眉，看著籠子——那張略顯鐵青的側臉，此刻看來稚氣得讓人不敢相信。

就在他蹲在籠子旁，企圖分辨米拉兒的足跡時，突然感到有人接近。

馬柯康抬起頭來。

有個男人站在森林邊緣的陰暗樹林之間。

（那是……）

的確是那個小女孩的叔叔。

那個身材矮胖的男人欲言又止地看著這裡，臉上焦躁的神情，暗示著事態急迫。

馬柯康站起來，手放在劍柄上；這時候，右邊的森林裡跑出幾名打扮奇異的戰士。

他們身穿有馬形刺繡的護胸甲，手持著槍。

（是火馬之民。）

對方總共有八個人。以一擋八，可說一點勝算也沒有。

儘管如此，還是得捨身奮戰，至少要讓赫薩爾逃走。就在馬柯康雙腳準備使力的那瞬間，赫薩爾說：

「住手。」

火馬之民一言未發，只是不斷縮小包圍圈。馬柯康聞到淡淡的馬味。

＊

陣陣香味飄來，已經開始準備晚餐了。

廚房距離雖然稍遠了些，但因爲風向的關係，做菜的香味有時會飄到這個房間來。

多力姆嘆了口氣，闔上閱讀的資料。

這是離開舊王都卡山時，與多瑠交代要帶給赫薩爾的資料，上面詳細記載著各地移住民發病的狀況。

看到這些資料，不得不承認東乎瑠人確實很擅長行政管理。即使是被勒令搬遷到邊境的人，也沒有疏於調查，而是相當縝密地調查了各種現象。

在阿卡法王國的時代，不曾有過這樣的管理系統。

當時允許邊境居民自治，所以表面上，這些資訊都由他們自主提出報告。

當然，阿卡法王在背後會利用墨爾法收集情報，也會要歐塔瓦爾的「奧」將收集來的情報上報給國王，該知道的事情幾乎都掌握了。但是換個角度來看，這些都是透過綿密的地下情報網傳來的情報，並沒有累積成細密精確的數值。

眼睛深處一陣痠痛。多力姆用手指徐徐按著眼角。

（我也上了年紀了。）

以前不管旅行多久都不覺得累。

現在往來舊王都和各地之間時，偶爾會感覺到一股發自身體深處的疲累。他很懷念管理鹽礦的那個時期。當時的一切都比現在更單純。

話雖如此，但仔細想想，現在工作的基礎也都是那時候培養起來的。將鹽這種等同於黃金的資產分配給各地方氏族的權限，讓自己建立了和各氏族間的各種人脈。那時候建立起的關係，對現在的工作有極大的幫助。

多力姆抬起頭看向窗外。

窗外已經換上淡藍暮色。

（該換衣服了。）

今天晚上，要久違地跟赫薩爾他們一起共進晚餐。

赫薩爾他們連日造訪沼地之民的聚落，好像已有些進展了。

多力姆當初到歐塔瓦爾聖領的深學院打探時，知道新藥的開發主要由赫薩爾和米拉兒主導。不管詢問任何人，對他們兩人的風評都很高，許多人都期待他們能發現解決問題的線索。

可是在他探聽到這些消息時，也同時了解到，即使是最優異的研究者竭盡全力，也無法馬上製作出對黑狼熱這種可怕疾病有效的藥。

現在，已經來到刻不容緩的局面了。就算以意料之外的速度製造出新藥，也無法解決眼前的燃眉之急。

多力姆接獲消息，大約半個月前，土迦山地的碉堡遭受穆可尼亞軍奇襲。在這場襲擊中，碉堡遭受相當嚴重的損害，而突然現身的犬群更讓穆可尼亞兵敗如山倒。

飛鴿傳書中的內容並沒有寫得很詳細，不過光是這短短的通知，也足以讓多力姆了解情況已經走入下一個階段。

阿卡法王也應該領悟到，不能再繼續觀望下去。

王幡侯和與多瑠早已察覺到是誰在背後操控那些狗。他們雖然知道，卻佯裝不知，不想把事情鬧大。必須趁著眼前這個狀況還能繼續維持時，削弱肯諾伊的力量。如果不像這樣暗中輸誠，東乎瑠一定會採取斷然措施，進行鐵血鎮壓。

接獲阿卡法王命令的精銳部隊，已到達土迦山地。

假如他們抓住了肯諾伊，消息遲早會傳回這裡。到時還得說服這邊的火馬之民別輕舉妄動。

多力姆單手摀著臉，嘆了一口長長的氣。

火馬之民知道自己要被逐出故鄉時的表情，直到現在仍烙印在多力姆眼裡。那眼神空洞，只盯著再也無法得見家園的老婦，還有哭倒在地的女孩們。

（……早知道就不應該讓他們懷有期待。）

早在肯諾伊試圖交涉，想用「晉瑪之犬」奪回阿卡法時，就應該斬釘截鐵地告訴他們，阿卡法已經是個不能沒有東乎瑠的國家了。

東乎瑠並不是肯諾伊他們口中的寄生蟲。

實際上，他們帶給阿卡法這棵樹肥料、剪去多餘的枝葉，就彷彿在一旁守護成長的園藝師一樣。

經過他們整頓過後的樹，已經不是原來的姿態。結成的果實大部分也都是歸園藝師所有。儘管如此，他們還是保護了這棵樹不受暴風雨侵襲，給水灌溉、幫助樹木健康成長。

合併已經過一段漫長歲月，現在的阿卡法早就和過去那個小國完全不同了。防衛也好，經濟也好，任何層面都敵不過東乎瑠。

萬一東乎瑠棄阿卡法而去，這個國家大概會如同一棵失去園藝師、失去水源、失去圍牆，還遭受強風侵襲的老樹般乾枯吧。

防衛重擔、稅賦不公、移住民問題，阿卡法人確實面臨許多艱難的困境。但是這些問題應該透過政治手段來解決，而不是謀反或陰謀。

雖然多力姆曾對赫薩爾說移住民很礙事，但事實上，現在如果沒有他們，勢必引發市場的重大混亂。

這些事，阿卡法王都再清楚不過。

（儘管如此，在那瞬間……王的心中仍然有個夢想一掠而過。）

一個脫離現實的夢，只屬於阿卡法人的阿卡法這個夢——想親手奪回所有權力的夢。

阿卡法王心裡或許覺得，肯諾伊的夢並非完全不可能實現。他同時也認爲，反正他們成不了什麼大事。

可是，再怎樣都不該用那種曖昧的言語，讓他們抱有希望。

當時阿卡法王內心些許的同情，反而帶給他們更殘酷的未來。

多力姆嘆了口氣，聽到敲門聲。部下詢問是否能進屋。

「進來吧。」

回應後，部下打開門，走了進來。

「眞抱歉打擾您。有位沼地之民前來，說有急事要找多力姆大人，還說想避開山地之民，私下跟您談談。」

「沼地之民？是誰？」

部下表情顯得很爲難。

「我問過了，但他沒有報上姓名——如果您要見他，我就把他帶過來。」

多力姆正想點頭，卻又改變主意，搖搖頭。他不想讓來歷不明的人知道宅邸內部的構造，還有這間執務室的位置。

「我過去吧。」

出了走廊，走向階梯，他聽見樓下男人們的喧囂聲。

這座宅子是氏族長停留在族都時使用的，館內常駐著三十位阿卡法士兵。這次他又率領兩支十人小隊前來，因此宅邸內現在總共有五十位士兵。

快到晚餐時間了，大家正走向餐廳。

走下階梯，幾名士兵發現了他，立正不動。多力姆輕輕揮揮手，要他們直接去食堂，自己則走向後門。

走出後門，黃昏清涼的微風撫上多力姆的臉頰。

環繞著宅邸的圍牆另一邊是山，一整片黑色樹林正隨風緩緩搖擺。

警衛兵俐落地舉槍致敬。多力姆點點頭，走向站在士兵身邊的矮小男子。

從後門透出的光線微微映照著那名男子的臉，是位中年男性，長相很平凡。多力姆總覺得在那裡見過，但又想不起來究竟在哪裡。沼地之民有很多都是這種長相。說不定曾經在村裡見過。

「是你嗎？你有事找我？」

多力姆問道，男人深深低下頭。

「沒錯。抱歉還讓您跑一趟。」

「你說有急事，是什麼事？」

男人抬起頭來，低聲說道：

「是赫薩爾大人派我來的。他請您盡快來一趟，別帶太多人，盡量不要讓山地之民發現。」

多力姆五官扭曲。

赫薩爾不想讓山地之民發現的用意讓他很好奇。住在族都的山地之民與歐塔瓦爾的「奧」關係很深厚。身為歐塔瓦爾人的赫薩爾，有什麼理由在意他們的目光？

「赫薩爾他人在哪裡？」

「在我們那裡。」

「他有沒有告訴你是什麼事？」

「不，他只要我傳達剛剛那些話，然後領您過去。」

多力姆轉頭看看在背後守衛的部下。

「赫薩爾還沒回來吧？」

部下點點頭。

「還沒，以往他沒這麼晚回來過，我正想跟您商量，是不是該去接他。」

多力姆沉吟道：

「你去食堂找三個人過來，別告訴他們理由。」

部下點點頭，從後門進入宅邸，就這樣消失眼前。

在那位男子的引導下，多力姆走進了夜晚的森林。

如果穿過族都後門，就會被山地之民發現，因此他依照男子的引導，走上一條從宅邸後山穿至沼地的小路。

太陽已經西沉，森林裡相當昏暗。就算讓阿卡法士兵提燈照亮腳邊，也只能看見眼前幾步的距離。

不過那名男子走起路來，卻毫不猶豫。

多力姆追著他在燈光下偶爾浮現的身影，覺得毛骨悚然。

還在鹽礦時，每當自己有這種感覺，一定會出事。可能是看到或聽到一些還沒浮出意識的東西所帶來的某種預感吧。

（到底是什麼？）

爲什麼胸口覺得如此不平靜。是因爲走在黑暗之中嗎？還是……

前方那名男子走路的樣子有種習慣，每當他踏出一步，左肩就會稍微往下沉。當多力姆發現這一點時，心中一驚。

（對了，這男的……）

他正要出聲喚那男子，這時，不知哪裡的貓頭鷹叫了。

男子停下腳步，用手指著多力姆，然後縱身跳到路旁的樹叢後。

幾乎在同時，走在多力姆身旁的士兵驚叫一聲，手上的燈落地。他們的手按著脖子，不斷呻吟，雙膝跪地，然後就這樣倒下。

「敵人來襲！」

就在多力姆這麼大叫的同時，旁邊的草叢也發出聲音。黑影接二連三現身，士兵們高舉的燈火下，閃著白刃的亮光。

## 三　納卡

從土迦山地到猶加塔地方的這趟旅程，也是一趟由冬天到早春的旅程。

天氣好的時候，大約十天就可以從土迦到猶加塔。

但那是指帶著豐富糧食的騎兵，凡恩和莎耶還必須避開風雪、尋覓食物，因此多花了好幾天。

儘管如此，兩人和火馬之民的石火隊的距離依舊沒有拉得太遠，就這樣來到猶加塔山地。

幸好石火隊沒有帶狗同行，他們才不需要保持太長距離。而這也多虧了石火隊為了避開東乎瑠駐軍的耳目，沒有走正規道路，選擇了從狹窄獸道通過的困難旅途。

到達猶加塔山地後，石火隊分為兩組。

凡恩和莎耶討論著是否該兵分兩路，但由於彼此之間沒有連絡方式，考慮到萬一被火馬之民發現，還是兩人同行較妥當，因此他們決定追蹤人數較多的那一組。而那些人的足跡通往猶加塔山地居民族都所在的那座山。

＊

咕。貓頭鷹小聲叫著。

凡恩轉過頭去，莎耶點點頭。

莎耶臉上塗著泥，瞇起眼後，那張臉幾乎與黑暗融為一體。凡恩也一樣，塗了泥巴潛行在黑暗中，低頭看著石火隊戰士們進入後，許久不見動靜的草叢。

現在傳出貓頭鷹細小叫聲的，正是那處草叢。

不久前，在前方的黑暗中曾看見幾盞燈火，一些金屬物品在燈火下閃著亮光。幾名士兵沿著林間小路往這裡走來。

貓頭鷹叫聲傳出的那瞬間，周圍一陣騷動，可以看見走在最前面的男人離開小路逃走。

草叢沙沙作響，火馬之民的戰士們跳了出來。

隨著告知敵襲的聲音，燈火一片零亂。刀影閃爍，還傳來淒厲叫聲。刀劍互相撞擊，發出尖銳聲響、火花四散，伴隨著砍破沙袋般的鈍聲，汗水與鮮血的味道也跟著傳來。

過了一會兒，亂鬥終於結束，從掉在地上、熊熊燃燒的燈光可以看見，有名男子被綁住了。

這位上了年紀的男人手被反綁著，火馬之民則包圍著他往前走。火馬之民的戰士把燈火拿高，因此在黑暗中可以清楚看見那張臉。

身旁的莎耶倒抽了一口氣——看來她認識這個人。

凡恩正想低聲問那是誰，突然又皺起眉頭。沿著山壁吹來的夜風中，有股熟悉的味道正擾動著他的鼻腔。

他心跳加快。聞著味道，一名矮小男子的長相漸漸浮現在腦中。

（……納卡。）

沒錯，是那個男人的味道。那個擄走悠娜、身材矮小的沼地之民。

凡恩頓時全身發熱，閉上眼睛。

一閉上眼，世界就變了——一個只由味道和聲音勾勒出輪廓的世界包裹住凡恩全身，不斷往外擴散。

蠟燭燃燒的味道、鮮血和汗水的味道、金屬的味道，這些與山的味道格格不入的東西，刺激著鼻腔深處。一切會動的東西，都在大氣中留下了氣味的痕跡。

凡恩微睜著眼，安靜地開始奔跑。

他像野獸一樣，靜靜地、柔軟地穿過草叢，追蹤著納卡氣味留下的痕跡。莎耶的味道就在身後，凡恩可以感覺到莎耶追了上來。但他並沒有回頭，只是一心追蹤著納卡。

曉也保持著恰到好處的距離。有莎耶和飛鹿跟在身後的凡恩好比一匹狼，靜靜奔馳在夜晚的森林中。

納卡跟在火馬之民的戰士後頭，微微低頭走著。他們在夜晚的山裡走了很久，終於來到懸崖下。

不知不覺中，月亮已經升起。半月的朦朧光芒照亮灰色山崖，山崖上四散著漆黑的洞穴入口。

帶著俘虜的戰士們一走近，山崖下便隨之騷動，幾條人影搖晃著。分成兩組的戰士，似乎在此處會合。

閃爍著的燈火陸續移動，帶著俘虜的戰士們進入其中一個洞窟。

其他戰士並沒有走進洞窟，而是待在外面圍著火堆。

納卡也沒有進入洞窟，他正和待在火堆旁的戰士們說話。從這裡看不見他們的表情。

凡恩和莎耶一起躲在森林邊緣。凡恩盯著納卡，在莎耶耳邊輕聲說：

「妳看得見那個男人嗎？坐在火堆左邊的小個子。」

「……看見了。」

「那就是納卡。」

莎耶倒抽了一口氣。

「什麼?眞的嗎?」

凡恩點點頭，莎耶緊皺著眉。

「你從這裡就看得見他的臉?」

「不，我從味道知道的。」

凡恩凝視著納卡。

「那一定是納卡，不會錯。」

這時候納卡身體晃了晃，往前走了幾步。看到後，莎耶「啊」了一聲，輕嘆道：

「眞的是納卡沒錯。」

兩人互看一眼。

凡恩彎起嘴角露出笑容。雖然花了很長時間，但終於追上了。能找到悠娜的確實線索就近在眼前。

他迫不及待想把那孩子抱在懷裡。

歐蹌!他想看看那張睜著圓亮眼睛的臉。凡恩努力壓抑這些湧上心頭的渴望。

不能急。首先得確認發生了什麼事。如果心裡只想著悠娜，很有可能犯下無可挽回的錯誤。

「妳認識那個被俘虜的男人嗎?」

聽到凡恩的問題，莎耶點點頭。

「那是多力姆大人。」

凡恩睜大了眼。

「妳說是多力姆・斯佛露薩嗎？阿卡法王的心腹？」

從前掌管岩鹽流通的阿卡法重臣。自從鹽礦落入東乎瑠手中後，轉爲掌管邊境，與所有阿卡法氏族都有著深厚關係的阿卡法要人……

莎耶盯著遠方的火堆，喃喃說著：

「那位大人就是我們墨爾法的總管。」

聽到這句話，許多事一下子都連接了起來，凡恩開始看清眼前這些事的意義。

他表情僵硬，小聲地說：

「……看來肯諾伊已經發現了。」

莎耶也面色凝重地點點頭。

可能是抓到莎耶的時候，也可能是其他墨爾法露出馬腳。總之，火馬之民已經知道自己被阿卡法王拋棄了。

凡恩背脊感到一股涼意。

此時的火馬之民一定相當絕望、憤怒。還沒來得及反抗，就遭到壓制，必須當成什麼都沒發生，這種事他們是不可能乖乖接受的。

（所以他們想在對方行動前先下手爲強。）

派出石火隊，以阿卡法王的心腹爲人質，這就是他們所展現的意志——這麼一來，他們接下來想做什麼，已經比眼前的火堆還要明顯了。

＊

走在夜晚的山中，更覺得火堆的溫暖有多麼可貴。

在火馬之民面前，納卡客氣地彎身靠近火堆，站在稍遠處感受溫暖。

他覺得身體深處還在發抖。

儘管遵從火馬之民的命令是氏族的責任，但擔負起欺騙多力姆大人的任務，還是讓他很痛心。

（那位大人是個和善的人。）

毒麥事件時，他幫了許多忙。

當堂妹因爲協助襲擊移住民被抓，差點被處以死刑時，那位大人特地去見了東乎瑠的官員，向他們說明沼地之民的處境如何困難，才保住堂妹一命。

不僅如此。堂妹得免死罪、開始在阿卡法鹽礦當家事奴隸後，大人還格外開恩，讓叔叔能送糧食和衣服給堂妹。

人稱「阿卡法王的心腹」、身分如此高貴的大人，竟爲了一介邊境民這麼盡心盡力，大家都很驚訝，也由衷感謝他。

當時的事，納卡記得很清楚。

知道堂妹懷了鹽礦奴隸頭子的孩子後，叔叔有一陣子曾經難過到差點生病。可是等到孫女出生後，他數度遠赴阿卡法鹽礦，將火馬奶製成的拉帕帖，以及在卡山買的歐基拉普塔等滋養身體的食物交給女兒。

以前沼地之民有很多機會能得到火馬之民提供的火馬奶，可是自從東乎瑠人拓殖後，火馬奶變少，也就不常分給沼地之民了。叔叔一定是想把這些用貴重火馬奶製成的拉帕帖，給經過辛苦勞動和生產後身體虛弱的女兒補身體吧。

好不容易把這些食物交給堂妹，但她卻把所有拉帕帖都給了孩子。叔叔哀傷地說，那孩子幾乎連味道都沒嘗，為什麼不自己也吃一點呢？叔叔說這些話的表情如今還歷歷在目。

叔叔前年過世了，但是納卡在因緣際會下，將堂妹的女兒——也就是叔叔的外孫女帶回了村子。

毒麥事件時，被迫協助襲擊移住民的不只是堂妹，納卡也得負責監視。所幸東乎瑠的官員並不知道這件事；當然，村裡有人知道。只有自己一人沒被究責，讓納卡很歉疚，漸漸覺得待在村子裡很難受。父母過世後，納卡離開了村子，流浪到歐基地方。

一想到自己因此而遇見悠娜，又能把她帶回村裡，這一切實在太不可思議了。

火馬之民的戰士命令他在騷動中趁亂擄走悠娜。聽到這個要求時，納卡很驚訝。他怯懦地說，自己辦不到這種大事。

火馬之民的戰士們聽了，只是淺淺一笑。他們說，那可是你在阿卡法鹽礦那堂妹的女兒。與其被我們粗魯對待，還是你親自照顧比較好吧。我們是特地把這份工作留給你的，你可得好好感謝我們啊。

這一定是晉瑪神的安排吧。

現在悠娜人在洞穴裡。當納卡聽說悠娜是和歐塔瓦爾的女醫術師在一起時被抓走的，慌張地跑來想帶回悠娜。但火馬之民的戰士卻說，那女孩是重要的俘虜，不准他帶走。

（……該怎麼辦？）

叔叔已經死了，嬸嬸去年也死了。悠娜現在是由納卡的堂姊，也就是她的阿姨一家負責照顧。但以悠娜的年紀來說，這孩子頑固到令人難以置信。她始終無法融入這個家族，一逮到空檔就逃走、整天不回家。天黑了雖然會回來，不過吃完飯就窩在家裡的角落睡覺。堂姊曾說，好像家裡養了隻野貓一樣。

堂姊家孩子多，無法分心照顧悠娜。要是告訴堂姊現在這個狀況，老實說，她或許會大鬆一口氣。話雖如此，就這樣把悠娜丟在洞穴裡不管，似乎又太無情了。

（至少也得看她一眼再走吧！）

納卡怯生生地提出要求，火馬之民的戰士們討論了一會兒，最後終於答應等到那孩子睡著後，讓納卡去看她一眼。

# 四 米拉兒發病

岩牢外突然一陣吵鬧。

「……怎麼了？」

赫薩爾抬起頭，看著馬柯康。

馬柯康起身，附耳在岩壁上。

「好像又抓到了什麼人。」

只聽到咕噥的人聲，卻聽不清楚說話的內容。從聲音的語調、腳步聲，還有鐵柵牢門關閉的聲音，可以推測應該是在隔壁。

這座岩牢是利用天然的岩穴再加上鐵柵區隔建造成的，跟城中的地下牢房比起來，隔間牆更厚，儘管把耳朵貼在牆上，也聽不見隔壁的聲音。

馬柯康的耳朵離開冰冷的岩壁，回頭看著赫薩爾。

「到底發生了什麼事？」

赫薩爾問，一臉不悅地看著馬柯康。

「不要問我這種事。在這種狀態下妄加推測，一點意義都沒有。等到有動靜的時候再做判斷吧。」

馬柯康嘆了口氣。

「確實沒錯……對方沒有馬上殺了我們，就表示我們還有利用價值。」

姊姊的話在他腦中掠過，但馬柯康覺得其實只有赫薩爾和米拉兒有活命的價值。只是現在想這些也沒有用，他決定告訴自己，別去在意那些不祥的預感。

他自小便聽說火馬之民有一座專門拿來關重刑犯的岩牢，但從沒想過自己會有進牢的一天。

（跟著赫薩爾大人，幾條命都不夠用啊！）

嗚……他聽到一個微小的聲音。

剛剛還不斷跟米拉兒說話的小女孩，不知什麼時候，已經把毛皮裹在自己身上，窩在米拉兒和岩壁之間舒服地睡著了。

那孩子嘴裡囈語著夢話，拉過毛皮，轉個身面向牆壁那側繼續睡。在這種狀況下竟然沒哭鬧，還睡得這麼沉，這孩子還眞堅強。

「……怎麼了？」

赫薩爾發現米拉兒的肩膀在發抖，輕聲問道。

「沒事，不要緊。」

回答的聲音也在顫抖。

「不要做無謂的逞強。妳冷嗎？」

米拉兒點點頭。

剛剛有個男人過來，給每個人都發了張毛皮，但就算裹著毛皮，這座監牢的地板是石頭，冷得徹骨，火源也只有一根蠟燭。

赫薩爾罵了還在客氣的米拉兒兩句，將自己的毛皮疊在她的毛皮上，緊抱著她。儘管如此，米拉兒的身體還是不斷顫抖。

赫薩爾將手放在她額頭上，皺起眉。

「妳發燒了。」

而且溫度高得出奇。

「什麼時候開始的？」

米拉兒嚥了一口口水，嘶聲說：

「剛剛。今天早上只覺得喉嚨有點痛。」

赫薩爾摸摸米拉兒耳朵下方，要馬柯康把蠟燭拿過來。

在搖曳的小小燭火下無法仔細診察，不過赫薩爾還是讓米拉兒張開嘴，看了她的喉嚨。

「有點紅腫。希望只是單純的感冒。」

米拉兒無力地盯著赫薩爾。

「……妳應該沒被蜱蟎叮咬吧。」

最近幾天天氣格外暖和，蜱蟎開始活動也不足爲奇；再加上米拉兒一直在沼地森林裡採集地衣。

「我已經很小心了。」

她穿著長袖衣服，脖子上纏著布，頭也用布包著，再穿上男人的長褲，把褲管塞進長靴裡。儘管這樣，仍無法完全防堵蜱蟎。

蜱蟎很小，被叮咬時只會感到很輕微的疼痛；假如鑽進頭髮裡，往往很難發現。米拉兒雖然頻繁洗頭，但是蜱蟎會張大嘴，用下顎緊咬住皮膚，就算洗頭，也洗不掉蜱蟎。

赫薩爾讓馬柯康拿來蠟燭，拿下包住米拉兒頭髮的布，從後頸開始，撥開頭髮仔細檢查。

過了一會兒，赫薩爾停下動作。

「……照一下這裡。」

在她左耳後方的頭髮裡有個小黑點——是蜱蟎。吸血之後，身體膨脹得很大。看到那大小，赫薩爾緊咬著唇。看來被咬已超過一天。

不見得被蜱蟎叮咬就會生病，甚至什麼都沒發生的狀況還比較常見。但如果是帶有病素的蜱蟎，被叮咬後經過一天一夜，罹病的危險就會增加許多。

赫薩爾的心跳開始加快，一股快壓垮他胸口的不安湧現。

（冷靜點。還沒確定就是黑狼熱，這傢伙沒帶病的可能性更高，這種症狀也可能只是單純的感冒。）

赫薩爾這麼告訴自己。

儘管如此，心跳還是不斷加快，額頭到頭皮一陣冰冷麻痺。赫薩爾看到自己的手指在發抖，接著，他深深吸了一口氣，然後吐出來。

「……我被咬了？」

米拉兒問道。赫薩爾點點頭。

「對。」

米拉兒打了個顫，閉上眼睛。

「要拿掉嗎？」

馬柯康正要將燭火拿近，赫薩爾連忙阻止他。

「住手！笨蛋！火源這麼近，牠會就這樣咬住、不斷掙扎，傷口會變得更嚴重！」

「我知道，可是……」

「要是就這樣死了，牠的下顎會留在皮膚裡，更增加感染危險！」

赫薩爾拉高音調大聲怒罵。

「你這傢伙，為什麼連這種事都不懂……」
米拉兒突然將手伸過來，赫薩爾把她的頭抱在懷裡。
「赫薩爾、赫薩爾，冷靜一點，拜託。」
米拉兒在赫薩爾懷裡發出含糊不清的聲音。
在米拉兒熟悉的味道環繞下，赫薩爾粗喘著氣，閉上眼睛。
恐懼從身體深處竄了上來，赫薩爾不知道自己該怎麼辦。
一想到萬一米拉兒罹患黑狼熱，他就坐立難安。
（早知道就該讓她回卡山。）
明知道這片土地棲息著帶有黑狼熱病素的蜱蟎，根本不該讓她去採集地衣。
接二連三的悔恨如浪濤不斷襲來。赫薩爾緊咬著牙。
（冷靜點，現在沒時間後悔。快想想該怎麼辦才好。）
已被蜱蟎叮咬、喉嚨出現症狀，也開始發燒——總之，得盡快注射新藥才行。
聽到外面的腳步聲，馬柯康突然抬起頭。
岩牢鐵柵門的另一邊是一條通道，一根火把插在岩壁上的洞穴裡，正熊熊燃著。燈光下，他看到一名身材矮小的男子正悄悄走近。
（那是……）
他看過那位沼地之民。他記得，應該是這睡著孩子的叔叔。
「赫薩爾大人。」
赫薩爾聽到聲音，抬起頭。馬柯康正用眼神向他示意，赫薩爾看向牢門外那個怯生生望著這裡的男人。

「你！」

聽到赫薩爾叫他，那男子一驚，但沒有逃跑。反而又靠近牢門一些，往裡面打量。

「……我外甥女還平安吧？」

赫薩爾皺著眉。

「你是這孩子的舅舅？是你把她帶來的？」

看到馬柯康打算用手碰觸睡著的孩子，那矮小男子慌張地說：

「啊，請不要叫醒她。」

「他們交代，讓孩子繼續待在這裡。」

赫薩爾揚起眉。

「爲什麼？你打算把這孩子繼續關在這種岩牢裡嗎？」

矮小男子點點頭。然後回頭往背後一瞥，確認負責看守的戰士正注意著隔壁的牢房，他才小聲地說：

「這孩子的狀況有點複雜。我不能跟您說明原委，還請您可憐可憐，多照顧她。」

赫薩爾抱著米拉兒，看著那男人的臉好一會兒，接著壓低聲音說：

「知道了。我們會照顧這孩子，但請你幫我一個忙。」

矮小男子臉一沉。

「……什麼事？」

赫薩爾還沒等他說完，便打斷他：

「不是什麼麻煩事，你應該知道村裡有一間我們借用的小屋吧？那裡有我的藥和治療工具。

我希望你拿到這裡來，小心別弄壞了。米拉兒被蜱蟎叮咬了，正在發燒。她可能得了黑狼熱。我想替她治療。」

矮小男子驚訝地睜開眼。

「這……」

「如果我們還有身爲人質的價值，我想火馬之民應該也不想讓米拉兒送命吧。」

赫薩爾的聲音在發抖，眼神充滿急迫。

「如果米拉兒死了，我也不會獨活。不管用什麼方法，拜託，請你說服火馬之民，把藥帶來！」

## 五　不可思議的男人

夜晚的森林中，納卡一路趕回村裡。

他對火馬之民的戰士說，歐塔瓦爾人的人質發了高燒，能不能去拿藥？他們似乎也擔心人質死去，竟意外地爽快答應。

（……能不能拿到對的藥呢？）

雖然那位名叫赫薩爾的年輕大人拚命告訴自己放藥的地方，還有裝藥的瓶子顏色，但納卡不識字。

放在小屋裡的藥如果只有一兩瓶也就罷了，要是有許多類似的瓶子，他實在沒把握能拿到正確的藥瓶。

（還是叫醒誰來幫忙吧！）

如果能把小屋裡的藥全帶去，就不用再跑第二次了。

那位叫米拉兒的小姐，很努力地替生病的村人治療，是個善良的人。如果可以，他也很想救她。

森林裡非常暗，提燈只照得亮腳邊。

納卡從剛剛就隱約覺得有什麼東西跟著自己，但停下腳步回頭看，卻什麼都看不見。

（……應該是錯覺吧？）

快到村子了。

（該找誰來幫忙才好？）

就在這時，有個東西打在提著燈的手上，一陣疼痛。

提燈往下掉、納卡呻吟著抓住手的瞬間，一名男子從背後的黑暗中出現，一把勒住他脖子。對方只要用力一扭，頸骨一定會馬上斷掉。

「救命！別殺我！」

納卡忍不住大叫。

「……那你就別動。」

一個低沉的聲音回答。一聽到那聲音，納卡頓時渾身顫抖。

「你應該知道我是誰吧？」

納卡輕輕點頭。

「那孩子在哪裡？」

納卡發著抖，囁嚅回答：

「……在岩屋……的牢裡。」

一股恐懼湧起，納卡死命道歉：

「請原諒我！我也不想那麼做，我是被逼的。」

納卡用力閉上眼睛，牙齒不斷打戰，嘴巴一直說個不停。他心想，說話的時候，至少對方不會扭斷自己的脖子，所以不停地說。

他把一切都說了出來，包括悠娜和自己的關係；還有，如果沒把藥帶回去，就會被懷疑的事情等……

說著說著，眼淚流了出來。

納卡這輩子被迫做了許多自己不想做的事。想到竟然要這樣結束一生，眼淚止不住地流淌。

一回神，納卡突然發現勒在他脖子上的那隻手已經鬆開。

儘管對方還緊緊抓著自己的手腕，可是直到剛剛爲止那種隨時會被殺掉的感覺已經消失了。

納卡怯生生睜開盈滿淚水的眼睛，那個叫凡恩的男人正低頭看著自己。

「……所以你現在要去拿藥，然後再回到岩牢裡，是嗎？」

聽到他平靜的聲音，納卡眨眨眼，點了點頭。

「這樣的話，你帶我去。只要說我是你的幫手，就能瞞過他們了吧？」

納卡睜大雙眼。

「瞞、瞞過……」

凡恩看了納卡那件連帽外套一眼。

「再找人借一件沼地之民常穿的這種外套就行了。你就說岩牢裡的人覺得冷，別人應該不會起疑吧。」

說了之後，凡恩用那對斂著銳利目光的眼睛盯著納卡。

「我再相信你最後一次。如果你剛剛哭著說的那些話是眞心的，你就好好補償我一次。」

凡恩雖然沒說這次如果背叛他會有什麼下場，但就算不說，他的眼神也表現得很清楚。

納卡沉默了一會兒，回頭看著凡恩，然後低聲說：

「知道了。我帶你過去……但之後你打算怎麼辦？那裡有許多戰士呢。」

凡恩沒有回答這個問題。

＊

夜晚一分一秒流逝。

剛剛火馬之民又拿了毛皮過來，鋪好毛皮後，赫薩爾讓米拉兒躺下，又替她蓋上兩人份的毛皮。

米拉兒睡得昏昏沉沉。體溫好像沒有再升高，也不再發抖了。赫薩爾偶爾替她擦去額頭上滲出的汗水，夜不成眠地等著藥來到。

（那男人能不能把正確的藥帶來？）

早知道不要告訴他藥名，讓他全都帶來就好了。剛剛忘了告訴他要用布逐瓶包好，免得碰壞了。

儘管再三叫自己冷靜，現在心裡卻淨是後悔。

接近夜半時分，牢門外的守門人交班。

新的守門人比剛剛那名守衛年輕許多。雖然體格健壯，不過火光照耀下的那張臉，連根鬍鬚都沒長。

出入口傳來一陣騷動。

（來了嗎？）

赫薩爾站起來，走到牢門旁。

剛剛那個矮小男子帶了個人走近。兩人都拿著大布袋，身後還跟著一個火馬之民的戰士。他們看了負責看守的年輕人一眼，點點頭。負責守門的年輕戰士神色緊張地擋在兩人面前，開始確認矮小男子和另一個男人帶來的袋子裡裝了什麼。

（快點、快點，可惡！要檢查在外面就該檢查了吧！）

赫薩爾不耐煩地在心裡大罵，但還是安靜地看著守衛檢查。

年輕戰士終於抬起頭，對年齡稍長的戰士點點頭。年長的戰士先拔出劍、擺好陣勢才開口說：

「好，開門。」

年輕戰士打開鐵柵門的鎖，那兩個男人低頭走進牢裡。

兩人進去後，年輕戰士再次鎖上牢門，將鑰匙掛在自己腰帶上。

「你帶來了嗎？謝謝！」

赫薩爾壓抑住激動的心情，打開兩人拿來的袋子。

赫薩爾驚訝地發現，他們幾乎把所有放在小屋的藥品和治療工具都帶來了。

「這樣可以嗎？」

「沒問題，眞的很謝謝你。」

這時候，赫薩爾身後的孩子醒了。之前不管說話再大聲，她都沒醒來，但剛剛那一陣騷動似乎將她吵醒了。

跟著矮小男子一起來的那男人悄悄蹲在孩子身邊……這時候，那孩子瞪圓了眼睛。

「歐蹌！」

孩子的臉上浮現難以置信的表情，下個瞬間，她放聲大哭，跳進男人懷中。

男人抱起孩子，緊緊擁著她。

「歐蹌！歐蹌！歐蹌！」

男人抱著邊哭邊緊抓住自己的孩子，低聲安撫她，不要緊了，妳眞乖。

年輕戰士聽到這騷動，嚇了一跳。

「怎麼了？」

「他是照顧這孩子的伯父。」

那矮小男子一臉爲難地回答。年輕戰士則露出一副不置可否的表情。

男人抱著哭得震天價響的悠娜站了起來，向大家稍微點了個頭，接著待在岩牢一角，開始柔聲安撫她。

赫薩爾滿腦子都是米拉兒的事，馬上轉換心情專心治療。但馬柯康總覺得奇怪，不斷盯著那男人和孩子。

（……悠娜的伯父？）

眞是這樣嗎？

「歐蹌」這說法在猶加塔方言裡很少聽到，如果是伯父，通常會叫「歐賈」。假如這孩子口齒不清，把「翁蹌（父親）」念成了「歐蹌」，那還比較接近歐基地方的話。

這時，馬柯康剛好跟那矮小男子四目相對。對方眨了眨眼，隨即移開目光。

赫薩爾抬起頭來大罵：

「馬柯康，不要發呆，快過來幫忙！」

馬柯康這才開始慌張地幫起赫薩爾。

赫薩爾把裝有藥的瓶子排好，小心拿出注射器，再打開消毒液瓶蓋，一股嗆鼻的味道頓時瀰漫在整座岩牢裡。

爲了預防米拉兒產生過敏反應，赫薩爾先將治療工具擺好，爲米拉兒的手臂消毒，替她注射新藥。

守衛的年輕戰士隔著牢門，一直盯著這裡。看到赫薩爾注射時，他睜大了眼睛，接著表情變得扭曲，彷彿自己也挨了一針。

赫薩爾完成一連串治療後，年輕戰士怯生生地問：

「……這樣，治得好嗎？」

赫薩爾抬起頭看著年輕人。

「如果沒有多餘的反應，應該可以治好。」

年輕人眨眨眼，看著米拉兒。

「被針刺到很痛吧？」

米拉兒那張因爲發燒而有些神智不清的臉上露出微笑。

「不要緊，沒有你想像的痛。請不用擔心，謝謝你。」

年輕人露出害羞尷尬的表情說，沒有，我沒有擔心。似乎這才發現自己身爲守衛，不該採取這樣的態度，又挺直了背脊，走到隔壁牢房。

他離開後，赫薩爾嘆了口氣。

「幸好來得及注射。現在還沒有發疹，症狀不至於太嚴重，畢竟不是直接被狗咬傷。」

聽了之後，馬柯康挑了挑眉。

「被『晉瑪之犬』咬傷和蜱蟎叮咬，病情的輕重會不一樣嗎？」

赫薩爾一邊整理用過的注射器，一邊將新的預備針筒放在手邊，點點頭。

「不一樣。在那間小屋裡的人已經開始發疹、意識不清。可是，儘管在那種狀況下，注射了新藥還是有效果，不是嗎？」

「也對，確實沒錯。跟鷹匠他們不太一樣。」

來得及注射新藥，讓赫薩爾放了心，沉著的表情又回到臉上。

「宿主改變後，病素的毒性多半都會弱化，但也有相反的。以蜱蟎為媒介的其他疾病也一樣，假如先以其他動物當做宿主，之後再傳染給人，症狀說不定會變得更嚴重。黑狼熱就可能是這樣。不過現在的狀況還很難說……總之，幸好我們知道這些藥對遭到蜱蟎感染的人很有效。」

說著，赫薩爾拿起新藥的瓶子。這時角落突然傳來一個聲音。

「哇～漂釀！」

所有人不禁望向聲音發出的方向。

悠娜從男人懷中探出身子，指著裝有新藥的瓶子。

「你看，歐蹌！你看，在發光！好漂釀……」

米拉兒聽到那聲音，臉色一驚，看著悠娜。

「這個藥，妳也看見它在發光嗎？」

悠娜點點頭。

「跟在沼澤的伊杞彌一樣嗎？」

悠娜再點點頭。

「嗯。一樣喔。釀釀的，很漂釀喔。」

赫薩爾皺著眉，望向米拉兒。

「妳在說什麼？」

米拉兒仰望著赫薩爾，沙啞地說：

「這孩子說，伊杞彌和阿蓆彌看起來會發光。」

赫薩爾緊蹙著眉，完全不懂她在說什麼，但下一個瞬間，他乍然睜大雙眼。

「妳說什麼？該不會，連這新藥也在發光吧？」

「對。」

「這怎麼可能，太荒唐了。」

米拉兒因發燒而失焦的雙眼望著赫薩爾，接著，似乎是太過疲累了，終究還是閉上眼睛，只是嘴裡還喃喃說著：

「但我想她說的是眞的，因爲她說其他地衣類沒發光。」

赫薩爾沉默了下來。

他皺著眉頭想了想，然後抬起頭，看看牢門外，確認那個負責看守的年輕人還站在隔壁牢房前，便將視線移到那矮小男子身上，輕聲說：

「你剛剛說過，這孩子的狀況很複雜對吧？能不能告訴我其中的理由？」

矮小男子表情僵硬，接著，一臉爲難地看向抱著悠娜的男人。

# 六　狼之眼

赫薩爾回頭看向那抱著孩子站在岩牢角落的男人。

那人的個子並不特別高大，卻流露出剽悍的感覺。

他兜帽拉得低低的，幾乎看不見臉，不過頭稍微動了動，突然露出眼睛。

被對方筆直注視的那一瞬間，赫薩爾忍不住想起身。那一刻，他覺得盯著自己的，彷彿是狼的眼睛。

男人開口：

「……那藥可以治好黑狼熱嗎？」

聲音很冷靜。

他不是沼地之民。從說話的方式判斷，應該來自更北方。

再說，這男人也不像沼地之民那樣卑躬屈膝。儘管態度自然，卻有種威嚴。

（這男人是何方神聖？）

赫薩爾吐了口氣，只覺得全身無力。儘管不過是短短一瞬間，他還是對自己竟然覺得害怕而難為情。

赫薩爾雖然很想知道這男人和孩子的眞實身分，但方法要是不夠高明，對方很可能會逃走。

他也覺得這男人就像頭野生動物，儘管現在出於好奇而看著自己，不過一旦察覺有危險，應該就會馬上逃離。

赫薩爾決定先回答他的問題。

「這種藥對於被晉瑪之犬咬到的人沒什麼效果。但就像我剛剛說的，它對被蜱蟎叮咬、表現出類似黑狼熱症狀的那個女人有顯著的效果。」

雖然很不明顯，但是當男人聽到「沒什麼效果」的那瞬間，目光微微閃爍了一下。

（這男人想要治療黑狼熱的藥嗎？）

男人將悠娜放在地上。

「那麼，現在還沒有方法能救被晉瑪之犬咬傷的人？」

赫薩爾回看著那男人。

「沒錯。現在還沒有確實有效的藥；不過，不久的將來也許能做得出來。」

男人眼中浮現光芒。

看到那男人的反應後，赫薩爾忍不住問：

「你想要能治黑狼熱的藥？為什麼？」

男人臉上露出一絲苦笑。

他盯著赫薩爾看了好一陣子，平靜地說：

「我只是不想看到有人病死而已。」

赫薩爾眨著眼。

彷彿自己伸出去的手被人揮開般，心口一陣焦躁。

「歐蹌，我跟你說……」

悠娜想要人陪，一直扯著男人的衣服。那男人先安撫她，再度看向赫薩爾。

「我聽說你是很有智慧的人，如果你知道被晉瑪之犬咬傷發病後，有些人死亡，有些人卻不會死的理由，希望你能告訴我。」

赫薩爾揚起眉。

「你這個人，一開口就問這麼不得了的問題。」

男人靜靜等待答案。

「那你呢？」

赫薩爾帶著點惡作劇的心情反問。

「難道你不像其他人一樣，認爲這是『晉瑪神』的旨意嗎？」

男人換上一抹淒涼的笑容。

「……如果生病不生病只是因爲這麼簡單的道理，那人不知道能活得多輕鬆。」

胸口有種挨了一拳的感覺。赫薩爾認眞地盯著那男人，一股血氣衝上雙頰，讓他緊抿著唇。

赫薩爾覺得自己該說些什麼，卻找不到適當的字句。這還是他第一次有這種感覺。

「你……」

他終於想到該說什麼，正要開口，外頭突然一陣騷動，還聽到幾聲叫喊。

「怎麼了？」

年輕的守門人轉頭看看岩牢外，背對牢房，朝著出入口持劍擺好陣勢。

有人碰了碰赫薩爾的肩，他一驚，轉過頭。那男人已走到身邊。

「把藥跟治療工具放進袋子裡，帶著孩子和那女人一起到牆邊去。」

男人低聲說著，順手把孩子塞給赫薩爾，然後轉向那名矮小男子。

「待在這裡，什麼也別做。如果你老老實實待著，我會想辦法讓你不被問罪。」

接著，他轉向馬柯康。

「你過來，站在外面看得見的位置。」

馬柯康皺著眉。

「爲什麼？」

男人沒回答他，走近牢門。

這時，伴著怒吼聲，岩牢出入口的方向閃過好幾個人影，他們一邊打鬥，一邊衝進來。

看到衝進來的人影，馬柯康不禁驚叫出聲。

「……姊姊？」

聽到之後，赫薩爾揚起眉。

「姊姊？那是你姊姊嗎？」

馬柯康滿臉通紅，看著打鬥中的姊姊，點點頭。

「左邊那個是我姊姊。『蜂之舞手』來救我們了！」

「侍奧」的人各自有一門絕活。

「蜂之舞」是馬柯康母親那邊的家族代代相傳的知名短劍術。這些以眼睛幾乎看不清的速度揮舞著纖細短劍的戰士們，人稱「蜂之舞手」。

從小就教他如何握短劍的姊姊伊莉亞，正在眼前展現精湛的劍術。

在狹窄的洞穴裡很難揮舞長劍。姊姊他們滑入無法隨心所欲使劍的火馬之民戰士懷中，從內割斷手腕肌腱，削弱他們的力量。

鮮血伴隨著叫聲四散，到處都是劍掉落在岩石上的聲響。

守門的年輕人背抵著鐵柵，劍尖朝著亂鬥中的戰士，手裡的劍卻不住顫抖著。

正盯著伊莉亞的馬柯康看到那個奇怪的男人把手從牢門縫隙伸出去，忍不住「啊」了一聲。

男人取走掛在年輕守衛腰間的鑰匙，迅速插在門鎖上。

喀啦。開鎖的聲音響起，年輕守衛慌張地轉過頭來，驚訝地摸摸自己腰間，同時看著已經打開的門。

看到伊莉亞已來到那年輕人背後，馬柯康忍不住張開口——

一瞬間，那男人伸手抓住年輕守衛的衣領，一把將他拉進牢裡來。

伊莉亞伸出的短劍撲了個空，年輕守衛也在千鈞一髮之際躲過一劫，跌坐在岩牢的地板上。

那男人從跌坐在地的年輕守衛手裡搶過劍，抵住他的脖子以牽制行動。馬柯康抬頭看著伊莉亞。

「這傢伙還是個孩子，犯不著殺了他。」那男人說。

伊莉亞用閃著光芒的雙眼盯著那男人。終於，短劍在手裡轉了一圈，刀刃朝下，視線從那男人身上移向馬柯康。接著她從腰帶拔出備用短劍，交給馬柯康。

「我去確認外面的狀況再回來。在那之前，你好好保護這兩個人。」

向赫薩爾行了一禮後，伊莉亞轉過身去，快步走近正打開隔壁牢房的夥伴身邊。

# 第十章　人體中的森林

## 一　凡恩與赫薩爾

感覺到有人搖著自己的肩膀，赫薩爾一驚，睜開眼睛。

從深沉的睡眠中突然驚醒，心臟劇烈跳動到幾乎有些疼痛。

天還沒亮。房間裡一片漆黑。

黑暗中，有個女人拿著蠟燭站著，她將手指放在唇上，示意他別作聲。

赫薩爾看著那張燭火下的臉，緊皺眉頭。

他覺得這張臉似曾相識，但腦中一片模糊，想不起來到底在哪裡看過。仔細端詳了一會兒，某個片段的記憶才終於浮現出來。

「妳是墨爾法的……」

聽到赫薩爾輕聲這麼說，女人點點頭，向他深深鞠了一躬。

「我是莎耶。因為不想讓多力姆大人知道我在這裡，所以才用這種方式來見您，還請您原諒我的無禮。」

赫薩爾皺起臉，從床上起身，看看身邊的另一張床。

大概是晚飯後喝下的藥起了效用，米拉兒睡得很沉，看來並沒有被驚醒。

赫薩爾又將視線拉回莎耶身上，發現在她身後、房間一角的暗處有個男人站著，他忍不住繃緊身體。

「不要緊。我們不會傷害您的。」

赫薩爾盯著輕聲說話的莎耶，壓低了聲音：

「妳對馬柯康做了什麼？」

馬柯康睡在面向走廊的隔壁房間。莎耶不可能不經過馬柯康的睡房就直接進入這房間。再怎麼躡手躡腳，身為武人的馬柯康也不可能沉睡到連兩個人入侵都沒發現。

莎耶很抱歉地說：

「他在睡覺。我在他宵夜的飲料裡混入了一些塔茲李。」

赫薩爾這才吐出梗在胸中的那口氣。塔茲李只會讓人陷入沉睡，對身體沒什麼大礙。

站在房間一角那男人動了，慢慢走過來。

赫薩爾早有預感。果然，就是在岩牢抱著孩子的男人。他站在莎耶身邊，先鞠了一躬。

「對於用這種方式見面，我先向你道歉。因為希望能私底下跟你碰面，所以我才拜託莎耶幫忙。」

他的聲音很平靜。

沒錯，這男人說話就是這個樣子。赫薩爾抬頭看著他。

「你該不會明明知道我是什麼人，卻故意不用對貴族說話的詞句吧？」

赫薩爾一邊聽著自己的聲音，一邊在心裡苦笑。

（為什麼先問這個？難道沒有其他事好問了嗎？）

每次和這個男人說話，自己就會失常。

男人的表情稍微放鬆了些。

「不是刻意，這只是我的習慣。在我的故鄉，只會對年長者使用敬語。」

赫薩爾低聲說道。

「喔？就算氏族的領袖比你年輕，也不對他用敬語嗎？」

「是的。」

赫薩爾覺得很有趣，表情鬆緩許多。

「有什麼特殊理由嗎？」

男人開了口，卻顯得猶豫，也不知道想到了什麼，眼神似乎黯淡了些。

「……可能是覺得，除了克服重重苦難，活得比自己長遠、良善的人以外，沒什麼值得尊敬的吧。我的氏族不像阿卡法、東乎瑠，或你們歐塔瓦爾一樣，有與生俱來的貴族。」

赫薩爾挑起眉毛。

「但是氏族長是用血緣來決定的吧？」

「沒錯，不過氏族長也只是扮演領導者的角色，並不像你們的王一樣握有絕大權力。」

說到這裡，他停頓半晌，稍微想了想，然後又接著說：

「站在男人的立場，我們所尊敬的男人，是受到女人喜愛、疼愛孩子，能成功教育下一代的老人們。像這樣的人，我們會滿懷敬意地稱呼他們『鹿長』。」

赫薩爾苦笑了起來。

「鹿長？那應該是強壯的公鹿吧？我聽說最強壯的公鹿，身旁會有許多母鹿，生下牠的孩子。」

男人點點頭。

「沒錯。爲了爭奪母鹿，公鹿彼此會有激烈的競爭。對公鹿來說，那是賭上一切的戰爭。贏得母鹿的芳心、建立家庭；等到老了，仍然繼續努力，不輸給年輕人。

「對公鹿來說，這就是生命的意義。我們稱擁有這種漫長生涯的公鹿爲『鹿長』，而享有兒孫之福的老人也仿照這種方式，稱爲『鹿長』。可是……」

男人平靜地補充。

「我們最尊敬的是『鹿王』。」

「『鹿王』？」

「您看過鹿群嗎？」

「看過好幾次。」

「那麼您應該知道，在鹿群中，有負責看守的角色，牠會在第一時間察覺異狀，向大家發出警告。」

「對，確實有這種鹿。不過我看過的鹿群中，負責警告的並不是鹿長。負責監視的鹿率先發出警告後，鹿長移動，鹿群才跟著動，我記得是這樣的。」

男人深深點點頭。

「您說得沒錯。不過，飛鹿就有點不一樣了。」

「飛鹿？你剛剛說的是飛鹿嗎？」

「對。眞抱歉，我應該一開始就說清楚的，沒顧慮到那麼多。對我們來說，講到『鹿』就一定是指飛鹿。」

男人輕輕吸了口氣，繼續說：

「在飛鹿群中，一旦群體陷入危機，就會出現一隻犧牲自己、好幫助鹿群逃走的鹿。這隻鹿並不是鹿長，而且沒有孩子，牠能盡早發現危險，賭上性命幫助鹿群。通常這種鹿都是年輕時身體強健的母鹿，儘管已經過了盛年，還是具備與敵人奮戰的力量。

「我們尊稱這種鹿爲『鹿王』，並不是說牠統治群體，而是將牠視爲眞正支撐鹿群存續、値得尊敬的對象——或許你們並不把這樣的人稱爲『王』。」

那男人眼裡似乎蒙著一層陰影。

「所以，我們對於經歷過殘酷人生，懷抱溫情守護他人、受人敬仰的人，會發自內心帶著敬意，尊稱爲『鹿王』。我們尊敬的是這種人，因此在我們的氏族中，並沒有與生俱來的貴族。」

赫薩爾心想，大概正因爲如此，所以每次跟這男人面對面，自己都無法像平常那樣說話。赫薩爾皺著眉。

「眞是討厭的習慣。」

男人揚起眉，反問：

「是嗎？」

「當然是。假如我不是可敬的歐塔瓦爾貴族，那麼在你眼中，我應該只是個毛頭小子吧。如果用個性和經驗當做判斷標準，我根本贏不過你。」

男人臉上突然展露笑意，赫薩爾很驚訝。

那男人沉默了一會兒，然後開口：

「我並不認爲你只是個毛頭小子。」

赫薩爾皺著臉。

「別這樣。聽你這麼說，我更覺得自己是毛頭小子了。」

赫薩爾一臉不悅地回答，深深嘆了口氣。

「算了，先別管這個。你總該告訴我了吧？你到底是誰？」

男人正色回答：

「我是甘薩氏族的凡恩。」

赫薩爾在口中重複念著他的名字，突然瞪大了眼。

「原來……你就是『缺角凡恩』？」

在阿卡法鹽礦的慘劇發生後，唯一活著逃走的奴隸。

赫薩爾打量著凡恩。

他應該已經過了四十歲。以這年齡來說，他的體格結實健壯，不過並沒有馬柯康那樣高大。

「你是怎麼扯斷腳鐐的？」

「只是用力扯而已。」

「用力扯而已？」

「對。我放任自己的憤怒，使盡渾身解數用力拉，然後就拉斷了。」

凡恩臉上浮現苦笑。

「聽說攸關性命的時候，人類可以發揮不可思議的力量，那時候或許就是這樣吧。後來我的肩膀和手臂都非常痛，但拉斷腳鐐的時候並不覺得痛。」

「是嗎……」

赫薩爾感嘆地說：

「也就是解除防禦了啊！」

「防禦？」凡恩反問。

赫薩爾回答：

「對。人的身體為了保護自己，具有各式各樣的防禦功能。肌力也是一樣，為了不受傷，平常只會使出遠比實際上能運用的力量少很多的力氣。因為身體會判斷，要是使出更多力量的話，可能很危險。所以說，你當時面對的困境足以讓身體發出訊號、解除控制——哪怕有扯斷肌肉的危險。」

凡恩的眼神變得陰沉。

「……確實沒錯。」

他低聲說起在鹽礦裡發生的狀況。

跳躍的半仔。被咬傷的人們開始出現類似感冒的症狀。到了早上依然沒有睜開眼睛的奴隸們。還有被藏在灶裡的孩子……

他說話的語調相當平穩，赫薩爾卻不由自主地被吸引，聽得相當入神。

「那個悠娜——你抱著的那個女孩，她也是被咬傷後沒死而留下來的活口嗎？」

赫薩爾探出身體，開口詢問。

凡恩點點頭：

「她的腳上有牙齒擦過的痕跡，應該有被咬傷。但是我發現她的時候，她並沒有發燒，很健康。」

赫薩爾低聲沉吟。

手上起了雞皮疙瘩——一個體內帶有病素，卻平安活了下來的孩子。那孩子說，某些地衣類會發光……

「我之所以到這裡來，」

聽到凡恩的聲音，赫薩爾又回過神來，抬起頭。

「是因爲擔心悠娜。」

凡恩直直看著赫薩爾。

「前天晚上在岩牢裡，當那孩子說她看見藥會發光的時候，你顯得很驚訝。那種藥一般人看起來是不會發亮的嗎？」

赫薩爾正要點頭，突然又停下了動作。

「是沒錯……該不會，在你眼中看起來也是發亮的吧？」

凡恩搖搖頭。

「沒有。」

赫薩爾沮喪地垂下肩頭，但凡恩又接著說：

「雖然不覺得在發光，但是我聞到強烈的氣味。」

「氣味？討厭的味道嗎？」

凡恩瞇起眼想了想。

「跟阿蒂彌很像，但是更強烈，有一種要滲透進腦中的味道，把那東西放在袋子裡帶過來的路上，我一直覺得身體裡有種蠢蠢欲動的感覺。」

赫薩爾茫然盯著眼前這個男人。

一個念頭猛然迸現腦中。這念頭雖然莫名其妙到極點，卻又太吸引人，讓赫薩爾捨不得一笑置之。

凡恩再次追問：

「覺得那東西發亮或感受到強烈的氣味，是什麼異常的徵兆嗎？」

赫薩爾遲疑著，正要開口時，背後傳來了聲音。

「……確實很異常。不過卻是非常有魅力的異常。」

赫薩爾轉過頭，米拉兒推開被子，正要起身。

「妳躺著啦，現在起來太冷了。」

赫薩爾正想替米拉兒把被子蓋好，但米拉兒笑著推開他的手。

「不要緊的，我的燒已經退了。你要是擔心，那我裹著毛毯好了。我看你這樣光著腳坐在床上才容易感冒呢。」

這時，房間突然亮了起來，莎耶重新燃起暖爐的火，才添的薪柴正猛烈燃燒著。

「要不要過來這裡？我煮點熱水。」

說著，莎耶蹲下來，將陶製水壺掛在暖爐的鐵鉤上。

赫薩爾苦笑著說：

「說來奇怪，明明應該跌落山谷而死的妳，現在在這裡燒熱水；而苦苦尋找的逃亡奴隸，現在就在我眼前。這一切該不會是在做夢吧？」

米拉兒下床，走到赫薩爾床邊，將一張大毛毯輕輕蓋在赫薩爾身上。赫薩爾也將米拉兒裹進毛毯裡，一邊笑著，一邊下床。

赫薩爾坐在暖爐前，和米拉兒緊緊依偎；裹著毛毯，身體漸漸暖了起來。

凡恩也在暖爐前坐下。在爐火照耀下，他的臉遠比在黑暗中所想像的更平靜。

「……明天我會向馬柯康道歉。」

莎耶突然說。

「眞的做了很多對不起他的事……」

赫薩爾咧嘴一笑。

「也對。那傢伙也眞慘。他當初以爲妳死了，搞得人仰馬翻上天下海找了半天找不到，好不容易重逢，竟然還被下藥。」

莎耶一臉歉疚，但嘴角卻露出些許微笑。準備茶水的同時，她也簡單交代了來龍去脈。

聽著她坦言而出的這些事，赫薩爾在心中暗罵起多力姆。

（那個臭老頭！）

他表面上裝做協助搜尋逃亡奴隸的樣子，其實暗地裡都是爲了自己的企圖而行動。即使馬柯康已經去到歐基地方附近，還是給騙得團團轉，又空手而歸。

「……眞是，馬柯康那個沒用的傢伙。」

聽到赫薩爾這麼說，莎耶搖搖頭。

「不不不，那件事並不是我們策畫的，而是眞的遭到『晉瑪之犬』襲擊。」

「咦？眞的嗎？」

「沒錯。」

莎耶看著凡恩。

凡恩帶著苦笑說：

「看起來眞的好像有很多條繩子同時丟向我。」

與多瑠因爲自己是可憎的「獨角」首領，又是逃亡奴隸，於是派出追兵；赫薩爾因爲自己是黑狼熱倖存的珍貴病例而窮追不捨；多力姆出於與赫薩爾類似的理由，但似乎又另有打算，所以派莎耶追蹤；另外，還有一直在尋找能操控「晉瑪之犬」之人的火馬之民馴犬人肯諾伊……

聽著聽著，赫薩爾覺得口有點乾，抬頭看著莎耶。

「能不能打開那裡的櫃子，拿瓶沫可怡（蒸餾酒）來。那裡應該還有下酒的乾酪，也一起拿來吧。」

米拉兒瞪著赫薩爾。

「話還說到一半呢，你怎麼這樣……人家都替你泡茶了。」

「別吵，我想喝點比茶更刺激的東西。」

赫薩爾從莎耶手中取過瓶子，在大家已經裝了茶的杯子裡，咕嚕咕嚕倒進沫可怡。

「我可不給你喝。」赫薩爾說。

米拉兒反譏，我才不喝呢。

熱茶混著沫可怡的香味輕輕飄散，喝了一口，令人感到舒適的熱度從喉嚨流進胃裡，身體馬上就暖了起來。赫薩爾又喝了一口那溫熱的飲料，含在口中。

米拉兒啜了口熱茶，吐出長長的氣息。

從緊貼著自己的赫薩爾手臂傳來的溫度，慢慢滲到身體裡，讓她覺得很舒服。

剛剛聽到赫薩爾的聲音醒來後，米拉兒還迷迷糊糊地躺在被窩裡、閉上眼睛聽著他們的對話。不過現在即使坐在暖爐前，她還是覺得自己仍在夢中。彷彿身處於跟平常不一樣的時空，並坐在一顆大泡泡裡，隔著一層透明光亮的膜看著這房間。

大概是太興奮了吧，期待就像泡沫般一顆顆冒出來，讓她心情相當亢奮。

凡恩和莎耶帶著平靜的微笑看著這裡。

儘管努力告訴自己別太興奮，但米拉兒還是忍不住。在他們眼裡看來，自己一定很幼稚吧，眞是難爲情。

這兩個人是什麼關係呢？他們理應是追蹤者和被追蹤者，不過眼前的兩人看起來就像是長年相依的夥伴，有種悠然的牽絆。

大概是因爲他們給人的感覺很像吧。兩個人都有著歷盡風霜的沉靜，在溫暖的表情底下，也隱含著哀傷。

赫薩爾搖著手裡的茶杯，開口問道：

「也就是說，那孩子是用來控制你的人質？」

說完，赫薩爾的表情有些扭曲。

「這點我不太懂。如果要找能操控『晉瑪之犬』的繼承人，爲什麼不從火馬之民的馴犬人挑選？何必執著於身爲其他氏族的你呢？」

凡恩沒有馬上回答，只是盯著爐火好一陣子。

「……這很難用言語說明。」

凡恩低聲說。

「我剛剛說過，我覺得那藥有強烈的味道，自從被狗咬傷後，我的身體出現了奇妙的變化，足以扯斷腳鐐的臂力也是其中之一……」

凡恩開始一項一項說起自己的變化。

異常敏銳的嗅覺；當「晉瑪之犬」接近時，自己身體內外翻轉般的變化；還有進入反轉狀態後，能跟「晉瑪之犬」的靈魂產生共鳴、引領牠們的靈魂，像拉動牽繩一樣操縱牠們等等。

赫薩爾屏息聽著，聽完之後，深深嘆了一口氣。

「一時很難相信。但總而言之，其他馴犬人做不到這一點，是嗎？」

「應該辦不到吧。」

凡恩摩挲著自己的手臂，看著赫薩爾。

「我身上到底發生了什麼……今後會變成什麼樣子？如果你知道的話，請告訴我。過去曾經有類似的人嗎？」

赫薩爾瞥了米拉兒一眼，接著視線再回到凡恩身上。

「老實說，我從來沒聽過這樣的例子。但我可以就我所知來推測發生在你們身上的事。只不過，這畢竟是我的推測，如果你去找其他有名的醫術師，他們可能會對此一笑置之。」

「這也無所謂，請你告訴我吧。」

赫薩爾紅著臉，輕笑了一聲。

「不是這樣的。雖然我剛剛那麼說，但事情沒這麼簡單。首先，你得知道關於生物的基礎知識，否則不容易了解我說的話。」

凡恩帶著一絲微笑。

「我知道歐塔瓦爾的貴族和我所擁有的知識簡直就是天差地別。麻煩你當成教小孩子一樣，說給我聽吧。」

凡恩放在膝頭的指尖泛白。

「我和那孩子被晉瑪之犬咬傷後活了下來。雖然活著，但身體已經跟以前不一樣了。

「我們身上到底發生了什麼事……人爲什麼會生病？爲什麼生病之後有人治得好，有人治不好？如果你知道原因，請告訴我。」

凡恩直視著前方的雙眼深處，藏著極度的陰暗。

赫薩爾正色看著凡恩。

「好，那我就說給你聽。」

接著，他舔舔唇說：

「相對的，聽了我的說明後，如果你能接受我的說法，能不能給我一點你的血？」

凡恩揚起眉。

「我的血？」

赫薩爾點點頭。

「我在岩牢替米拉兒注射的時候，你看到那個裝有針頭的細管了嗎？」

「看到了。」

「只要三管就可以，請把你的血給我。當然，前提是你能接受我所說的道理。」

凡恩盯著赫薩爾，過了一會兒，才終於點了頭。

## 二　免疫

「你覺得，人爲什麼會生病？」

聽到赫薩爾的問題，凡恩簡短回答：

「我以爲是邪惡的東西進到身體裡，所以會生病。」

赫薩爾微笑著。

「對，這也是其中一個原因。」

「其中一個？也就是說，還有其他原因？」

「是的。原因也好，結果也好，或過程也好，都是由多到難以想像的因素複雜交織而成的，光是現在已知的部分就已經是這樣。」

凡恩看著年輕人端正的臉龐，在那光滑雪白的額頭底下，現在到底在想著什麼？

赫薩爾豎起兩根手指頭。

「粗略來看，生病的原因大概有兩種。

「一個是像你剛剛所說的，某種讓人生病的原因從外面進入身體。另一個生病的原因，則是來自自己的身體。

「重要的是，這兩者不見得絕對沒有關聯——這一點剛好可以回答你的問題，爲什麼生病之後有人治得好，有人治不好？每個人的身體都不一樣，雖然看起來幾乎都一樣，但事實上卻是完全不同。」

凡恩瞇起眼。

「就像有人身體健康，有人虛弱一樣嗎？」

「嗯，這也是。確實，有些人天生身體各部位就比別人虛弱，這樣的人很容易染上疾病，也不容易治好。可是，這並不代表身體健壯的人一定能戰勝疾病——你知道迂多瑠被晉瑪之犬咬傷致死的事吧？」

「知道。」

「對吧？迂多瑠是個身體健康強壯的武人。在那之前從沒生過什麼大病，像這樣的男人和你撿到的小女孩相比，你想想，她被咬傷的時候還是個小嬰兒吧？」

凡恩點點頭。

「對吧？雖然也有例外，但基本上嬰兒對疾病的抵抗力比大人要弱，所以我們常說『七歲前都是跟神明借來養的』，因爲小孩子夭折的可能性很高。

「不過，即使同樣的病種進入身體，強壯的大人死了，虛弱的小嬰孩卻有可能活下來。會不會染上疾病這件事，背後有著無法一概而論的複雜理論，不管身體堅強或虛弱，都有可能染上，或不染上疾病。」

赫薩爾直盯著凡恩，繼續往下說。

「活在這世上的人，沒有一個人能完全擺脫疾病。」

凡恩沉默地聽著。

他覺得自己的妻子和孩子，好像正站在身後一起聽著這番話。

「那麼……」

漫長沉默之後，凡恩開了口。

「這也算是一種運氣嗎？」

赫薩爾瞇起眼睛。

「你是指哪一點？會不會染上疾病這件事嗎？」

「也是，還有能不能治好這件事。」

赫薩爾皺皺鼻子。

「我不太喜歡這種說法。這樣解釋很方便，而且有時候這麼說也的確沒錯。但就算接受了這種說法，又能帶來什麼改變？」

凡恩沉默地凝視著眼前這名年輕人眼中發出的挑釁光芒。

「爲什麼會生病？爲什麼能治好？這其中還有許多我們不知道的道理。但我們從沒放棄釐清其中的因果牽連。因爲在這之中一定能找到某些線索。」

赫薩爾深吸了一口氣。

「比方說，迂多瑠死於黑狼熱，而你的養女活下來的理由。只要不斷尋找，總有一天會發現。當我們查明其中的原因後，就能拯救許多人的生命。對吧？」

凡恩點點頭，突然覺得彷彿看到穿過嫩葉流洩而下的閃爍白光，那是他已經遺忘許久、從葉隙中灑落的清新陽光。

「你剛剛說，你能推測我們之所以倖存的理由。」

赫薩爾咧嘴一笑。

「可以。你聽過『免疫』這種說法嗎？」

凡恩聽過。祖母經常把這句話掛在嘴邊。

他曾在六歲時罹患痲疹，康復的那個早晨，祖母開心笑著說，太好了、太好了，這孩子已經平安免疫，再也不會得痲疹了。

凡恩點點頭，看著赫薩爾。

「……你的意思是說，我以前得過黑狼熱？」

赫薩爾驚訝地挑起眉。

「眞厲害，你腦筋轉得挺快的嘛。」

說完之後，赫薩爾也覺得自己這種說法太無禮，歪了歪嘴，又說：

「反正，簡單來說應該是這樣。」

「但是……」

凡恩正要反駁，赫薩爾舉起手阻止他。

「等等。我剛剛已經告訴你，這只是簡單的說法。在那起事件之前，你當然沒被晉瑪之犬咬過……沒有吧？」

「沒有。」

「對。我想也是。還有，她叫悠娜對吧，她應該也沒有被咬過——儘管如此，黑狼熱的病素以前就曾侵入你們的身體。」

赫薩爾的眼中閃著強烈光芒。

「正因爲你們的體內已經有了黑狼熱的病素，所以就算被晉瑪之犬咬到，也不會出現嚴重的症狀，得以保住一命。」

「……」

凡恩用力皺著眉。

「好，你聽我說。」

赫薩爾豎起一根手指，指向自己的身體。

「我們的身體有各式各樣的開口。除了受傷時的傷口，嘴巴、鼻子、眼睛、耳朵，有許多眼睛看不見的微小病素，都可能從這些敞開的部位侵入身體。當它們在身體裡越來越多，就有可能讓人生病。

「但是你想想看，這種狀況一直在發生：我們吃的東西、洗臉用的水，不管什麼東西都潛藏著病素。儘管如此，我們並沒有不斷生病，對吧？為什麼病素就算不斷侵入身體，大多數時候我們還是不會生病呢？這一點就是了解你們症狀的關鍵所在。」

赫薩爾笑了起來。

「你聽好了，我們的身體就像一個國家。」

凡恩眨眨眼。

因為他想起「由米達之森」的靈主曾說過，人的身體就像一座森林。來歷完全不同的兩位賢者，分別把人的身體比喻為森林和國家，都是有各種東西居住的地方，讓凡恩覺得很不可思議。

赫薩爾用指頭戳戳自己的胸口。

「在這具身體裡，其實住著許許多多眼睛看不見的小東西，它們現在也在我的身體裡不眠不休地工作，維持順暢運作。我們的身體就是這樣活著的。」

接著，赫薩爾輕觸眼角，繼續說道：

「當灰塵跑進眼睛裡，眼睛會流眼淚，把灰塵排出體外。除了這些反應，在我們的身體裡，也有當外部病素入侵時，負責殺掉它們的士兵。」

聽到赫薩爾說自己的身體裡有小士兵，凡恩一時之間無法理解，臉色顯得很陰沉。

看到他的表情，赫薩爾又重新解釋了一遍。

「當然，所謂的『士兵』只是一種比喻，表示這些東西具有類似的功能。」

傷口產生的「膿」，是從割傷的傷口入侵人體的病素，和在體內扮演士兵角色的東西互相打鬥後所留下的屍骸。聽著赫薩爾如此說明，凡恩也漸漸了解他究竟在說什麼。

「也就是說……」

凡恩開口確認。

「體內有較多強兵的人，就是身體健壯、不容易生病的人。對嗎？」

赫薩爾開心地笑了。

「嗯，基本上是這樣沒錯，但並不只這樣。接下來這裡很重要，你仔細聽好。假如有人進入氏族的領地，你要怎麼區分對方是敵是友？」

「……應該會看他的行動來決定吧！」

「對吧？雖然身體裡有很多外來的東西，但並不表示這些都是作惡的敵人。假如你們連能帶來利益的商人，都認爲是外來的入侵者亂殺一通，那國家只會日漸貧弱，招致滅亡。

「所以，在身體內的各種小士兵，也必須在瞬間分辨侵入身體的究竟是敵是我。

「不能把夥伴殺掉。但如果無法辨認出可怕的敵人，放任他們入侵，敵人就會迅速在體內增生，演變到無法阻擋的局面。也就是說，最重要的就是能瞬間分辨敵我的能力。」

說到這裡，赫薩爾頓了頓，揚起眉毛。

「對了，當你還是『獨角』首領的時候，在什麼情況下，你能在看到的那瞬間分辨出『啊！是敵人』？」

凡恩苦笑著。

「看頭盔吧。看到東乎瑠的頭盔前端從草叢後面露出來的時候，想都不用想就能判斷對方是敵人。」

赫薩爾說，就是這個道理。

「就算入侵的人穿著陌生的衣服，剛開始也只會警戒，並不會貿然發動攻擊，對吧？通常會先觀察狀況。但如果入侵的是東乎瑠的武人，根本不需要思考。這是爲什麼？」

「這是……因爲我已經知道他們是敵人。」

「是吧？也就是說，如果已經知道對方是敵人，就能馬上發動攻擊。而且你已經知道敵人的長相和作戰方法，就能在敵人入侵、在體內增生、奪走身體前先行壓制。」

赫薩爾微笑。

「這就是得過一次的病，不會再得第二次的『免疫』原理。」

凡恩瞇著眼。赫薩爾話中的意義終於在腦中清晰成形。

「原來如此，所以人不會得兩次痲疹，因爲身體裡的士兵已經知道痲疹是敵人，一入侵馬上就能壓制。」

「沒錯。身體裡的士兵有過和痲疹病素激烈打鬥的經驗，已經知道致勝的方式，也有了足夠的力量，因此當病素試圖二度入侵身體時，馬上就能對付。

「如果全都是這樣，那倒還輕鬆，可是在病素當中，也有些傢伙很會改頭換面，所以我們很難完全避免生病。儘管如此，身體裡的士兵還是不斷在努力。大部分時候，多虧如此，我們才能順利延續生命。」

凡恩低聲沉吟。

此時此刻，在自己身體裡有許多眼睛看不見的微小存在，正在與疾病奮戰。自己的生命就是這樣延續下來的——一想到這裡，就覺得好像有某種難以想像的東西占據了身體。

「眞不可思議。」

凡恩低聲說著。

「我的身體裡明明發生了這些事，讓我得以存活下來，但我的靈魂卻從不知道這一點。」

赫薩爾眼中閃著光。

「確實——最不可思議的就是這一點。我們從沒看過，也沒聽過發生在自己身體裡的事。」

「卡恰」一聲，柴火應聲燒斷，崩落時還揚起一陣小小的火星和灰燼。

赫薩爾盯著暖爐的火沉思了一會兒，接著抬起頭看向凡恩。

「再告訴你一件更不可思議的事吧。」

赫薩爾微笑著說。

「進入你身體裡的黑狼熱病素，有可能與你共存共活。」

## 三　狐狸發狂，飛鹿沉眠

每當暖爐的火焰搖曳，四人無言坐在爐前的身影就會跟著在牆壁上躍動。

凡恩覺得有什麼冰涼的東西靜靜在心中擴散。

身體裡有著不是自己的東西。凡恩一直感覺得到這一點，難道那就是黑狼熱的病素？

「爲什麼……」

凡恩開口。

「爲什麼會這樣呢？難道不是因爲士兵們發現敵人、殺了它們，我才能活下來嗎？」

「關於這個呢……」

赫薩爾試著尋找恰當的字句。這時他眼睛一亮。

「對了，前一陣子在岩牢，當馬柯康可怕的姊姊那幫人突然闖進來時，你幫了守衛對吧？他明明是敵人，你爲什麼要幫他？」

凡恩皺起眉。

「因爲他還很年輕，我不忍心看著他死。而且我知道那年輕人什麼也不能做。」

「沒有錯。因爲知道對身體無害，所以體內的士兵並沒有殺掉那些病素。」

儘管赫薩爾這麼說，還是令人難以接受。

「恕我直言，我的身體很明顯地產生了變化，悠娜也是……我實在不覺得在我們體內的那些東西是無害的。」

赫薩爾張口欲言，卻又閉上了嘴巴。

過了一會兒，當赫薩爾正打算再度開口時，米拉兒動了動，看著凡恩，說：

「凡恩，你知道百舌無花果嗎？」

突然聽到這個名稱，凡恩眨了眨眼。

「百舌無花果？是水果，對吧？」

「對。北邊的山上好像也有，我想你應該知道。」

「……我是知道沒錯。」

「這種水果裡有很小的蜜蜂，你有沒有看過？」

儘管不懂爲什麼提到這件事，凡恩還是點點頭。

這種生長在山裡的小小甜美果實，裡面經常藏了許多小蜜蜂。食用時都得特別小心。

「那種蜜蜂會在百舌無花果裡產卵，從卵中孵出的幼蟲，自小就活在美味的食物包圍下，長大後才飛到水果外頭。對於這種小蜜蜂來說，百舌無花果就像是個幸福的搖籃。

「但是呢，百舌無花果也不是白白讓小蜜蜂當搖籃。你看，百舌無花果的前端是不是比較窄？」

米拉兒將指尖收攏。

「所以即使想授粉，但一般蟲子很難到這麼裡面來。不過不要緊，因爲小蜜蜂的孩子們已經在果實裡成長了，只要讓這些孩子身上沾滿花粉運送到外頭，再飛到其他百舌無花果上，就能授粉了。」

米拉兒的手指模仿小蜜蜂的動作在空中舞動著，露出微笑。

「我們總覺得，生物之間只有吃或被吃、殺或被殺的關係，但事實上，完全不相干的生物，也經常像這樣彼此利用。

「到底有害還是無害，就要看你認爲什麼是『害處』了——因爲非關生死，所以視其爲無害；會爲身體帶來變化，所以有害嗎？」

米拉兒的表情突然變得嚴肅。

「雖然您剛剛提到，身體跟以前不一樣了，但我覺得，會認爲這種變化有害的，是你的心，而不是你的身體。對身體來說，除非攸關性命，否則沒有必要排除。所以你的身體才會跟那種病素共存吧。」

凡恩茫然看著眼前這位年輕女孩。

她大病初癒，臉色還不是很好。儘管如此，還是想像得出來，她平時的模樣一定更爲豐潤，雙眼更加顧盼分明。

凡恩心想，眞是個聰明的女孩。跟赫薩爾有點不同，是充滿了溫情的聰明。

「就算對身體無礙……我還是不喜歡自己的身體漸漸改變，我想知道理由，也想知道今後我會變成什麼樣子。」

凡恩說。

聽凡恩這麼說，米拉兒表情嚴肅地點點頭。

「凡恩，你和悠娜爲什麼會有這些變化，今後又會變成什麼樣子，我們也很難給出確切的答案。不過爲了思考這個問題，請讓我說明，爲什麼你們沒有因爲黑狼熱而死，好嗎？」

凡恩點點頭。米拉兒用圓潤的手指著凡恩的胸。

「換個角度看，在你身體裡的黑狼熱病素已經成爲你的一部分了，這一定不只是屬於你的東西。」

「……」

「我想你的父母親、祖父、祖母、氏族所有人的身體裡，都有黑狼熱的病素。」

「為什麼……」

「因為你的故鄉土迦山地，就是滅了我們國家的黑狼所棲息的故鄉。」

米拉兒盯著圓睜雙眼的凡恩，點點頭。

「請你想想，黑狼生病了嗎？牠體內帶著病種，卻沒有生病，對不對？」

「……」

「不只是黑狼，人也是。有人生病，有人沒生病，對吧？

「對我們歐塔瓦爾人來說是致命疾病，但當時的阿卡法人並沒有感染，甚至還跟病素的宿主黑狼們生活在一起。在你的故鄉並沒有人因為罹患那種病而死去吧？」

凡恩點點頭，開始覺得頭皮發麻。

「我想黑狼熱的病素平常應該存在於蜱蟎裡。被蜱蟎叮咬後的黑狼身體裡藏著病素，然後接觸到我們歐塔瓦爾祖先從未遇過這種病素的身體，便化為可怕的疾病發作出來，可是……」

米拉兒略略探出身，接著又說：

「你們明明住在那種有蜱蟎存在的山地裡，卻沒有生病。雖然這只是我的推測，但我想在你們小時候，一定已經透過某種形式讓毒性變弱的病素進入身體裡，在身體裡培養出抑制這些毒素的士兵。所以土迦山地才能成為山地民的家鄉，長年居住在那裡。」

凡恩茫然摸著自己的臉，輕喃：

「難道是狐狸發狂，飛鹿沉眠？」

「咦？」

凡恩胸中有種寂然的感慨，他對米拉兒微笑。

「我們果然是飛鹿的子民。」

凡恩喝了口冷掉的茶潤潤喉，往下說：

「火打鴨來的季節，黑蜱蟎會大量增加。到了這時候，會看到被黑蜱蟎叮咬的狐狸在草叢裡抽筋，那樣子眞的很嚇人，就像發瘋一樣。

「但奇怪的是，飛鹿很喜歡這種草叢，特別是母鹿生產的時候，常常可以看到牠們蹲在有黑蜱蟎的草叢裡。就算被蜱蟎叮咬，牠們也能睡得若無其事。

「我父親說，狐狸會避開有那種黑蜱蟎的草叢，所以初生的小狐狸不用擔心被咬。可是如果那種蜱蟎身上有病素，是不是表示狐狸會因此生病，而飛鹿不會呢？」

赫薩爾和米拉兒對看了一眼，兩人臉頰略略泛紅。

「飛鹿擠得出奶嗎？」

聽米拉兒這麼問，凡恩點點頭。

「當然，我們土迦山地的人就是喝母乳和飛鹿奶長大的。」

赫薩爾看著米拉兒，點點頭。

米拉兒也跟著點頭，然後看向凡恩，深吸一口氣。她緊握的雙手指尖正在顫抖。

「問問看吧！」

「飛鹿吃不吃生長在樹上的地衣？」

凡恩點點頭。

「吃，食用種類依季節而有不同，但冬天吃得特別多。牠們最愛的是阿蔴彌，一到發情期，無論公母都很愛吃。對了，那個時候牠們也常吃伊杞彌。本來以爲牠們到水邊是爲了喝水，結果發現常常是爲了吃伊杞彌。」

米拉兒吐了好大一口氣，看著赫薩爾。看到兩人滿臉笑容，凡恩眨眨眼。

「阿蓎彌和伊杞彌有什麼特別意義嗎？」

米拉兒的表情說不出是哭還是笑。

「很有意義！」

「雖然還不確定……現在還無法給你明確的答案，但是累積了這麼多案例，我想……」

赫薩爾苦笑著拍了拍米拉兒的膝頭，接著看向凡恩。

「剛剛你說，在岩牢替米拉兒注射的藥，有種類似阿蓎彌的味道對吧？」

「是啊。」

「你的嗅覺眞是驚人，那種藥就是從阿蓎彌提煉而成的；其實伊杞彌也可以製作出具有相同成分的藥。阿蓎彌和伊杞彌的外表雖然不同，但其實有個共通點。」

米拉兒忍不住接過話。

「所謂的地衣類，其實就是菌類和藻類共生的一種生物。如果菌種不同，就會展現出不同的形態。所以阿蓎彌和伊杞彌雖然是不同種類的地衣，可是它們進入體內之後所產生的東西裡，卻有共通的成分。

「這種成分，就是形成地衣主體的菌類和與其共生的藻類，從陽光獲得的營養中製造出來的。

「能形成地衣的菌類有很多種，但我們已經確定，阿蓎彌和伊杞彌都能製造出的這種成分，對於抑制黑狼熱病素活性有一定的效果，所以我們一直在改良。雖然還無法完全治癒黑狼熱，但是這種藥的確非常有希望。」

凡恩一驚，揚起眉。

「所以當悠娜說她看到這東西在發光時，你們才會這麼驚訝嗎？」

兩人點點頭。

「沒錯。在悠娜眼裡，那種成分——也就是能抑制黑狼熱極小病素力量的成分似乎會發光。那天，她也告訴我有個地方有很多發亮的東西，才帶我去沼地，那裡確實長了很多伊杞彌……」

話說到一半，米拉兒突然「啊」了一聲。

「怎麼了？」

在赫薩爾催促下，米拉兒一臉訝異地望著他，說：

「長、長著伊杞彌的沼邊……那裡原本是墓塚。」

「墓塚？」

「對，應該是火馬的墓塚。水邊有很多已經化為白骨的火馬骸骨。那片沼澤在森林邊緣，對岸的樹木已經砍掉，變成了牧地，所以水邊的生態起了變化。不過以前還是包圍在森林中的沼地時，覆蓋在火馬骸骨上面的土，我想應該都長滿了伊杞彌。」

赫薩爾響亮地拍了一下膝頭。

「……全都連起來了！」

米拉兒嚇了一跳，赫薩爾輕拍她的肩，笑著說：

「對了，我還沒告訴妳，被火馬之民抓到前，沼地之民的長老告訴我一件非常驚人的事。他說火馬就算被米寄（蜱蟎）叮咬，一般來說是不會生病的。以前常喝火馬奶的時代，也沒有人得過米寄病。」

赫薩爾開始說起從沼地之民的長老那裡聽到的話。

他快速地交代了從晉瑪之犬如何出生，到移住民將晉瑪之塚改為羊的飲水處後所產生的一連串變化。

故事一個接一個，讓凡恩和莎耶聽得入神，幾乎忘我。

說完後，赫薩爾直直盯著凡恩。

「我想，晉瑪之犬產生的變化，跟現在發生在你和悠娜身上的狀況應該很類似。」

「……」

「過去火馬之民和沼地之民常喝火馬奶的時候，就算被米寄叮咬，也不會生病。晉瑪之犬也一樣，當身為病素宿主的火馬葬在長滿地衣的墓塚時，就算吃了那些肉、讓病素進入身體，也不會像現在的晉瑪之犬一樣，產生奇怪的變化。我想這就是問題的關鍵。」

眾人屏息，看著赫薩爾。

「過去的黑狼熱來勢洶洶，甚至滅了歐塔瓦爾，據說最大的原因，是將黑狼帶離牠們原本棲息的地方，到一個完全不同的環境裡。我想這種說法應該沒有錯。儘管阿卡法山地和森林區的黑蜱蟎身上一直都帶有病素，但自從歐塔瓦爾王都和病因一起被封鎖後，黑狼熱並沒有再度爆發。

「雖然零星有人發病，但沒有引發大流行，因為阿卡法人對這種病具有耐受性。

「傳染病呢，一旦罹患的人數變多，就會變得很嚴重。假如是過去的黑狼熱，就算接觸到病素，阿卡法人也幾乎不會發病。但這幾百年來，歐塔瓦爾人漸漸習慣了阿卡法的風土和飲食，耐受性或許也慢慢提升了。可是……」

赫薩爾雙眼散發光采，接著往下說：

「東乎瑠人移居到阿卡法之後，阿卡法的環境產生了很大的變化。

「移住民砍掉森林，把林地改為牧地；不養馬，卻開始養羊。羊增加之後，因為糞便的質地改變，土壤有了變化，對植物應該也有影響；至於這些具有抑制黑蜱蟎身上病素力量的地衣，火馬吃到它們的機會可能也隨之減少……」

米拉兒眼睛一亮。

「毒麥事件——就是火馬死掉的那起事件，那說不定不是毒麥造成的。移住民拓殖後已經有很長一段時間了，說不定火馬之中也開始出現對病素不具耐受性的個體。」

赫薩爾一驚，看著米拉兒。

「原來如此……這確實有可能，不過另一個可能性更高。有些火馬和羊吃了毒麥之後並沒有死。」

「咦？」

「我想，應該有些個體對毒麥具有耐受性。不過，這些個體吃進毒素後，身體變得虛弱，這時遭到米寄叮咬而死亡的有很多，而且因此死去的火馬和羊被埋在其他的墓塚中，聽說這些墓塚上都覆蓋著伊杞彌和阿蔗彌。

「沼地之民的長老說過，母狗如果吃了埋在這些墳塚裡的屍體，所生下來的小狗比過去的『晉瑪之犬』更聰明、更可怕。」

米拉兒臉頰泛紅。赫薩爾看著她的臉，又說：

「我們必須調查毒麥的成分才行。毒麥的成分、米寄身上的病素，還有伊杞彌和阿蔗彌的抗病素成分，這幾樣東西到底有什麼關聯、如何產生出新的晉瑪之犬——也就是新的黑狼熱宿主，都得徹底調查清楚才行。

「不管從哪個角度來看，這件事都和猶加塔平原生態系的重大變化有關。我們先整理一下目前所知的幾件事吧。」

赫薩爾扳著指頭：

「對黑狼熱具有耐受性的人，共通特徵是從小就喝即使被蜱蟎叮咬也不會生病的動物奶長大，而這些動物喜歡吃地衣類。至於如果不透過動物奶，毒性有沒有可能因為其他食物弱化，現在還無法完全斷定。不妨先假設動物奶就是關鍵食物吧。」

米拉兒點點頭。

「沒錯。我記得伊撒姆少爺也不吃歐基拉普塔。」

看到凡恩困惑的表情，米拉兒笑著說：

「啊，不好意思，忘了說。被晉瑪之犬咬過，但保住性命的人當中，有個孩子雖是阿卡法人，病情卻比混了東乎瑠血統的孩子更嚴重。

「那孩子非常討厭馴鹿奶做成的歐基拉普塔，只吃牛奶做的拉帕帖。這也難怪，現在因為東乎瑠的影響，在阿卡法地方，比起馴鹿或火馬奶，更常食用牛羊奶做成的拉帕帖。

「不過另一位少年的父親雖是東乎瑠人，卻因為母親的影響，經常吃歐基拉普塔。東乎瑠人本來就認為乳製品是汙穢的東西，一般來說是不吃的。

「我之所以會注意到動物奶，就是因為這件事。」

赫薩爾看著米拉兒，眨眨眼表示認同，接著看向凡恩。

「火馬之民和沼地之民靠火馬奶生活，而你們土迦山地的人則是喝飛鹿奶長大。被黑蜱蟎——這裡的方言稱為『米寄』——叮咬後，體內雖然有病素，但或許是因為喝了飛鹿奶，而飛鹿吃了地衣，你們才得以與弱毒化的病素共存。歐基地方也是，那裡的人常喝馴鹿奶，而馴鹿同樣也是愛吃地衣的動物。

「這些動物奶到底有什麼成分，得清楚調查才知道。不過你們從小就連同飛鹿奶一起，喝進了弱毒化後的病素，以及能抑制病素的成分，因此才具備對黑狼熱病素的耐受性。所以你即使被晉瑪之犬咬傷，也沒有死。」

聽了這句話，凡恩突然想起一件事。他低語著：

「……悠娜也是。」

「什麼？」

「我聽納卡說，那孩子的母親是沼地之民。」

凡恩不自覺地摸著自己的鬍鬚。

「那孩子的外公經常去探望當奴隸的女兒，送給她用火馬奶做成的拉帕帖，還有在卡山買來的歐基拉普塔，但他女兒好像全都給了悠娜。」

凡恩說完後，周圍一片寂靜，好一陣子沒有任何人開口。

「對沼地之民來說……」

莎耶輕聲說著，所有人都抬起頭來看著她。

「火馬奶是相當珍貴的東西。他們就像是火馬之民的僕從，所以聽說火馬奶對他們而言等於是一種賞賜。我想這位母親可能很少有機會喝到火馬奶。」

莎耶寂然一笑。

「悠娜的外公為了讓女兒吃到這種貴重食物，不辭辛勞地遠赴鹽礦，而母親卻把一切都給了女兒……所以才救了悠娜一命。」

凡恩眼裡浮現悠娜的母親用背擋著灶口死去的身影，忍不住閉上眼。

是什麼延續了生命，又是什麼奪去了生命，其中的因果牽連實在太複雜，根本無從找到源頭。不過如同莎耶所說，悠娜確實是因為外公和母親的愛，才得以活命。

又有一根木柴燒斷，小小火星飄在空中，然後消失。

凡恩輕聲說：

「那孩子，她身體裡有黑狼熱的病素……也有抑制黑狼熱的東西……這兩種東西在她體內互相抵抗、同時共存，是嗎？」

看著赫薩爾和米拉兒，凡恩又問：

「那孩子覺得伊杞彌在發光，我覺得阿蔫彌和那種藥有強烈的氣味。面對晉瑪之犬時，我會反轉，那孩子也會發生變化……這到底是爲什麼？」

每說出一句話，便又有新的疑問浮現腦中。

「目前爲止有很多人被黑蜱螨叮咬，但儘管有這些新的病素進入身體，我卻沒看過有人變得跟我一樣……」

赫薩爾和米拉兒看著彼此。

「這只是我的推測，不過我想，病素經過狗的身體之後，可能產生了變化。」

赫薩爾說。

「你是透過晉瑪之犬的唾液受到感染的。沼地之民的長老也說過，以前的晉瑪之犬和墓塚產生變化後生下的晉瑪之犬不一樣。

「你的身體裡原本就存在足以對抗黑蜱螨病素的東西，現在又有變化後的黑狼熱病素入侵，說不定因此產生了複合性的變化。」

凡恩瞇起眼。

「那麼，我故鄉的人如果被晉瑪之犬咬傷後，都會變得跟我一樣嗎？」

赫薩爾沉吟著：

「或許有這個可能，不過……」

赫薩爾安靜思考了一會兒，嘆了口氣，摸摸下巴。

「爲了說明給你聽，所以我剛剛的說法好像一切都已瞭如指掌，但事實上，傳染病這種東西很難捉摸，就算處於條件類似的狀況下，爲什麼有人生病，有人卻不會生病，有些事情很難用免疫與否來說明。即使是雙胞胎，也可能其中一個生病，但另一個卻沒有。就算同一種藥也一樣，在每個人身上的效果可能天差地別……」

赫薩爾苦笑著。

「不過，發生在你身上的變化——你說自己聞到的味道跟以前不一樣，假如只牽涉到感覺，或許還有辦法說明。」

赫薩爾用白皙的手指摸摸自己的額頭。

「黑狼熱原本是一種入侵腦部的病，出現發燒、喉嚨痛等類似感冒的症狀後，會發疹、開始痙攣。」

聽著這些話，凡恩想起在地底的阿卡法鹽礦裡，那些病人咳嗽的樣子，不禁皺起眉頭。

「你們的身體對於透過黑蜱蟎媒介的病素具有耐受性，不過，在晉瑪之犬身體裡的病素已經變化成略微不同的形態，所以你被晉瑪之犬咬傷的時候儘管沒死，但腦部可能還是受到影響，產生了某種變化。」

（……確實如此。）

那天晚上自己發了高燒，身體很痛，接著感覺到劇烈頭痛，做了一場恐怖的惡夢。

「你的嗅覺和視覺產生了變化，這就表示你的嗅覺細胞和視網膜有了變化，人如何認識某種味道或眼前看到的東西，都跟腦有極密切的關係。」

赫薩爾輕輕用手指敲了敲自己的額頭。

「我們認爲，思考、感覺，或是呼吸、調節體溫等各種事情都是在腦中進行的。所以當腦部發生變化時，一個人看世界、感受世界的方法也可能產生變化。」

凡恩瞇起眼睛，某個念頭正掠過他腦中。

千鈞一髮之際，他將一個即將消失在黑暗深淵邊緣的記憶抓了回來。凡恩輕嘆了一聲。

「……原來如此，所以他也是這樣。」

「什麼？」

凡恩瞥了莎耶一眼，再將視線轉回赫薩爾和米拉兒身上。

「『犬王』肯諾伊，他也是被晉瑪之犬咬過的人。」

## 四 潛藏於生中之死

奔馳的剽悍犬群，跟牠們靈魂之索相繫的自己，還有肯諾伊……那一夜的記憶鮮明復甦，凡恩沉默了一會兒，盯著爐火。

「肯諾伊這個人，我記得你說他是火馬之民族長傲梵的父親。」

赫薩爾說。

凡恩點點頭。

「對，他已經很老了，也生了重病，但我不知道他生的是什麼病。」

爲什麼？凡恩眼前又浮現肯諾伊那無聲追問的哀痛眼神。

「他們認爲火馬奶能保護自己不受疾病侵害。」

凡恩輕聲說著。

「如果身上帶有疾病的狗替他們殺掉可憎的敵人，就算不是親自動手，他們也認爲這能彰顯出神的眞理。」

不知不覺中，窗外天色開始泛藍，長夜將盡。

「是那種病改變了我們的腦、讓我們的身體反轉嗎？」

凡恩又沉默了片刻，接著，低聲說：

「反轉時看到的風景，跟我現在所看到的完全不同。

「周圍所有的動作都變得很慢，氣味更加鮮明，連葉片擺動的聲音聽起來都很清楚，顏色也都不一樣了。

「還有很多光，數不清的光，不管地面、草叢還是樹上，全都充滿著光，只是顏色有一點點不同而已。有些光還會像煙一樣盤旋流動。」

凡恩表情扭曲。

「在這樣的風景裡，我跟晉瑪之犬很親近；說是親近，我更覺得牠們就是我。還有……」

凡恩深深吸了一口氣，有些遲疑地開了口。

「在那片風景當中，我一點也不覺得空虛——只感覺到生命。」

凡恩停下來後，房間裡一片安靜。

窗外細微的鳥鳴聲，彷彿為了塡補這片寧靜般飄了進來。宅邸的廚房裡，廚師們應該已經開始工作了吧。準備好的麵團放了一晚，天亮後再放進窯裡烤，此地特有的厚姆（麵包）香味淡淡飄進來。

凡恩一隻手緩緩摸著自己的臉。

「如果說，黑狼熱的病素讓我看到那片風景，那麼，牠們眼中也會是一樣的風景嗎？」

赫薩爾搖搖頭。

「應該不是。雖然我沒有確切的證據，但如果你是被晉瑪之犬咬傷後才開始看到那樣的風景，那我想，應該是病素對你的腦產生作用，才讓你看到這些。」

凡恩瞇起眼。

「……為什麼會看到那樣的景色呢？」

赫薩爾嘆了一口氣。

「我不知道。不過假如讓我來推測，有一個可能的原因。」

赫薩爾喝了一口冷掉的茶，接著說：

「病素自己也有希望能生生不息的欲求，但它們必須進入其他生物體內才能延續生命。所以，它們或許在操縱你們，好讓自己活命、繁殖——你知道狂犬病嗎？」

「嗯。」

「雖然不同個體的症狀或有差異，但得了狂犬病之後，這些狗會變得相當殘暴，一直想咬其他東西。如果站在病素的觀點來看，一旦宿主咬了其他生物，它們就有機會進入新宿主身體裡，增加數量。」

赫薩爾苦笑。

「雖然現在還沒辦法了解病素能不能操控大腦……但我想差別應該不會太大。就像感冒的病素隨著咳嗽和噴嚏轉移到其他人身上一樣，我們的身體與生俱來就有將病素排出體外的功能，但結果反而助長了它們的增殖。

「不過，如果晉瑪之犬沒有接到『犬王』的命令，就算見到你，也不會想咬你對吧？」

「對。」

「因爲對病素來說，攻擊你們並沒有意義。即使被咬傷，你們也不會死，而是能跟它們和平共處，幫助它們自我擴張、散播的重要宿主。如果彼此爭鬥，不過是白白害重要的宿主消失而已。所以病素或許想讓你們覺得，大家都是自己人，別再吵了。」

凡恩沉默了一會兒，在心裡咀嚼著赫薩爾這番話。然而最後從他口中說出的，卻是極其平淡的感想。

「……好空虛啊。」

「空虛？」

凡恩苦笑著說：

「如果套用這種想法，那麼我們對家人、親人的愛情，好像也只是為了活下去而已。因為擁有親人比較有利，所以身體才會產生這種情感。」

赫薩爾雙眼閃著光芒。

「嗯，關於這一點，我還想跟你再多聊一些……啊，要是有時間就好了！我們再找時間慢慢聊吧。」

但說完後，赫薩爾卻笑著搖搖頭。

「現在時間不多，先回到你們的例子吧。剛剛提到的病素，對你和晉瑪之犬是無害的，所以你們彼此可以連結；但是對於你們以外的生物，則有可能讓性格徹底改變，變成極凶暴的殺戮者。」

「咦？」

「我聽姊夫說過，病素如果轉移到類似的動物身上，原本很安靜的病素，也有可能引發殘暴的舉動。例如說，如果入侵這個地區的狼，感染了對山犬無害的病素，對這些狼來說，就會成為致死病素。

「對病素來說，讓宿主山犬更活躍，有助於自己的繁殖。所以與山犬互相爭奪獵物的狼，就有可能成為它們傾向於排除的對象。你剛剛說了狐狸發狂、飛鹿沉眠的例子，對吧？或許那也是類似的道理。來自黑蜱蟎的病素，長久以來以飛鹿為宿主，和平共存；而企圖攻擊小飛鹿的狐狸，對病素來說就是應該消滅的對象。」

凡恩沉吟：

「也就是說，這一切都是活在身體裡的那些傢伙，為了保護、繁衍自己的生命，為了保護宿主所做的？

「可是悠娜覺得在發光，而我覺得有強烈氣味的阿蓆彌，對黑蜱蟎體內的病素來說，應該是敵人吧？如果你的理論是正確的，我應該很討厭阿蓆彌的味道才對。」

米拉兒突然一笑。

「也對，這確實很難說明。」

「不，這也不見得。」

赫薩爾不服輸地說。

「你們的身體裡，應該還有另一股抑制來自黑蜱蟎的病素、企圖活命的力量在運作。或許爲了不讓病素過度增加，所以那些該攝取的東西才會更加顯眼……」

赫薩爾發現米拉兒露出賊笑看著自己，不禁苦笑起來。

「妳不要露出那個表情，我知道剛剛所說的只是種可能性，是『搞不好會發生』的狀況。我不過是根據已經發生的現象思考，提出可能的假設，當然都還沒經過驗證。」

赫薩爾用他纖細的手指搔搔臉頰，嘆了口氣。

「老實說，每次說到這個話題，我心裡也會想：『眞的是這樣嗎？』這些推論是建立在『生物最主要的目的就是延續生命』這個假設上。但是，眞的只有這個目的嗎？」

聽到這裡，凡恩覺得有個神祕的影子輕觸著腦海深處——那是長久以來一直停駐在他心底的影子。

凡恩平靜地問：

「你的意思是說，除了延續生命以外，還有其他的目的？」

「對。不過，以生物整體來說，確實是這樣沒錯……」

盯著爐火，赫薩爾沉默了一會兒。終於，他抬起頭。

「比方說，這隻手。」

赫薩爾將五指張開到極限。

「你知道嗎？在母親腹中時，胎兒的指間原本是有蹼的。」

凡恩遲疑地點點頭。年輕的時候，他曾經聽過一個在戰士夥伴間流傳的謠言，說是未足月而流產的孩子手上會長蹼。聽到那個說法時，他腦中浮現胎兒浮在母親腹中的羊水，用那小小的蹼慢慢撥著水的樣子。心裡有股難以言喻的畏懼。

「如果指間的膜沒有消失……」

赫薩爾動了動自己的手指。

「就不能形成這種手指能自由活動的手，所以膜的部分會自動死亡。有這些自動死亡、消失的部分，我們的身體才能形成現在的型態。」

嘆了口氣，赫薩爾接著又說：

「小時候，祖父曾經給我一隻有趣的生物，我養了很久，是在波吉西亞地方海岸附近沼澤的一種裸鰓類，當地人都稱牠爲『光葉』。

「這種東西剛從卵中出生、還是幼體的時候，會很有活力地到處游泳，但長大之後，就再也不動了。

「簡直就像一片綠色的葉子般依附在水藻上，一照到太陽，就會發出綠色的亮光。」

赫薩爾用手指的開闔表現日光。

「幼體時期的牠們是有嘴巴的，但是長大爲成體後，就沒有嘴巴了。就這樣，在沒有嘴巴的狀況下可以活一年左右。」

凡恩挑起眉。

「沒有嘴巴，意思是牠們什麼都不吃嗎？」

「不吃。那麼，你覺得牠是怎麼活下去的呢？」

「小時候已經吃了足夠的東西，儲存在身體裡嗎……」

「你說對了一半。的確，牠們在幼體時期，已經吃下了足夠支撐身體一輩子的東西。而牠們所吃的東西可厲害了，那是一種稱爲布利卡藻的葉綠小體。」

赫薩爾開始說起草木、藻類與動物及鳥類不同的生存方式。葉子之所以看起來是綠色的，是因爲有葉綠小體這種東西。草木也是因爲沐浴在陽光下，才能從葉綠小體中獲得生命的糧食。

「所以那種你們稱爲『光葉』的裸鰓，只要吃下水藻、曬太陽，就能獲得糧食？」

凡恩嘟噥著：

「世界上竟然有這麼奇妙的生物。」

赫薩爾點點頭。

「很有趣吧？明明是裸鰓類動物，卻好像變成了植物，眞是個相當奇怪的傢伙……不過，接下來才是最奇妙的地方。」

赫薩爾換上認眞的表情，接著往下說：

「這種生物產卵後就會死。大家會一口氣全部病死。」

「……」

「沒有例外。我祖父利姆艾爾持續調查了好幾年，依然沒能完全找出牠們生病的原因。目前只有一個可能的假設：幼體時期的『光葉』可能在吞下布利卡藻這種葉綠小體時，一起吃進了某種病素。」

赫薩爾將手指放在唇上。

「『光葉』的成體沒有嘴巴，所以在牠們變成成體後，是不可能透過食物吃進病素的。假如是從身體表面吸入某些致病的東西，那麼，每個個體所處的環境不同，照理來說，應該會出現某些光葉因這種疾病而死，其他光葉又因為其他疾病而死的差異吧？但是，又不是這樣。

「所有光葉都在同一個時期，因為同一種疾病而死。這麼一來，在幼體時期吃下的藻類中的葉綠小體附有某種病素，或許是最有可能的解釋，不是嗎？」

凡恩點點頭。

「但那些光葉到底為什麼要吃下這種將來一定會讓牠們病死的東西呢？儘管吃下後還能存活一段時間，可是像這樣，所有光葉全都生病的話，總有一天很可能會滅亡吧？」

說完後，赫薩爾搖搖頭。

「不會。牠們不會因為這種病而滅亡。」

「為什麼？」

「因為在產卵之前，這種病絕對不會發作。」

「……」

赫薩爾平靜地說：

「當牠們把生命交棒給下一個世代時，就會病死。大家一起死，無一例外。」

在一片安靜當中，只有木柴燃燒的聲音響起。

「類似這樣的生物還有很多。從海裡迴游的鮭魚也是一樣。牠迴游到故鄉的河川，雌鮭魚產卵，雄鮭魚則在一旁釋放出精子，等到新的生命誕生，牠們的身體馬上就會遭到疾病侵襲。好像已經完成使命一樣，結束生命。」

赫薩爾盯著凡恩。

「但另一方面，也有所謂『不死』的生物，只要沒有外在因素影響，就會一直重複分裂下去。這種生物會不斷由自己再產生出另一個自己。

「可是有雌雄之分的生物，生下跟自己不一樣的另一個新生命後，就會死去。就算能活到新生命可以獨立，最終也會生病或老死。就像樹木，爲了春天時能有地方萌生新芽，葉子才會在秋天掉落，它們把空間讓給了新生命。

「不只是活著，在生物的身體裡，從出生的那一刻起，就已經安排了死亡。」

隔著遮蓋窗戶的布簾，淡淡的白色光線開始照進屋裡。

「……生下孩子、傳承生命，」

莎耶突然說。

「就是一種讓我們不死的方法。」

她的聲音低沉而沙啞。

「辦不到這一點的人，就等於斷絕了長久以來傳承下來的生命。」

米拉兒看著莎耶，說：

「不是這樣的。」

米拉兒溫暖笑著。

「我不知道自己以後能不能生孩子，所以忍不住大聲了起來。但眞的不是妳想的那樣。

「活在這個世界上的人口數目很龐大，就算祖先傳了什麼下來，每個人是否都能產生下一代，並不會影響這條生命連鎖的線。」

莎耶鐵青著臉。

「可是，從父母親身上傳下來的東西，就會在自己這裡斷絕。」

米拉兒盯著莎耶。

「所謂『從父母親身上傳下來的東西』，是指長相這些嗎？」

「那也是……」

「莎耶，妳聽我說。」

米拉兒探出身子。

「我們每個人都不一樣，確實有很多東西是祖先們代代相傳下來的。但每個人都是完全不同的。不管任何生命，過去都不曾誕生在這個世界上，都是絕無僅有、擁有獨一無二的個性、只能活這麼一次的唯一。」

莎耶微微蹙眉，似乎聽不太懂米拉兒的話。看著她，米拉兒緩緩說著：

「就像赫薩爾剛剛所說的，如果環境允許，存在於大腸裡的菌說不定會永遠活著。它們會不斷不斷自我分裂，也沒有雌雄之分，不需要透過兩個個體交配來產生新生命。

「可是只要有雌雄之分的生物，活過僅有一次的生命後，一定會死。但創造出來的這條新生命並不是『自己』。孩子既不是母親，也不是父親，是完全不一樣的生命。誕生在這世界的一切，在當下都是獨一無二的生命。

「父母親所生的孩子，並不會長得跟父母親一模一樣，對吧？也不會剛好一半跟母親一模一樣、另一半跟父親一模一樣，對吧？就連雙胞胎，也不會長得完全一模一樣。

「從父親和母親身上傳下來的各種要素組合之後，產生了人；不過這樣的組合一定有無限種可能，正因爲如此，這個世界上不可能有一模一樣的人存在——不管是過去或是未來，同樣的人都不會再出現第二次。」

米拉兒微笑著。

「我們每個人不過就是一個個體。這個身體、這張臉，還有這顆心，都只會出現在這個世界上一次，然後注定消失。」

莎耶靜靜看著米拉兒。米拉兒裝做沒發現莎耶眼中的神色，仍然平靜地說：

「好好活過出生在這世上、只屬於自己、僅有一次的人生，然後死去。就像赫薩爾剛剛所說的，我們的身體本來就注定會死。但我忍不住覺得，雖然就內心來說不知道是如何，但對身體來說，死亡似乎不是終點。」

米拉兒高高揚起眉。

「赫薩爾之前說過，人的身體就像一個國家，真的是這樣。

「雖然身體看起來是『一個』，但實際上這個身體裡有多到令人難以置信的無數小生命，一邊幫助我們活著，一邊也讓它們自己活著……當我們的身體因病或衰老而死亡後，會回歸土壤、進入其他生物體內，繼續延續生命。一想到這裡，我忍不住覺得身體的死其實只是一種變化。就像一個凝聚在一起的個體，到最後分離四散而已。」

凡恩深吸了一口氣。

米拉兒的話，和自己身體反轉時所感受到那種難以言喻的感覺，似乎可以連結在一起。在那種狀態中，既不感到空虛，也不覺得悲哀，就像是一片白茫茫且無限廣闊的平原。

（儘管如此……）

儘管是立足於這地平線上的渺小存在，但是當自己逝去時，還是會感嘆自身的死亡吧。

「就算國家沒了，人們還是可以生存在其他國家。」

凡恩低語著。

「可是當故國消失時，也就是活在世上絕無僅有的那個我消失的時候，還是覺得很哀傷。」

赫薩爾點點頭。

「這是當然，所以我才會成爲醫術師。」

赫薩爾臉上浮現些許苦笑。

「就算能治癒疾病，人還是難逃一死。儘管如此，人們生病時，還是拚命想治好。」

從剛剛開始，凡恩便聽見樓下的腳步聲。天已經完全亮了，爐火的顏色也變得淺淡。

「……您剛剛說，希望取我的血。」

聽到凡恩這麼說，赫薩爾眨了眨眼。

「對。」

凡恩微笑道：

「請您取用吧──您已經給了我太多東西，那不是一點點血能買得到的。」

這時，浮現在赫薩爾臉上的，卻是令人訝異的寂寞神情。

看著赫薩爾的臉，凡恩不禁想起自己的兒子。每次告訴正在開心說話的兒子自己就要出門時，兒子臉上常會露出這種表情。

「樓下已經有動靜了，我差不多該走了。」

凡恩平靜地說。

赫薩爾揚起眉：

「你人在這裡，也能聽見那些聲音嗎？」

「嗯。」

凡恩微笑著回答。但赫薩爾依然沉著臉，嘆了口氣後，他說：

「雖然……」

赫薩爾語帶猶豫。

「對你來說可能有點沉重，但我希望再跟你見一次面。現在就算取了你的血，可能也無法順利做出藥。我會盡量保障你的人身安全，如果最近你有辦法來我們在卡山的醫院的話，我會非常感激。」

米拉兒看了莎耶一眼，再看看凡恩，傾身向前。

「拜託您了。接下來，新的黑狼熱不知道會再發生什麼樣的變化，我希望能盡量多救一些人，還請您務必幫忙。」

凡恩和莎耶互看了一眼。

這四個人之間有著錯綜複雜的立場差異，而赫薩爾對凡恩的要求也伴隨著種種危險。儘管如此，凡恩還是被打動了。

「我會去的。我無法保證是什麼時候，但一定會去。」

凡恩說。

# 五　三人之旅

打開連接走廊的隔壁房門，傳來陣陣鼾聲。

馬柯康仰躺在床上，還睡得很沉。莎耶正打算走近喊醒他，但赫薩爾在身後說：

「不用叫他了。」

赫薩爾轉過頭，彎起嘴角，笑著擺擺手。

「要說明這麼多事情，太浪費時間了。我會告訴他的，你們走吧。」

莎耶猶豫地看看馬柯康，接著再轉向赫薩爾。

「謝謝，那麼就恭敬不如從命了。」

凡恩和莎耶向這兩位年輕人深深低頭致意，接著離開房間。

早晨的光線從走廊盡頭的窗戶照了進來，將走廊映得微微發亮。莎耶躡足而行，在對面房間的門上「咚」地輕敲了一記。過了一會兒，門打開，一名女性露出臉來——是馬柯康的姊姊伊莉亞。

「讓您久等了，眞抱歉。」莎耶小聲地說。

伊莉亞聳聳肩。

「還眞久，話都說完了嗎？」

「是的。」

伊莉亞看了凡恩一眼。凡恩感覺到她的視線，向她低下頭。

「謝謝妳答應我們這麼不合理的要求。」

伊莉亞帶著微笑。

「別介意，我正想找機會向你道謝；再說，我也很擔心黑狼熱的事，這點小事不算什麼。」

「可是妳弟弟他……」

莎耶話還沒說完，伊莉亞便笑出聲。

「沒關係啦。那傢伙還是讓他睡著比較省事。」

伊莉亞輕巧地來到走廊上，靜靜關上門。

「我們走吧。」

跟在伊莉亞身後走下通往廚房的窄梯，一陣烤厚姆的香味迎面飄來，還有香料煙燻豬肉的燒烤香氣。

走進廚房，廚師們抬頭看著伊莉亞，向她行禮，卻看也不看凡恩和莎耶一眼。伊莉亞似乎事先打點過了。

「這我拿走了。」

伊莉亞說了一聲，從長形調理桌上拿了兩個剛烤好的圓厚姆，用小料理刀迅速切開刀痕，夾上烤過的燻豬肉，交給他們。

「肚子餓了吧，邊吃邊走。」

凡恩和莎耶道過謝，接了過來。厚姆還很溫熱，粗糙的手感摸起來相當舒服。伊莉亞穿過廚房，帶他們到後方的木門。

「那就再見啦。」

簡單說完後，伊莉亞馬上轉身回到宅邸。看著她的背影，凡恩輕輕嘆了口氣。

「累了嗎？」

莎耶抬頭看著凡恩，輕聲探問。

「也不是。」

話說了一半，凡恩又苦笑著說：

「嗯……好像確實有點累了。」

身體並沒有覺得不舒服，只是好像做了個漫長的怪夢一樣，覺得有些倦怠。

「天亮前就拜託妳做這麼麻煩的事，真的很抱歉。」

莎耶微笑著搖搖頭。

「……能再見到你，我覺得很高興。」

凡恩點點頭。

偶爾有風若有似無地吹過樹葉，葉片便在早晨的明亮光線下翻飛舞動。新生的葉子輕薄透亮，看起來非常美。

「剛剛聽到的事情實在太多，我還沒能好好吸收，不過……能見到妳真好。」

莎耶也輕輕點頭。

踩著被朝露沾濕的草往前走，凡恩咬了一大口溫熱的厚姆。香醇的味道擴散在口中，反而讓他突然覺得飢餓，三兩口便把厚姆吃光。厚姆夾著豬肉，那焦香的油脂甜味還留在舌尖。

莎耶也靜靜吃著厚姆。

這位沉穩的女子一旦開始工作，就會判若兩人。那天夜裡也一樣，要是沒有她幫忙，多力姆和赫薩爾都會成爲火馬之民的人質。對邊境之民來說，他們會變成相當危險的交涉工具。

那天晚上，莎耶建議把原委告訴伊莉亞，但凡恩有些猶豫。

一想到故鄉的人跟火馬之民共謀，他就擔心猶加塔山地民是不是也站在火馬之民那邊，準備背叛阿卡法王。但莎耶說不需要擔心。

「猶加塔山地民從以前就跟中央政權有很深厚的關係，尤其是伊莉亞，她是歐塔瓦爾的『侍奧』，對這個國家種種微妙的內情相當了解。」

說著，莎耶不禁露出苦笑。

「她是個很會觀察情勢的人。對她來說，最重要的是猶加塔山地民，所以她不會被情感左右，能夠謹愼地判斷邊境勢力和中央勢力的動向，再採取行動。

「即使委身此地的火馬之民建議她加入他們的陰謀，想必她也會一方面好聲好氣安撫他們，另一方面觀察整體形勢吧。」

莎耶的眼神裡有些許落寞。

「伊莉亞一定知道阿卡法王已經決心要拋棄火馬之民，她絕對不會坐上注定要沉的船。」

莎耶說得沒錯，伊莉亞一知道石火隊逮到了多力姆，馬上讓手下扣住在領地內的火馬之民首領，好讓他們無法替石火隊助陣。

接著，她又找上阿卡法兵的精銳，跟他們一起襲擊岩牢。

和石火隊的那場攻防是極其慘烈的死鬥，也有些阿卡法兵死在這場戰鬥中；不過遭受奇襲的石火隊無法發揮原本的力量，在短時間內就遭到壓制。

冷靜策畫這場行動的同時，伊莉亞也試圖跟她準備搭救的多力姆交涉。

這次事件是住在土迦山地的傲梵一族因爲知道被阿卡法王拋棄，而獨斷進行的反擊，跟寄居在猶加塔山地的火馬之民無關。沼地之民也只是受命參與其中，並沒有反叛之意。

從今以後，伊莉亞將嚴加管理，希望多力姆將處置他們一事交給她。伊莉亞就這樣保住躲在自己羽翼下的人民，同時，也算是賣了阿卡法王一個人情。

她的舉動清楚地表示了住在阿卡法邊境人民的立場和想法。

對邊境之民來說，最重要的就是在故鄉所擁有的平靜生活。只要能保住這一點，不管王國的統治者是誰，都遠不及故鄉的存亡重要。

（火馬之民……）

在邊境之民中，他們特別遭到孤立。而現在，他們身後也已沒有能幫忙推上一把的風。這般想法讓凡恩心裡沉重的某個部分產生動搖。火馬之民的舉動雖然太過性急，而且還大逆不道，但儘管如此，被逼到絕境的他們，仍然令人同情。

嫩綠葉片間透出的是閃爍跳動的陽光，隔著樹葉，可以看到對面沼地之民的聚落。

悠娜一向貪睡，現在應該還睡得很沉。

她醒來後如果發現凡恩不在，一定又會大哭大鬧吧，凡恩想在那之前趕回去。

悠娜是個身體和心靈都很健康的孩子，但突然被帶離凡恩身邊的不安和恐懼，已經深植心中，只要一下子沒看到凡恩的身影，馬上就會大哭。昨晚還是凡恩緊緊摟著她，好不容易才哄睡的。

悠娜那個阿姨的臉色不怎麼好看，看來不是會顧慮到這些的人。要是悠娜哭著想找凡恩，說不定她會一臉不耐煩地嚴厲責罵。

阿姨跟悠娜的母親長得不太像——雖然凡恩只看過悠娜母親死後的模樣。而且兩人相差八歲之多，或許因為如此，雖說阿姨是媽媽的姊姊，但看起來憔悴得簡直就像是外婆。

從納卡那裡聽說事情經過時，凡恩非常驚訝。原來這裡就是悠娜的故鄉，也有她的親人在。既然如此，凡恩心裡雖然難受，但還是認為應該讓悠娜留下來生活。

然而，實際上跟悠娜的阿姨見過面之後，他斷了把悠娜留在這裡的念頭。

阿姨家裡孩子多，又貧窮，雖是妹妹的女兒，但她對悠娜卻看不出有一絲感情。

當凡恩問她能不能讓自己收養這孩子時，她露出一副得救似的開心表情，直說如果眞能這樣，那就太好了。

「……所謂親不如養啊。」

莎耶聽到凡恩這麼說，抬頭來看著他。

凡恩微笑著說：

「我這樣一路被牽著鼻子走，來到這種地方，說不定也是神明的引導，這下總算能正式收養悠娜當我女兒了。」

莎耶眼角浮現溫柔的微笑。

「眞的呢。」

說完後，莎耶稍微放慢了腳步。

「今後你有什麼打算？」

凡恩也放慢腳步。

「我要回歐基。」

奧馬、多馬和季耶一定都很擔心吧，凡恩想快點見到他們，讓他們安心。可是在那之前，他必須先去一個地方。

「途中我可能會繞到由米達之森一趟，不過應該會趕在初夏的遷徙前回歐基吧。」

凡恩看著莎耶。

「那妳呢？」

莎耶並沒有馬上回答。她眼裡有些許動搖。

她再次加快腳步前進，但過了一會兒，她突然停下腳步，轉過身來。

「……監視你是我的工作，現在我的任務還沒有解除。」

她表情很平靜，聲音卻有點沙啞。

「只不過，你的鼻子比狼還要靈敏，要不被你發現，已經是不可能的事了。」

凡恩突然笑了起來。在內心深處蠢動的這份情感到底是什麼，現在他還不想看清楚；儘管如此，他依然確定這份情感就在心中。

凡恩什麼也沒說，只是點點頭。

＊

長時間被迫與凡恩分開、和陌生人生活在一起的悠娜，像是爲了彌補她小小年紀所忍受的不安，開始過分地向凡恩撒嬌。那撒嬌的樣子彷彿又回到嬰兒時期一般。

凡恩抱著她，讓她能一直接觸到自己的身體，慢慢的，悠娜異常的舉止終於減少。

剛開始悠娜也對莎耶帶著戒心。後來三人步上旅途，凡恩跟悠娜騎著曉，莎耶則騎在跟伊莉亞借來的馬上，跟在兩人身後。經過一段漫長旅程，悠娜的戒心慢慢消失，不知不覺中，她也開始親近莎耶，向莎耶撒嬌。

走在早春的原野上，這趟旅程相當平穩而開心。

融化的雪水發出澄澈的聲響流過沼澤，原野上有許多小小花朵迫不及待綻放。性急的小蟲聚集在花叢中，在淡淡的陽光下展開薄翅，像發光的小顆粒般在原野中飛舞。

前往阿卡法北部的主要道路上，沿途有幾個小鎮。

這些城鎮是北方的毛皮商人和販售穀物、乾貨爲主的南方商人互相買賣的商品市場，逛逛這些小鎮還挺開心的，還能買到長途旅行需要的食糧。

每次來到城鎮，莎耶都會消失一陣子。凡恩知道，即使在這樣的城鎮裡，也布滿了墨爾法之網，除非莎耶自己主動說起，否則他從來不問莎耶去做什麼。

在某個鎮上，莎耶跟平時一樣消失了身影，但稀奇的是，到了傍晚她還沒回來。

阿姨去哪裡了？頻頻追問的悠娜終於入睡，發出平穩的呼吸聲。就在旅舍所有房間的燈光都熄滅時，莎耶才一臉疲憊地回來。

一踏進房間，莎耶便低聲說：

「肯諾伊好像死了。」

凡恩沉默了一會兒，抬頭看著莎耶。

「病死的嗎？」他問。

莎耶曖昧地搖搖頭。

「不清楚，可能是吧。」

莎耶走近爐邊，坐下來，開始告訴凡恩從夥伴那裡聽來的經過。

凡恩一臉沉重，聽著莎耶說起阿卡法王派去討伐的軍隊，跟傲梵他們那場殊死決鬥的經過。

（……肯諾伊死了嗎？）

這麼一來，他們的夢想終於畫上了句點。就算傲梵活了下來，如果沒有「犬王」，就無法操控晉瑪之犬。

這對邊境之民和阿卡法王來說，或許都是個好消息，從此也能避免那恐怖的疾病再繼續蔓延。對許多人來說，肯諾伊的死都是一種幸運。

一個小小民族的夢想在隱密之處點燃，又在隱密之處消失，如此而已。

當凡恩聽說甘薩氏族將無法回鄉的火馬之民藏匿在土迦山地深處時，心裡不禁產生一股憐憫。望著爐火，凡恩就這樣久久不動。

# 第十一章　落劍

## 一　數個蜘蛛巢

嘩啦嘩啦。已經可以聽到水在庭院中的溝渠裡流動的聲音。

水面還結著一層薄冰時，是聽不到這種聲音的。與多瑠一邊聽著這象徵春天來訪的聲音，一邊盯著跪在眼前的男人。

「你剛剛說的，都是眞的嗎？」

裹著毛皮的男人抬起頭。

「千眞萬確。」

他簡單回答。

那張臉上有深深的皺紋所刻下的年老痕跡，且面無表情到近乎無禮，不過與多瑠並不在意。重要的是這男人帶來的情報，不是他的人品。

「麻盧吉。」

即使聽到與多瑠叫喚，男人臉上依然沒有表情。

「你親眼確認過嗎？」

麻盧吉緩緩開口：

「阿卡法兵認不出他的長相，是我親自驗屍的。」

與多瑠瞇起眼，嚴厲追問：

「能操控那些帶來疫病犬群的人，只有肯諾伊一個嗎？」

麻盧吉沒有馬上回答，似乎在思考著什麼。終於，他用低沉的聲音回答：

「我想應該是。因爲這不是能用眼睛看到的事，所以我不能給您確切的回覆，不過被稱爲『犬王』的確實只有肯諾伊一人，其他馴犬人似乎沒有操控晉瑪之犬的能力。」

「……那麼，肯諾伊死後，那些晉瑪之犬怎麼樣了？」

「牠們四散在山中。」

與多瑠皺起眉。

「也就是行蹤不明嗎？」

麻盧吉搖搖頭。

「現在是。不過我已經派人去追了。」

「嗯。知道下落後，盡快通知我。」

「是。」

與多瑠沉默了一會兒，盯著低下頭去的麻盧吉——這位過去被稱做「阿卡法王之網」的墨爾法首領，同時也是多年來不斷向東乎瑠報告阿卡法動向的密探。與多瑠看著他長滿白髮的頭顱。

管理邊境所需要的技術，如同巧妙周旋於正室和側室之間一樣。

女人是種強韌的生物，儘管表面服從，但也有可能爲了穩住自己的地位，暗地裡千方百計地想探問跟丈夫有關的其他女人的詳情。

男人深知這一點，而女人也知道男人已經知情。儘管如此，雙方都不表現在臉上，因爲彼此都佯裝不知，才是平穩度日的最好方法。

麻盧吉把情報交給東乎瑠這件事，阿卡法王應該也知道。對與多瑠來說，這樣正好。如果每次一有動靜，就把阿卡法王叫來，從正面威脅他，就等於把經營領地背後那些危險因子全部公諸於世。一來這麼鄭重其事未免太大驚小怪，二來還必須留下紀錄，那就很有可能會傳到皇帝的耳目「玉眼」那裡。

尤其是這次來訪的隊伍當中，有王阿侯這個人。

在選帝侯中，王阿侯是個野心特別強的人，最近動作頻頻。他似乎也在覬覦這塊領土，只要稍微有什麼疏失，他很可能就會向皇帝進言，隨時等著王幡侯失勢。

經營邊境難免有紛爭，皇帝陛下不至於因為一點小事，馬上剝奪領地的經營權。不過，萬一眼前的麻煩已經讓人預料到將來可能引發大事，皇帝說不定也會有所行動。

（這正是展現本領的時候。）

如果有任何可能的棘手問題，與多瑠都希望自己能盡早知道，而且只要讓阿卡法王感覺到東乎瑠已經知道這件事就行——我們已經知道了，可別輕舉妄動。要是亂來的話，我會毫不留情地殲滅你。就像是一種無言的恫嚇。要進行這種恫嚇，墨爾法可是相當方便的工具。

與多瑠認為，要想長久管理一塊像阿卡法這樣遠離帝都的邊境領土，過度壓抑只會帶來反效果。

生活在邊境的人一樣是人；要是感覺被踐踏了，一樣會湧現怒氣。

歸根究柢，這次事件的主因，都是毒麥事件時，兄長迂多瑠下令嚴厲處罰害的。

（那樣的處罰……）

實在是太過火了。

當時與多瑠對兄長提議的處罰方式表示異議。他認爲將實際襲擊移住民的人處以斬首之刑、參與策畫的人則納爲奴隸，這樣的處罰較爲妥當。把所有火馬之民都趕出故鄉，未免太過分了。

但迂多瑠冷哼了一聲，說他太天眞了。

迂多瑠說，這次的事是個好機會，可以讓阿卡法人知道襲擊移住民會有什麼下場。處罰越嚴厲，才越有意義。

（而現在兄長自己也切身體會到，哪種做法才是正確的。）

儘管是處罰，也必須讓受罰的人認可、接受才行。一個人的情況是如此，一整個氏族受罰的情況更是如此。

如果他們無法認同自己所接受的處罰，一定會懷恨在心，而那種怨憤終究會成爲禍事的根源。

經營邊境不是一時半刻的事，而是必須經過好幾代才能安定持續的事業。不能讓住在這裡的人民有一丁點緬懷阿卡法王治世的心情。

（得認眞想想，今後該怎麼處置火馬之民。）

要是火馬之民呼應傲梵那一派的激進謀反，企圖發動更大規模的反叛行動，就必須給予更嚴厲的處罰。

可是，如果其他火馬之民並沒有呼應，使得傲梵一派孤立，那麼就該獎勵選擇服從的火馬之民，讓他們慶幸自己做了這樣的選擇。

正因爲與多瑠心裡帶著這種想法，所以他還沒有告訴父親，有「犬王」這種能操縱疫病犬的人存在。

（父親已經老了。）

兄長迂多瑠之死帶給高齡老父意外的重大打擊，直到現在，父親仍無法接受此事。

父親心裡一直懷疑那場襲擊是阿卡法王策畫的。現在的父親就像放在小盒子裡的老鼠，不斷在沒有出口的盒子裡轉個不停，愈發焦躁，對阿卡法人的憎惡也日益增加。

要是現在父親知道事情的全貌，除了傲梵和火馬之民，也會一併處置阿卡法王，並且對整個阿卡法施加更嚴格的控制，懲罰想必會殘酷到讓他們不敢再次企圖謀反。

這實在是相當不智的下下策。

就算報了迂多瑠被殺之仇，但這麼一來，耗費漫長歲月建立起的阿卡法統治根基，勢必徹底重新來過。

（現在跟穆可尼亞之間的摩擦正漸漸增加……）

可沒有那個閒工夫多生事端。

如果能讓事態就此悄悄平息，眞相就能埋葬在黑暗裡，也能永遠瞞著父親。

但如果逃亡的傲梵引發事端，那麼沒讓父親知道的這件事，將會給與多瑠自己帶來很大的危險。

他嘆了一口氣。

不管怎麼說，眼前最重要的就是傲梵的動向。

「已經掌握傲梵的行蹤了嗎？」

麻盧吉表情苦澀，搖搖頭。

「還沒有。」

與多瑠沉默地看著他，眉間有著深深皺紋的麻盧吉也直直盯著與多瑠。

「我兒子他們正在追蹤，應該很快就能找到。」

與多瑠點點頭。

「找到之後，務必先通知我。」

「是。」

「傲梵有孩子嗎？」

「有兩個女兒，沒有兒子。」

「兄弟呢？」

「他們家是兩兄弟，聽說一個病死了，另一個活下來的就是傲梵。」

喔。與多瑠摸摸下巴。

「聽說火馬之民的向心力很強，就算是沒有血緣關係的人，也不能輕忽。再把你們的網張大一點。」

「是。」

看著平伏在地的麻盧吉，與多瑠的表情頓時放鬆。

「你做得很好，以前答應你的免稅，就從兩年延長到三年吧。我會給你一張文件，你拿去吧。」

麻盧吉維持著平伏的姿勢，用小到幾乎聽不見的聲音道了謝。

看著眼前這顆長滿白髮的頭顱，與多瑠出神地想著：對整個阿卡法而言，除了免稅的報酬外，麻盧吉的行爲究竟帶來了什麼，他自己應該了解吧？正因爲了解，才會爲所有族人賭上自己的性命，走在這條細細的鋼索上。

與多瑠又突然想到：在這之後，將回到阿卡法王身邊的這個男人，不知道會怎麼向王報告？

眞想化爲貼在牆壁上的壁虎去偷聽。

＊

麻盧吉離開與多瑠的居城，往前走了幾步，又往回走。

剛升起的白色月亮在長長的夜路上投下圍牆的陰影。一個男人從陰影處走出，靠近麻盧吉。

「知道什麼了嗎？」

麻盧吉看著兒子穆咖塔，低聲問。

「很花工夫呢，現在北方還偶爾會下暴風雪。」

麻盧吉哼了一聲。

「莎耶呢？」

「還一直跟著那個男人。」

麻盧吉沒點頭，只是看著穆咖塔，臉上顯露出些許抑鬱。過了半晌，麻盧吉先是嘆了口氣，接著摸了一把臉。

「各地火馬之民的動向怎麼樣？」

穆咖塔開始報告猶加塔山地的狀況，還有火馬之民各自散落地點的狀況。

除了因石火隊前往而引起騷動的猶加塔山地外，肯諾伊死亡的消息都還沒有傳開，看來各地並沒有太大變化。

「他們分布的位置都巧妙地遭到孤立，所以現在看來還很平靜。要是從商人和安置他們的人們那裡聽到消息，不知道會有什麼反應。」

麻盧吉聽到穆咖塔這麼說，跟著沉吟起來。

他哼了一聲，望向半空中，思考了片刻，又將視線拉回穆咖塔身上。

「算了。總之，千萬不要掉以輕心。」

穆咖塔點點頭，對父親鞠了個躬，轉身就要離去時，麻盧吉又喊住他：

「喂。」

穆咖塔又轉了回來。

「回去告訴他們，我們的免稅又延長了一年。」

穆咖塔眼中頓時展現明亮的光采。

「是。」

看著兒子消失在圍牆的黑影中，麻盧吉開始往相反方向走。

他慢慢走著，心裡盤算該怎麼向多力姆報告。

與多瑠這個人身段雖然柔軟，但內心卻令人畏懼，是個不容輕忽的男人。

阿卡法和東乎瑠，還有邊境之民……這麼複雜糾結的關係，一旦誤判，對於所有族人來說，將會造成無可挽回的錯誤。

當與多瑠問到能操控晉瑪之犬的是不是只有肯諾伊時，麻盧吉沒提到「缺角凡恩」或許不太妙，只是腦中同時出現好幾件事，讓他下意識忽略了……

麻盧吉眼前浮現出那個救女兒一命、選擇離開肯諾伊的男人身影。他皺了皺鼻子。

疲勞堆積在身體深處。以前就算兩個晚上不睡，也能若無其事地從這座山跑到另一座山。現在一到黃昏，身體深處就會感覺到沉重的疲倦。

（看樣子，這個夜晚會很長。）

向阿卡法王報告後，還有個地方得去。

一想到在那裡等著自己的男人，就像被一條眼睛看不見的繩子拉扯一樣，又有另一張臉浮現出來。

那是自幼病弱的長子蒼白的臉。雖然兒子已年過四十，可是，現在回想起來，腦海中浮現的都是他小時候那張天眞無邪的臉。

麻盧吉嘆了口氣。

（不知道這次又要接到什麼樣的命令……）

他和多力姆已有多年交情，最近也見了好幾次面，他會吩咐些什麼事，麻盧吉也大概可以想像。

（眞是的。）

不同的人手中所拉扯的絲線如此錯綜複雜，麻盧吉不得不更加小心，否則只會讓一切糾結成一團。

麻盧吉不耐地吐出一口氣，加快腳步，沒入夜色之中。

## 二　與蘇厄盧重逢

「啊……好溫暖喔。」

悠娜舒服地彎起眉毛，說起話來跟個小老頭似的，莎耶忍不住笑了出來。

到達「靈主」的岩屋已經過了三天。

剛到的那天，悠娜還吵著無論如何都要跟凡恩一起進浴場，不過最近只要莎耶入浴，悠娜就會自己脫了衣服跟著進來。坐在莎耶的膝上談天說地，似乎讓她覺得非常開心。

當莎耶問「要不要幫妳洗」的時候，悠娜總是大聲說「我自己會洗」，然後從莎耶手中把布搶過來。但過了一陣子，又會靠過來想要莎耶幫她洗。眞是個麻煩的小丫頭。

歷經漫長的旅途，總算到達岩屋。但不巧的是，「靈主」蘇厄盧剛好到西北森林邊緣的聚落去看病人，不在岩屋裡。

阿西諾彌很高興能再次見到凡恩，她將凡恩離開後發生的事告訴他們，並提到在那之後，多馬因爲擔心長期離家的凡恩，還曾經造訪。凡恩聽完之後，表情一沉。

多馬要是聽到自己去追蹤被擄走的悠娜，一定很心急吧。凡恩原本想先回去一趟，讓多馬他們安心後再出發，不過阿西諾彌卻建議他們緩一緩。再怎麼遲，「靈主」四、五天後一定會回來；更何況，凡恩下次再來時，也有可能又擦身而過。最後凡恩決定住在岩屋等靈主回來。

悠娜似乎很喜歡這座像迷宮一樣的洞窟，就算再三提醒她岔洞很危險，不要進去，她還是經常一個轉身就消失了蹤影，然後從令人意料不到的地方回來。

莎耶雖然很緊張，但凡恩並不怎麼在意；即使悠娜回來後，也只是告訴她地下可能有洞，要小心。

莎耶問他，悠娜以前就是在這裡被擄走的，而且岔洞裡也有很多危險的地方，他難道不擔心嗎？

凡恩回答：

「如果距離不遠的話，我大概知道這傢伙會在哪裡；我想她也一樣。」

說完，他露出苦笑。

納卡擄走悠娜時，凡恩心裡曾感到相當不安；只要沒有那種感覺，應該就不需要太擔心。

凡恩對悠娜總是很放任，不太干涉，也很少對她大聲說話。剛開始旅行時，悠娜爲了彌補長時間分離的不安，老是黏在凡恩身邊，想吸引他注意。可是凡恩從不嫌煩，默默任由悠娜拉他的手、扯他的頭髮，隨便她想怎麼做。

這兩個人就像一對熊父女一樣。

看到他們，就讓人想到一隻躺在地上的公熊，小熊不斷爬上公熊肚子，又掉下來，還鑽到肚子下面又咬又扯的樣子……

莎耶對他的豁達感到相當不可思議。

土迦山地所有氏族的父女都是這樣相處的嗎？如果眞是這樣，那土迦的女兒們一定非常幸福。

生在墨爾法的人，父親就是最嚴厲的上司，孩子的工作全聽父親指示。一旦孩子犯錯，父親也會被嚴厲究責。

莎耶的父親麻盧吉長年擔任墨爾法首領，他的行動等於是墨爾法的規範。他是一位優秀的追蹤獵人，也是具有超凡技能的密探，不過這個男人看起來總是不開心。莎耶不記得曾看過他的笑容，她甚至無法想像自己牽著父親的手或坐在父親膝上的樣子。

為了彌補男人的冰冷，墨爾法的女人們相當疼愛孩子，雖然不至於過度溺愛，但不管哪家的孩子，女人們都會抱在膝上，笑著逗弄他們。可是，莎耶從沒看過墨爾法的父親讓孩子坐在膝上逗弄的樣子。

旅途中曾在大樹下過夜，莎耶看著將頭枕在凡恩大腿上睡著的悠娜，忍不住說：

「悠娜眞是幸福，能這樣無憂無慮地長大。」

凡恩沒有馬上回應，只是低頭看著悠娜的睡臉，沉默許久後，終於抬起頭來，臉上掛著曖昧的苦笑。

「要眞是這樣就好了，我從來沒養過女兒，不知道該怎麼做才好。」

他的苦笑背後似乎隱隱藏著寂寞。

沒養過女兒，意思是有過兒子囉？想到這裡，一個念頭在莎耶腦中浮現，讓她心裡一涼。

這個人是獨角的首領——親人已死的男人們所加入的戰士團之長。

莎耶避開了凡恩的視線。

（這個人……）

他兒子死了啊。

「啊，姨姨妳看！妳看那裡，有好漂釀的蝴蝶喔！」

悠娜突然大聲叫著，把莎耶從沉思中喚回。

通風用的岩窗邊眞的停了一隻漂亮的蝴蝶。

牠悠然拍動翅膀，宛如撥開蒸氣似的。午後的陽光將牠的翅膀照得閃閃發亮。

悠娜小小的腳奮力踩著熱水、接近岩窗。這時，悠娜一個不穩——

莎耶不假思索飛身向前，撐住悠娜的身體。

抱住悠娜的那瞬間，濕滑的地板讓她跌了一跤。爲了保護悠娜，莎耶身體一扭，整個人摔進熱水裡。

池中濺起很高的水花，有好一會兒，莎耶什麼也看不到。

幸好沒撞到頭，但左上臂很痛；原來是撞到浴池邊緣，稍微被割到了。

「呃……」

莎耶皺著臉。傷口並不嚴重，只是皮膚泡在熱水裡，讓流出的血顯得很醒目。

悠娜還被莎耶抱在懷中，在熱水裡轉了一圈，嚇到連聲音都發不出來。不過，擦了把臉、眨眼睛後，悠娜轉過頭，發現莎耶受傷流血，「啊！」地叫了一聲。

「姨姨！流血了！」

她圓滾滾的雙眼頓時盈滿淚水。

「……痛嗎？」

話還沒說完，悠娜就皺著臉哭了出來。

莎耶驚訝地摸摸她的頭。

「不哭不哭，姨姨沒事。」

但悠娜還是哭個不停。

「姨姨痛嗎？」

這孩子是擔心自己而哭。撲簌簌地流著眼淚，不斷哭著。

看到她哭泣的臉龐，莎耶心中湧現一股遠超乎意料的憐愛，緊緊抱住她。

「不要緊喔，謝謝。我不痛了，妳別哭。」

一邊緊抱著悠娜滑溜溫暖的身體，一邊輕輕搖著她，不知爲什麼，莎耶自己也有點想哭。

＊

到達岩屋第四天，「靈主」蘇厄盧終於回來了。

凡恩他們出來迎接時，蘇厄盧驚訝地張大眼睛。

「……你、你竟然！」

比起上次見面的時候，蘇厄盧又瘦了一圈。他的臉色很糟，好像生病了，臉上的皺紋也增加了，越來越沒有活力。

渡鴉好像不在他身邊。

來得好、來得好。蘇厄盧很高興能再見到凡恩，自言自語似的低喃著。

「原來眞有這種事，只要認眞祈求，心願眞的會實現呢。」

凡恩好奇地揚起眉。蘇厄盧苦笑著，並沒有把話說完，只是緩慢地搖搖頭。

「眞抱歉啊，我現在累到眼花了，先讓我休息一下吧。待會兒我們再好好聊。」

除了凡恩等人，岩屋裡並沒有其他住宿的人。晚餐時間，凡恩他們到廚房去，跟住在岩屋工作的人一起用餐。

他心想，這樣就不必特地把餐具和料理搬到房間去，而且在這裡還能聽到許多不同的話題，也挺有趣的。

燉煮食物的香氣跟蒸氣瀰漫整間廚房。

「季節變換的時候，很多人身體都會變差。沒多久以前，蜂擁而至的病人全都住在這裡呢；但現在就像乍然停止的風一樣，變得好安靜。」

阿西諾彌說著，邊把燉馴鹿肉和春天採的山洋蔥所煮的大鍋料理裝進每個人碗中。這時，門口有個身影閃過。一回頭，蘇厄盧站在那裡。

「……好香啊。」

他一邊用粗啞的聲音說著，一邊走進廚房，在爐邊坐下後，大聲嘆了口氣。

「啊呀呀。」

聲音裡似乎卡著痰，大概是才睡醒吧，臉還有些水腫。

莎耶站起來，把從水甕舀出來的水遞給他。蘇厄盧笑著咕嚕咕嚕喝完冷水，然後「呼」地一聲擦擦嘴角。

「啊啊，終於恢復正常了。」

阿西諾彌將裝有燉菜的碗交給他，蘇厄盧瞇著眼，聞著燉菜的香味。

「就是這個味道，剛好想吃呢。」

他微笑著用湯匙舀起山洋蔥。

「加了這個，味道就更香了。爲什麼移住民就是不吃呢？」

聽蘇厄盧這麼一說，凡恩想起，季耶好像也不會在燉菜裡使用蔥之類的食材，他看著蘇厄盧。

「您到移住民的聚落去了嗎？」

這時，蘇厄盧的表情蒙上暗影。

「嗯，最近我去看了幾個移住民的聚落。」

蘇厄盧說完這句話，便無言地喝起燉菜湯。他將酸味很重的黑麥麪浸到燉菜裡，跟肉一起大口大口嚼了起來。

大家也都莫名沉默了下來，吃著這碗混合著馴鹿的甘甜油脂和微辣山洋蔥香味的溫熱燉菜。

「……您看起來好像很累。」

聽到凡恩的聲音，蘇厄盧微微將目光從碗裡往上移，但又馬上將視線拉了回去。

「是啊。最近一直很累，因爲烏鴉那老太婆已經先去黃泉了。」

雖然凡恩早有預感，但眞的從蘇厄盧口中聽到時，心裡還是不免一陣哀傷。

蘇厄盧低著頭，努努嘴。

「牠陪在我身邊已經十年了，再抱怨的話，會遭天譴的。」

蘇厄盧開始一點一點說起跟渡鴉婆婆共度的日子。

那隻渡鴉還是小鳥時，從巢中掉了下來，被蘇厄盧的妻子撿回來，後來他們將牠取名爲「嘎公」。

嘎公從小就有很敏銳的直覺。大概是因爲夫妻倆把牠當成自己的孩子一樣養育吧，所以彼此的靈魂產生了很深的連結，不知不覺中，兩人開始能聽到牠靈魂的聲音。甚至有時候自己的靈魂還會被吸走，跟著牠到處飛翔。

妻子病逝時，嘎公一直陪在蘇厄盧身邊，就像人一樣感到哀傷。妻子死後，嘎公就像化身爲妻子般，偶爾還會開蘇厄盧的玩笑，從旁協助他。後來，他開始把嘎公喚爲「烏鴉老太婆」，覺得自己的妻子好像眞的跟在身邊……

「嘎公用牠的方式遵守了老太婆最後的遺言。老太婆很擔心我，畢竟我是個無可救藥的男人。」

蘇厄盧臉上露出寂寞的笑容。

「那傢伙是隻了不起的烏鴉，但要載著人的靈魂眞的很吃力。平常的烏鴉可以活二十年，牠只活了十年就走了。」

蘇厄盧發出長嘆，抬起頭來，想擺脫這陰沉的氣氛似的，用力拍了一下膝頭。

「不過，這就是嘎公的一生。現在牠在黃泉底下，應該正被老太婆抱在懷裡，一邊拿我的事當聊天話題，一邊大笑吧。」

阿西諾彌也輕輕點著頭，彷彿在說「一定是這樣」。

吃完晚飯，原本轉著碗在玩的悠娜，開始在凡恩膝上發出平穩的呼吸聲睡著了。蘇厄盧看了阿西諾彌一眼，阿西諾彌微微挑眉，說：

「好，那我先去入浴了，餐具請放著吧，待會兒我來整裡。」

說著，她跟其他人一邊聊著天，一邊離開了廚房。

## 三　反轉的狼

阿西諾彌等人離開後，廚房一下子變得空曠許多。
蘇厄盧看著凡恩和莎耶，露出曖昧一笑，靜靜地說：
「……要把人趕出去，還眞是不自在呢。」
凡恩不覺微微露出苦笑——眞像這個人會說的話。
蘇厄盧咳了兩聲，看著悠娜。
「聽說是納卡擄走這孩子的，眞的嗎？」
「對。他說是受人之命，無法拒絕。」
「受人之命？誰？」
凡恩看著蘇厄盧。
「因爲裡面牽扯了很多複雜的關係，如果我告訴您，很可能會爲您帶來麻煩。但假如只讓您一個人知道，大概不會有什麼問題。」
蘇厄盧動了動半邊臉。
「既然這樣，我就不勉強你說；但如果不是爲了交代這件事的經過，你究竟是爲了什麼特地來訪？你能來這一趟，讓我看到你平安無事，我眞的很高興。不過你特地等了我四天，除此之外，應該還有其他事要問我吧？」
也不是。凡恩說。
「只是當時我們話說到一半，還沒問清楚您爲什麼找我來，就匆匆離開了。」

蘇厄盧半張著嘴，難為情地笑了。

「啊，沒錯。說得也對……有事找你的其實是我呢。」

蘇厄盧搔著頭。

「好吧，當時我們說到哪了？」

「我記得說到狂犬病的事時，有個年輕人放在門板上被帶過來……」

凡恩說道。

「有這麼回事嗎？」

蘇厄盧淡淡苦笑著。

「上了年紀的人還眞是悲哀，白天只要睡過午覺，就會一直昏昏沉沉的。」

他先是甩了甩頭，再點了兩下。

「我想起來了。那時候知道你被半仔咬傷後，我心想，果然是這樣啊。如果眞是這樣，那一切就說得通了。你跟半仔之間要是沒有某種連繫，是不會發生那種事的。」

蘇厄盧緩緩搖著頭。

「不過，那還眞是奇妙的景象。人和狗，所有人都反轉，一起奔跑著。」

「……什麼？」凡恩很是訝異。

蘇厄盧將手掌心翻了過來，繼續說道：

「那天夜裡，在雪原上奔跑的你們，大家全都反轉了。對於半仔們來說，那或許也不是一般的狀態。」

凡恩圓睜著眼——這一點他從來沒想過。

他還以為晉瑪之犬一直都是那樣。難道牠們也會因為某種原因進入那種狀態嗎？

（如果是這樣……）

那個原因到底是什麼？

蘇厄盧開口：

「我呢，在你們離開後，看見了那奇妙的景象，本來以爲是一場夢，現在想想，那應該是半仔牠們吧。」

蘇厄盧的視線飄在半空中。

「那天我非常累，天還沒黑就睡著了。當我累到這種地步時，靈魂有時會滑入幽冥之境。而烏鴉老太婆怕我的靈魂跑到奇怪的地方，所以吸走我的魂魄，在夜晚的森林裡飛著……」

廚房裡響起熱水咕嚕咕嚕沸騰的聲音。

「我突然往下一看，看見許多光索在流動。那是一群正在奔跑的狗。

「狼和狗都是動物，會發出生命之光是理所當然的，不過那些狗的身體就好像有夜光蟲在身邊飛舞盤旋似的，發出令人目眩的光芒。總之，那情景相當不尋常。

「除此之外，這些狗奔跑的方式很奇怪，本來是筆直向前跑，突然又改變方向，穿過樹林、跳過草叢，然後又換了方向，就像在追捕獵物一樣。但牠們前面並沒有獵物啊。」

說到這裡，蘇厄盧停了下來，盯著凡恩。

「牠們眼前有的不是獵物，而是引導者——你認爲那是什麼？」

凡恩皺起眉：

「是個男人嗎？」

蘇厄盧搖搖頭。

「不是人。」

他眼中微微發著光。

「你聽了別吃驚，在牠們前方引導的，是一匹狼。」

凡恩眨了眨眼。

「牠們是在追趕離群侵入自己地盤的狼嗎？」

蘇厄盧擺擺手，不是不是。

「我剛剛說了，那匹狼在引導這些狗。那是一匹毛髮相當漂亮的狼，散發出異樣光芒，就像拉著線一樣，拖著這群狗往前跑。」

「是黑狼嗎？」

「可能是吧。關於牠的樣子，我能記得的只有那身漂亮的毛。」

蘇厄盧用發亮的雙眼盯著凡恩。

「然後，那匹狼也反轉了。」

蘇厄盧閉口，廚房裡一片安靜。

凡恩看著蘇厄盧。

「沒有人操縱那匹狼嗎？」

蘇厄盧發出短短低吟。

「可能有吧。但是那趟飛行很短，我看到狼在引領那群狗，覺得很驚訝，所以馬上就睜開了眼睛，到底如何我也不清楚。」

凡恩低下頭，直盯著爐火。

無數條線交織成結，但這些線彼此之間有什麼關係，完全看不清楚。凡恩總覺得，如果不能好好拆解的話，很可能會產生嚴重的誤解。

再說，所謂的「反轉」到底是什麼狀況？反轉跟行動受到操控又有什麼樣的關係？

「上一次……」

凡恩撫著下巴。

「您跟我說過，『反轉』就是『靈魂的我』和『身體的我』翻轉；平常是靈魂的自己在控制身體，但是翻轉後，心就會由身體來控制。」

「沒錯。」

凡恩盯著爐火，接著說：

「歐塔瓦爾的貴族也跟我說過類似的話。他說進入我身體裡的黑狼熱病素，因爲希望能繼續活命、不斷增加，可能占據了我的腦袋，好控制我的身體。」

「沒錯。」

蘇厄盧的眼睛乍然一亮。

「……」

「我就是想告訴你這件事，才把你叫來這裡的。」

蘇厄盧直視著凡恩。

「你的身體也是，那孩子的身體也是，還有那些狗的身體都是，都存在著『病的生魂』。

「每個人的體內或多或少都存在著『病的生魂』，但你們身體裡的那些傢伙可不尋常。畢竟它們能成功反轉呢。它們足以抑制你們的靈魂、驅動身體，具有超乎尋常的力量。」

凡恩緊皺著眉頭。

那股衝動，想要啃咬的那股衝動，確實是這些傢伙的衝動嗎？

（但是……）

當他心裡又浮現某個念頭時，蘇厄盧咳了幾聲，說：

「我請你來，是希望你能幫我。」

凡恩挑起眉。

「幫你？」

蘇厄盧認眞地看著凡恩。

「對。我在想，難道眞的沒辦法做些什麼來治療這種病嗎？」

蘇厄盧的臉色有些鐵青。

「老實說，我很怕它。

「『病的生魂』會帶來很多變化。我曾兩度看過染上狂犬病的狗和人反轉。可是，得了狂犬病的人都無法得救，所有生病的人都會死。」

蘇厄盧摸摸臉頰。

「但黑狼熱又不同。雖然很像，但不一樣。你也是，那些牛仔也是，雖然『病的生魂』就這樣住在身體裡，像平常那樣過日子，卻會在某個時候突然反轉。人跟狗一起反轉，這很不尋常。非常奇怪。」

蘇厄盧深深嘆了口氣。

「畢竟是曾經滅了一個國家的病，性質可能跟一般的病不太一樣吧。」

蘇厄盧用變得灰暗的目光看著凡恩。

「當我們聽說岩礦發生黑狼熱的時候，並不怎麼在意。因爲我們覺得自己並不會染上那種病；不過，現在這裡也有移住民。

「有些傢伙說那是什麼『阿卡法的詛咒』，看到移住民被咬傷還很高興。開什麼玩笑！人的生命是無可取代的，不管是移住民還是任何人，只要生病，都會感到痛苦，我都會想出手救他們。但我們過去從來沒生過那種病，我並不知道治療的方法。」

蘇厄盧低下頭。

「自從發生了岩礦事件，移住民的聚落就偶爾會遭受牜仔的襲擊。

「不久前，在密格拉森林南側的某個移住民聚落裡，有個去撿柴的男孩被牜仔咬了。當時他的父母親知道我剛好在附近的聚落，所以來請我去；我雖然趕了過去，但已經太遲了。」

蘇厄盧慢慢用手撫著臉，呻吟般說著。

「那孩子我很熟。雖然是個愛惡作劇的淘氣孩子，但相當可愛。他父母親是從南方來的，每天辛勤耕作，還把穀物便宜賣給養馴鹿的人。大家都很喜歡這戶善良的人家……眞的很可憐，我很想替他們做些什麼。」

說到這裡，蘇厄盧將臉埋在手裡，沉默了一會兒，然後長嘆一口氣，抬起頭，用泛紅的雙眼看著凡恩。

「那天夜裡我看到你反轉的時候，突然想到：既然反轉了，就表示你能看見身體的內側。說不定你看得見『病的生魂』是什麼模樣。」

看到凡恩皺起眉，蘇厄盧慌張地解釋：

「當然，所謂看清楚它的長相，只是一種比喻。」

「我知道。不過……」

「不管再小的事都無所謂。反轉的時候你感覺到什麼？這些或許可以成爲我們面對疾病的線索，我希望你能告訴我。」

凡恩低頭看著自己的手臂。

為了了解疾病的真面目，尋找殺死疾病的方法，赫薩爾從自己的血管裡採了一些血；現在，蘇厄盧也向自己提出一樣的要求。

（我看到了病的模樣嗎？）

反轉的時候，嗅覺變得很敏銳，眼前的世界也乍然一變，可是他並沒有看見疾病的樣子。不過，他會產生跟飛鹿和半仔相當接近的感覺。

（赫薩爾說過，飛鹿的身上也藏有黑蜱蟎的病素。）

因為吃了阿蓙彌，所以擁有抑制黑蜱蟎的病素……這麼說來，飛鹿體內應該也住著很多微小的生物。

自己從小喝飛鹿奶長大的身體裡，還有晉瑪之犬的身體裡，都存在著類似的微小生物。這些互相糾結或共生的某樣東西，或許正影響了「反轉」時的感覺。

但是他覺得反轉的時候，這所有的一切都是「自己」——一個慢慢匯聚成形的自己。

凡恩一邊思考，一邊緩緩開口。

「反轉時我看到的，應該跟渡鴉婆婆載著你時所看到的光景是一樣的。雖然你說『看見疾病的長相』，但我眼裡只看到光的顆粒。」

蘇厄盧頹然垂下肩膀。

「是嗎……」

凡恩悄悄看了莎耶一眼。莎耶也正凝視著他。

蘇厄盧很擔心北方移住民，不過現在「犬王」已經死了，應該不會再發生人為操控那些狗侵襲移住民的事件了。

（該不該告訴他，已經不需要擔心這件事了呢？）

既然沒有操縱者，那些狗應該不會特意挑選移住民來攻擊。

正想到這裡，剛剛浮現在腦海的念頭又重新回到心中。

「……對了，反轉的時候，」

凡恩瞇起眼說。

「我會莫名很想咬身邊的東西，我想那應該是黑狼熱『病的生魂』驅使我這麼做的……不過實際上，我還沒有用這具身體的牙齒去咬過。」

蘇厄盧睜大眼睛，咦？

「我想，就算反轉，我的靈魂應該也沒有消失吧！」

蘇厄盧蹙眉低吟：

「但半仔牠們會咬——畢竟是狗啊。」

凡恩瞇著眼，低著頭。

（……不對。）

反轉的時候，那些狗就是他自己。情感和衝動都像在同一條線上，彼此連結，所以凡恩很清楚。儘管有想咬東西的衝動，但那些狗並沒有盲目被這股衝動驅使。

（會咬是因為……）

腦中靈光一閃，凡恩突然抬起眼。

「並不是因為牠們是狗，而是因為還有另一種衝動。」

「另一種衝動？」

凡恩點點頭。

「反轉的時候，確實會被『病的生魂』的衝動所控制。但儘管如此，我的靈魂並沒有完全消失。它跟『病的生魂』互相抵抗，就像有兩隻蜘蛛同時在一條蛛絲上打架，讓絲線產生晃動一樣，保持著危險的平衡。」

凡恩將右手和左手放在胸前交叉。

「就像這樣，好不容易保持住危險的平衡時，從旁又有一股力量……」

凡恩的膝蓋往上頂，讓兩手分離。他看著蘇厄盧。

「均衡就此崩潰。」

蘇厄盧皺著眉。

「很難理解嗎？」

凡恩問。

蘇厄盧沉吟著：

「不好意思，不是很能理解呢。」

凡恩再試著用其他方法比喻：

「比如說……對了，假設有一隻訓練得很好的小狗，主人命令牠『等一等』，之後才能吃飼料，那麼小狗應該會乖乖地等吧——就算全身發抖、不斷滴著口水，也會繼續等。雖然是小狗，牠還是有辦法克制身體的衝動；但是當牠聽到主人說『好了！』的那瞬間，這種克制就會鬆懈。」

蘇厄盧睜大雙眼。

「也就是說，想啃咬的衝動和不能咬的衝動互相撞擊，維持著危險的均衡，但這時候有人從旁下令牠們張口去咬，是嗎？」

凡恩點點頭。

「對……該怎麼說呢，反轉的時候很難違抗命令，身體會不由自主地行動。」

蘇厄盧沉吟著：

「因爲你的靈魂將所有精力都用來抵抗『病的生魂』，這時候如果旁邊有另一股力量，很可能就會讓你受影響。」

凡恩也認爲很可能是這樣。當他接收到肯諾伊的命令而無法抵抗時，或許是因爲身體的衝動和肯諾伊的命令是朝著同一個方向吧。

「但如果是這樣……」

蘇厄盧表情僵硬地看著凡恩。

「就表示有人下令牠們攻擊。那麼，那個人是誰呢？」

凡恩沒有回答，只盯著蘇厄盧。蘇厄盧察覺凡恩眼中的深意，輕輕抬起眉。

「原來如此，這就是你剛剛說的『複雜的關係』。」

凡恩既不肯定，也不否定，只是平靜地對蘇厄盧說：

「……總之，您不需要擔心，這種病應該會漸漸平息。」

蘇厄盧表情苦澀。

「你怎麼敢斷定呢？」

凡恩凝視著蘇厄盧說道：

「因爲操縱者已經死了。」

蘇厄盧眨眨眼。

「死了？」

「對。」

皺起眉的蘇厄盧凝視著凡恩。

「那傢伙是什麼時候死的？」

凡恩看了莎耶一眼。莎耶開口回答：

「已經快半個月了。」

蘇厄盧的表情僵硬。

「這不可能。」

「什麼？」

蘇厄盧的聲音有些顫抖：

「因爲剛剛所說那個密格拉森林的移住民孩子遭到襲擊，不過是十天前的事啊！」

# 四 親人

從遠處已能清楚看到祈宮的尖塔，越是走近，就越顯得耀眼燦爛。
即使是納入東乎瑠領地的現在，卡山依然是繁榮的商業都市。
在這座祈宮裡，除了阿卡法和東乎瑠的神明，也祭祀著四方來此造訪的人民所信奉的諸神。
通往卡山的奧克哈幹道沿著水路而建，水路是從悠然流過草原的馬哈魯大河接引到城裡的。旅人們只要來到這條幹道，就不用擔心接下來的旅途沒水可用。

「歐踚，那是什麼？」
悠娜將手放在曉的鹿角上，身子往前探，大聲發問。曉抖了抖耳朵，一副嫌吵的樣子。看到悠娜手指的方向，凡恩平靜地回答：
「那是旗子。」
包圍著卡山市街的城牆上掛著五顏六色的旗幟，正迎著春風翻飛飄揚。
「紅色是舊阿卡法王國的旗子、藍色是東乎瑠的旗子。那邊黃色和綠色的是更南邊的伊吉里亞王國的旗子，來到卡山的商人們，都會在這裡掛上故鄉的旗子，好讓來到此地的旅人能看到『啊，那是我們的旗子』。」
「嗯～」
悠娜哼了一聲。也不知道她到底懂還是不懂，只聽她煞有介事地說：
「原來如此。就是在向大家揮手說『過來吧，過來吧』。」

騎著馬走在凡恩身邊的莎耶，與他相視而笑。

他們帶著沉重的不安，終於來到此地。不過，聽到初見卡山的悠娜天眞無邪的興奮聲音，心情總算稍微開朗了些。

背後響起巨大車輪的聲音。

「喂！快閃開！」

他們閃避到路旁，看到一輛堆滿大袋子的馬車通過。少年站在車斗邊緣，奮力用自己的身體壓住堆在上頭的貨物，不過每當車輪輾過路面上的小石頭，車上的貨物還是會晃得很厲害。

悠娜說的或許沒錯，許多旅人就在這些旗幟的召喚下，騎著馬或馴鹿朝著卡山前進，使得這條幹道永遠車水馬龍。

拜「玉眼來訪」所配合舉辦的各式活動之賜，許多來自阿卡法各地的人也都聚集在此。

「聽說歐基人的帳篷在北邊城牆附近。」

凡恩輕聲說著。

莎耶指指城牆：

「我想應該在後面那邊。我們再往前走一段，離開幹道穿過草原吧。」

好像起了一陣風。空中低掛著雲朵，在草原落下大大的影子。

＊

從「靈主」蘇厄盧口中聽說移住民聚落依然不停遭受襲擊後，首先浮現在凡恩腦中的憂慮，就是和火馬之民無關的山犬們是不是正在擴散這種病。

但蘇厄盧卻說那不是山犬。

「那絕對是獵犬沒錯，是跟黑狼混種生下的半仔。」

聽到他這麼說，凡恩心裡又冒出一個令人戰慄的念頭。

「死人的靈魂有可能轉移到那些狗身上嗎？」

這時，蘇厄盧緊繃著臉。

「也不是不可能……但儘管如此，他也不可能操控半仔。」

凡恩驚訝地問：

「為什麼？他活著的時侯，可是和犬群靈魂相依、操縱牠們的人呢……」

蘇厄盧搖搖頭打斷他：

「儘管如此，他死了之後，也不可能像活著的時候一樣操控。」

你聽好了。蘇厄盧一字一句，仔細咀嚼般說出下面這番話。

「所謂的『自己』，必須先有這個軀體，才能形成自己。當然有些亡靈在這世間留下了遺憾，但這種時候，他們還是會以自己的模樣現身吧？」

凡恩沒親眼看過，無法隨口附和；但仔細想想，確實經常聽說懷恨而死的人會以在世的姿態現身。

「但是……也聽說有人會化身為蝴蝶回來的？」

蘇厄盧苦笑著。

「你是說，還沒跟心愛男人在一起就死掉的女孩，又回到人世的故事嗎？」

「是啊。」

說著，凡恩自己也苦笑了起來，畢竟只是個傳說故事。

「但您也能讓烏鴉載著您，不是嗎？」

蘇厄盧豎起一根手指。

「沒錯。我能坐在烏鴉背上，所以我才知道要讓其他生物載著自己並不是輕鬆的事，那就像是靈魂的互相競逐。你應該很懂吧？」

凡恩確實很了解。

接近晉瑪之犬、與牠們一起奔馳時，會覺得地面變得很低，連草看起來也不一樣了，那或許就是狗眼中的世界吧。

而且這時候無法說話，是一種身為人的自己縮小到極限的感覺。

虛無遠離，感覺平靜，但心裡還是殘留著一股讓肚子忍不住繃緊的異樣恐懼。

（那是……）

或許是對於身為人的自己逐漸消失的恐懼吧。

「坐在烏鴉背上時，我還能是我，這是因為我還活著，還有能回來的身體。但是死了之後，如果還坐在嘎公身上，我一定會輸給嘎公，變成烏鴉吧。」

說著，蘇厄盧突然壓低了聲音。

「偶爾我也會想，老太婆的靈魂會不會真的附在嘎公身上？畢竟他們的姿勢那麼像，連講話方式都一模一樣。」

蘇厄盧又苦笑著搖搖頭。

「不是這樣的。我是可以坐在嘎公身上，但一上去我就明白了。我不知道該怎麼用言語形容，不過那個靈魂千眞萬確是嘎公自己的靈魂。

「老太婆赴黃泉之前，在嘎公身上留下的影子或許還在。儘管如此……該怎麼說呢，就像狗會跟主人漸漸變得相似一樣，但牠的靈魂還是嘎公自己。」

蘇厄盧依然掛著苦笑。

「有沒有身體影響確實很大。光靠靈魂，是無法長久維持住外形的。要是眞能如此，那這個世界上早就到處都是亡靈了。」

蘇厄盧摸著自己的手臂，看著凡恩，靜靜開口：

「那個操縱半仔的傢伙死後，或許曾坐在那些狗身上，現在可能也還在那些狗群中。但是就算他這麼做，他的靈魂一定也已經跟狗的靈魂交融在一起。

「身體是連接靈魂和這個世界的一大橋梁，沒有了身體，跟這個世界的連結就會漸漸消失。相較之下，狗還活著，牠比死人還強呢。也許剛開始還能留下跟狗同步的意念，但變成狗之後，一天、兩天過去，身爲人的時候的意志，將會漸漸消融。」

蘇厄盧雙手朝著天空張開，比畫了一個人的姿態。

「我以前跟你說過，人就像一座森林對吧？有許多小小的生命住在一個身體裡，形成了我們的身體。不過，我還是我，你還是你。正因爲有了身體，我們才能把自己當成自己，才能成爲一個完整的自己。」

原來如此，親身體驗過後，凡恩非常能理解他這番話。

（這麼說，肯諾伊他……）

現在已經無法操控晉瑪之犬了。

他是一個懷抱著強烈執念的男人，死後說不定還能保留他堅定的意念。儘管如此，還是很難像活著的時候那樣操控犬群。

假如不是肯諾伊的靈魂在操控，那麼剩下的可能性有兩個。

一個是他死了之後，那些被放逐到原野的半仔們跑到歐基地方；另一個是歐基地方原本就有身上帶病的半仔。

告別岩屋，回奧馬家的夜路上，凡恩說出了自己的推測。

莎耶皺起眉：

「或許有這個可能吧，不過，如果專挑移住民的聚落襲擊，就表示可能有人在背後操控。」

凡恩點點頭，莎耶顯得面色凝重。

「可是，究竟是誰？只有你跟肯諾伊能夠操縱晉瑪之犬，所以肯諾伊才對你那麼執著，不是嗎？」

凡恩漫不經心地看著夜路，低聲回答：

「說不定也有無人帶領的群體。我覺得傲梵可能打算使出『落劍』之策。」

「『落劍』？」

凡恩從腰間拔出短劍，亮在莎耶面前。

「如果我在身上只帶著這傢伙的狀況下遇見了敵人。首先，我會在敵人面前使出一套高明的劍法。」

凡恩咻咻揮著短劍。

「然後突然讓它落地。」

「……啊。」

莎耶點點頭。因為她也曾經從父親身上學過一樣的技巧。

當自己的注意力集中在對方手中的短劍、而對方的短劍落地時，一定會暗自慶幸、不自覺鬆懈了警戒。這個瞬間就是最可怕的破綻。

莎耶緊皺著眉，看著凡恩。

「你的意思是，肯諾伊和傲梵從一開始就打算用這一招？」

「也不是不可能。畢竟肯諾伊已經病了，再活也沒多久。」

凡恩看著莎耶說道。

「『犬王』是他們計策中的關鍵。如果無人能引導晉瑪之犬，這計畫就無法實現，實在是相當脆弱。

「要是我聽他們的話也就罷了，但要我這個屬於其他部族的男人完全順服他們的想法才有可能成立的計策，實在太過危險。要是我，就不會把整個部族的命運全都賭在這個計畫上。」

莎耶面色凝重地一邊思考，一邊聽凡恩說明。

「也就是說，我可能只是一個引開你們目光的小丑。」

「你的意思是……」

緊皺著眉的莎耶偏著頭，輕聲說：

「我覺得這不太可能。當然，我們並不是萬能的，可是我們在各地都有許多密探在互相連絡，網絡很緊密。我不認為一個懂得操控晉瑪之犬的人，能完全逃過我們布下的耳目。」

凡恩的視線回到路上，平靜地說：

「或許吧——但所謂的破綻，往往發生在我們覺得不可能的地方。」

莎耶抬頭看著正在思考的凡恩。

春天的夜裡，樹隙間隱隱可見朦朧的月亮。微光照射下，凡恩那張稜角分明的臉龐，不禁讓人聯想到他身為「獨角」首領時的模樣。

聽到蘇厄盧那番話，凡恩胸中首先出現的是恐懼。

肯諾伊的死訊或許讓阿卡法王和歐塔瓦爾的貴族們覺得安心，因而鬆懈了對黑狼熱的警戒。他有預感，就算侵襲移住民聚落的是已經野化的山犬，也得盡快通知他們，否則將會造成無可挽回的後果。

（還沒結束。藏在背後的主使者，接下來才會現身。）

「玉眼來訪」的時間漸漸逼近。如果傲梵他們一息尚存，就不可能放過這個機會。得到卡山去見赫薩爾才行。

但是在這之前，他想先回一趟歐基，好讓奧馬他們放心，同時也把悠娜托給他們照顧。然而，終於回到奧馬等人越冬的牧地時，等著凡恩他們的，卻是意料之外的消息。

離開帳篷，奧馬看著凡恩和悠娜，忍不住顫抖。看到他眼中浮現的淚水，凡恩覺得胸口緊緊一揪。

「讓您擔心了，眞是非常抱歉。」

他嘶啞地說著，執起奧馬的手。奧馬流著淚，搖搖頭。

「你們平安無事就好。」

奧馬好不容易才擠出這句話。

剛看到聚落時，悠娜相當興奮，但看到奧馬流淚的樣子，似乎讓她很困惑，在凡恩的懷裡不知所措地看著奧馬。

尤稽一家從隔壁帳篷走出來，卻沒看到多馬、季耶，還有曼椏婆婆。

「大家過得都還好嗎？」

凡恩問，心裡懷抱著一絲不安。奧馬的表情一變。

「老太婆她……」

這個冬天染上感冒，走了。聽到這句話，凡恩閉上眼。

眼前彷彿見到那張滿臉皺紋，卻總是掛著笑容的臉。她將悠娜抱在膝上時，唱的那首走調的歌，也從耳朵深處傳了出來。

「她活得夠久了。」

奧馬一邊流淚，一邊微笑著說。

「現在她應該在常春之地，在先去的那些人環繞下，唱著自己喜歡的歌吧。」

凡恩點點頭，抬起眼。

「……多馬和季耶呢？」

他啞著聲問。

「啊，他們到卡山去了。」奧馬說。

凡恩驚訝地反問：

「到卡山？這個時期？」

「對。跟季耶她娘家的人一起去展示飛鹿了。」

奧馬說，爲了配合「玉眼來訪」，有一場由移住民們展示當地成果的活動。

隘口雪融時，官員們來到附近，將此事告知培育飛鹿有成的移住民。

「聽說要開什麼博覽會。在『玉眼』面前表演騎飛鹿賽跑，表現出色的人還能拿到賞金，多馬他興致勃勃地騎了野丫頭去。

「季耶娘家的那些年輕人也去了，所以我要季耶跟著一起去。這種機會很少有，難得去一趟，不如去街上買些衣服什麼的。」

原來如此，東乎瑠的移住民駕馭只在當地生長的飛鹿，正好能成爲邊境管理有成的最佳象徵。

除此之外，還有馴鹿競技、賽馬等匯集了各地特色的活動。

「我眞想去看看，」

尤稽在一旁說道。

「但是又得照顧其他飛鹿。」

聽完後，凡恩心裡驀然湧起一股不安。

進入聚落前，莎耶小聲地說「待會兒再跟你會合」，便消失在森林中。現在，莎耶如果也在身邊，眼裡應該也會浮現跟自己同樣不安的陰影吧。

（「玉眼來訪」……）

他知道今年春天會有「玉眼來訪」，但沒想到會聚集來自阿卡法各地的移住民舉辦活動。東乎瑠的移住民徹底融入阿卡法這塊土地，過著健全的生活。這種盛大活動對火馬之民來說，應該是難以忍受的景象。

（多馬……）

凡恩開始擔心多馬和季耶。

得早點到卡山去、想出對策才行，但麻煩的是悠娜。如果可以，他很想把悠娜托在這裡，但現在季耶不在，人手本來就不夠，他不能拜託忙碌的奧馬照顧悠娜。

一想到接下來可能發生的混亂場面，凡恩很猶豫該不該帶悠娜上路。不過，季耶也在卡山。悠娜現在很會說話，也開始懂事了；雖然還是一樣淘氣，但是她開始懂得體貼，也願意乖乖聽話。帶她上路應該沒問題吧！凡恩也只能這樣告訴自己。

跨上曉的背在森林裡前進，悠娜小小而溫暖的背就靠在凡恩的腹部，他突然覺得自己跟這孩子之間的緣分眞是不可思議。

在那放眼望去都是死屍、一片蕭瑟的風景中遇見的溫暖生命；對自己來說，早就是無可取代的重要生命……

凡恩忍不住伸手摸摸悠娜光滑的頭髮。悠娜嚇了一跳，轉過頭來，開心地笑了。

＊

一接近城牆，曉突然抬起下巴，張大鼻孔。

喉嚨還發出短促的「呼！呼！」聲。

「……曉，怎麼了？生氣了嗎？」

悠娜嚇了一跳，不安地扭動身體，抬頭看著凡恩，凡恩對她微笑。

「應該是聞到了夥伴的氣味吧。」

城牆另一端響起尖銳的叫聲，那是表明地盤的尖叫，曉也拉長喉嚨，「啾啾」地回應。

「牠在說什麼？」

「我也不知道。大概是在說，我會過去，你們不要吵吧。」

飛鹿接近不屬於自己的群體時，會發出這種聲音。儘管彼此帶著警戒心面對面，但只要不是繁殖期，並不會出現抵著角吵架的狀況。

轉過城牆角落，眼前出現的風景讓悠娜「呀！」地發出驚嘆。凡恩也忍不住低喃著：

「……眞是驚人。」

草地上撐起許多座帳篷，隨意打上木樁、拉起繩子的牧場上，放養著馴鹿和馬群。另外雖然爲數不多，但也有飛鹿。

草地上到處都拴著狗，只要一接近，牠們就會撲上前、扯緊繩子激烈吼叫。儘管在狗身邊負責看守的少年壓住牠們，喊著「喂！安靜！」狗還是叫個不停。

風一吹，就會飄來馬和馴鹿的味道，其中也混著一些食物的味道。

這個營地的規模遠比想像中要大，凡恩正在煩惱不知該怎麼找到多馬他們，曉的身體突然一抖。

凡恩轉向飄來令人懷念氣味的方向，看到一個騎著飛鹿的年輕人，正繞過馴鹿放牧場的邊緣奔來。

「啊，哥哥！哥哥！」

悠娜伸長了身子大叫。

多馬一邊揮手，一邊跑過來。他騎乘飛鹿的姿態相當有模有樣，野丫頭也已經長成健壯的飛鹿，穩穩地載著多馬跑來。

「凡恩！悠娜！」

多馬跑了過來，大聲叫著。他滿臉漲紅、嘴唇顫抖。

野丫頭和曉一見到彼此，先是低下頭，然後用力伸長脖子，張大鼻孔，嗅著彼此的氣味，短促地「呼呼」吐氣。

凡恩打著舌，發出「嘖嘖」聲，這兩頭飛鹿才稍微放鬆了緊張的態度，搖搖頭，又回到原本的姿勢。

「你現在騎得很好呢。」

聽到凡恩這麼說，多馬的臉竟然皺成一團。看到多馬那張強忍著淚水的臉，凡恩也覺得鼻腔深處熱熱的。

「對不起，讓你擔心了。」

多馬搖搖頭，深深吸了一口氣，然後看著悠娜微笑。

「……你們都平安無事呢。」

許久未見，再加上看到多馬那張泫然欲泣的臉對著自己微笑，悠娜先是看看多馬，又歪著頭看著凡恩，然後再看看多馬。

「詳細經過待會兒再慢慢說，我現在有點急事得到鎮上去，想把悠娜托給季耶照顧。」

聽到凡恩的話，多馬點點頭。

「媽一定會很高興的，她一直很想念你們呢。」

凡恩正要跟著多馬往前走，往身後一看，莎耶果然已經不在了。雖然有點擔心，但凡恩還是馬上轉身向前，追在多馬後頭。等到了鎮上，莎耶應該就會回來了吧。

多馬他們的帳篷就在城牆邊。

凡恩一走近，正在牧場上照顧飛鹿的年輕人們紛紛回過頭來。

大家先是驚訝地睜大雙眼，彷彿凍結般全部停止不動，接著很快回過神，匆忙地奔過來。

「未野、智陀、茂來！」

聽到凡恩的叫喚，年輕人們都快哭出來了。

「凡恩……」

說出「凡恩」二字後，大家再也說不出話來，只是沉默地望著他。

季耶聽到外面的騷動，掀開帳篷布門走了出來。

一看見凡恩和悠娜，季耶立刻睜開她細長的眼睛。

她瘦了很多。原本臉上總是掛著溫婉柔和的笑容，但現在臉頰都凹進去了，跟以前很不一樣。

季耶雖然動著嘴唇，卻發不出聲音。當凡恩看到那張臉上終於浮現激動喜悅的表情時，覺得胸口好像被什麼東西狠狠挖掉一塊。

這些人是親人……他們已經是自己的親人了。

炙熱的感受滿溢胸口。凡恩雙手顫抖著從曉身上下來，再把悠娜抱下來，向季耶深深低下頭。喉嚨哽咽，再也發不出聲音。

凡恩好不容易擠出一句話。

「讓你們擔心，眞是對不起。」

季耶的眼淚奪眶而出，沿著臉頰滑下。

## 五 「晉瑪之犬」的味道

馬柯康用單手拿著放了茶和點心的托盤，用肩膀頂開門走了進來。

頓時，細心烘焙的茶香和加了堅果、剛出爐的點心香味充滿整個房間。米拉兒開心地笑了。

「啊，你替我換了茶來嗎？……好香啊。」

儘管微笑著，但她的眼角還是看得出疲態。

馬柯康將托盤放在餐桌上，擺好茶和點心。

赫薩爾整個人窩在椅子裡，坐相非常邋遢，呆呆看著眼前的茶。

「您應該累了吧。」

赫薩爾聽了，嘆了口氣。

「眞的……累死了。」

三天前，深學院長來了一封信，要介紹托馬索爾和阿卡法王彼此認識。這封信才剛到沒多久，昨晚托馬索爾便帶著助手席康過來了。他們好像還在追查狼的蹤跡，衣服上處處沾著狼毛。

姊夫和席康昨晚就住在這裡，直到剛剛爲止都還在這房間裡，滔滔不絕說個不停。

「姊夫有時候會這樣。」

赫薩爾輕聲說。

托馬索爾是個沒有架子、好奇心旺盛的好人。赫薩爾跟他向來意氣相投。不過托馬索爾這個人一旦堅持己見，有時候會突然變得很不講理。

昨天晚餐時，聽他說了許多狼的事。

在土迦地方幾乎全滅的黑狼，已有少數漸漸回到北方的森林，他們抓到了不少黑狼和山犬，送到歐塔瓦爾聖領調查是否感染了黑狼熱。

「眞的非常感謝利姆艾爾大人的幫忙。」

托馬索爾說。

「畢竟這些黑狼和山犬很有可能已經感染，要將牠們活生生送到聖領這件事，遭到其他人的反對……不只是東乎瑠，連歐塔瓦爾也是……多虧利姆艾爾大人積極奔走，才終於實現。在移動過程中，分成好幾次注射藥劑，好讓牠們睡著，小心不給牠們身體帶來負擔。現在應該還沒送到這裡吧，不過負責的人已經很熟悉這些事了，移送過程想必不會有太大的問題。」

說完之後，托馬索爾又想起另一件事。

「我到北方森林時，『奧』的人曾經帶了你的書信來。我也試著調查了蜱蟎，但那裡還留有殘雪，蜱蟎數量很少。等天氣再暖和點，蜱蟎增加時再去調查，或許可以確認黑狼也受到感染。」

「對了，聽說你最近做出不錯的成果。」聽到托馬索爾這麼說，赫薩爾的心情很複雜。看著眼神充滿光采、不停說著話的姊夫，他實在不願意去想姊夫可能在欺騙自己這件事。於是赫薩爾乾脆直接提出心中的疑問。

「姊夫，你知道肯諾伊的企圖嗎？」

托馬索爾認眞地搖搖頭。

「我跟他沒有關係，我可以向神明發誓，是眞的。」

他篤定地說完，又補了一句話。

「不過我確實隱約有感覺到異狀……沒有將這件事向深學院院長報告，確實不太好，反而讓對方有了多餘的猜疑。」

托馬索爾看了席康一眼，表情嚴肅。

「到現在，我還是發自內心同情火馬之民。肯諾伊沒能得救，我心裡覺得相當不甘。」

由於長期旅途的疲憊，昨天晚上兩人沒再多聊，托馬索爾好好睡了一覺，很晚才起床，吃完早餐後，一股腦把過去積壓的話滔滔不絕全對著赫薩爾說，還提到他支持火馬之民的想法。

「追根究柢，火馬之民的悲劇，都是出自阿卡法王交涉手腕的問題。

「屈服於東乎瑠、讓他們陷入那種境遇，那是王的責任；而這樣的結果，王也必須負責。假如王的心裡對他們有那麼一點愧疚，想替他們做些什麼，事情也不至於演變到這個地步，難道不是嗎？」

托馬索爾口沫橫飛地說著。

因為托馬索爾說得實在太激動，於是赫薩爾打斷他，再次確認是不是已接到深學院院長的命令，要他親自向阿卡法王報告歐塔瓦爾跟這件事無關。托馬索爾聽了之後，紅著臉點點頭。

「沒錯。所以我才趁現在把真心話告訴你。如果沒有一吐這些怨氣，冷靜地重新檢視這件事，恐怕我一見到王，就會想把他撂倒。」

托馬索爾就這樣說個不停，看來一定非常累了。後來他說想換個心情，便帶著席康出門了。

赫薩爾暗地裡擔心。出門後，如果看到整個城裡為了「玉眼來訪」到處都在熱鬧地準備盛大活動，托馬索爾心裡說不定又會覺得生氣。

「……其實他說的也有道理。」

確實，這次阿卡法王也有過錯。如果無法守護眾多以阿卡法為鄉的少數民族的想法和幸福，那麼在這個被占領的國度徒留王的名號，也沒有意義。

因為懼怕東乎瑠的眼光，所以封住自己國民的嘴，粉飾太平，那麼今後對阿卡法王懷抱崇敬之意的人勢必會越來越少。

阿卡法王是阿卡法人民彼此牽繫的象徵。當人心漸漸悖離，過去能讓各氏族產生連結的「阿卡法人」這個鬆緩的牽絆將會消失，最後，「阿卡法」將徒然淪爲東乎瑠邊境屬地的一個地名。

多力姆也相當了解這一點，所以他也說過，不能讓火馬之民遭受更悲慘的對待。

現在來自穆可尼亞的壓力年年增加，沒有東乎瑠的武力，阿卡法就無法維持平靜。儘管如此，若還想維繫住阿卡法的存在，就必須像走過搖晃的吊橋般，小心觀察四方、謹愼踏出每一步才行。

老實說，赫薩爾的想法比較偏向多力姆那邊。

赫薩爾想起坐在托馬索爾身邊沉默不語、用那對摸不透的眼睛靜靜看著自己的席康。赫薩爾皺起臉。

「所以我無法原諒。」

「原諒什麼？」

馬柯康問，開始吃起點心。

「咦？你怎麼比我還先吃？」

赫薩爾反問。手指還在餐桌上敲了敲。

馬柯康一愣。

「我剛剛問您可不可以先吃，您點了頭啊。」

赫薩爾眨眨眼，一點印象都沒有。

「是嗎？」

米拉兒苦笑著說：

「是啊，你是點了頭，不過一副心不在焉的樣子。」

赫薩爾一臉不悅地將盤子拉過來，拿起點心咬了一口。外層烤得脆脆的，吃起來又香又甜，眞美味。

米拉兒又問：

「你說『無法原諒』是指什麼？」

「啊……」

赫薩爾喝了一口茶，說道：

「我無法原諒的是，火馬之民爲了主張自己的道理而利用了疾病。而姊夫他竟然也認同這一點，這我實在無法理解，更無法原諒。」

弓箭和刀劍當然也一樣能殺人。但疾病是不會選擇對象的，一旦開始蔓延，就無法阻止，可能會殺掉一點關係都沒有的人。

「對火馬之民來說，」

米拉兒悄然開口。

「應該沒有無辜的人吧。在整個阿卡法，所有對他們的悲劇漠不關心的人、現在過著幸福生活的人，都有遭受報應的理由。他們心裡應該是這麼想的吧。」

米拉兒嘆了口氣。

「他們也認爲，生病是因爲神判斷這個人有罪。」

赫薩爾嘴角下垂。

「這就是我最不能接受的。爲什麼姊夫要假裝沒看到這種想法有多荒唐呢？每次一提到火馬之民，他就會一直看席康的臉色，我在旁邊都看得不耐煩了。」

想起平靜坐在一旁的席康那彷彿超脫一切的表情，赫薩爾就覺得心頭一陣惱怒。席康那輕看所有人、絕不表示敬意的頑固……

米拉兒探出身子，輕輕碰著赫薩爾的手。

「哪，這樣不行喔，不能帶著憤怒面對托馬索爾。這樣你一言我一語的，可能會說出很多不該說的話。」

赫薩爾哼了一聲。

「我看我也出門去吧。不然等姊夫回來，還得再聽他那套長篇大論。我可沒把握下次不會回嘴。」

馬柯康看著窗外。

「如果要外出，最好快一點，剛剛已經開始下雨了，我看他再過不久就會回來了。」

房間外傳來弟子的聲音，打斷馬柯康的話。

「……有客人想見您，要讓他進來嗎？」

三個人面面相覷。

「客人？」

赫薩爾正碎念著，馬柯康站起來。

「我去看看吧。」

離開房間的馬柯康不久後帶著複雜的表情回來。看到出現在他身後的客人，赫薩爾突然理解馬柯康為什麼有這種表情。

「這、這是……」

赫薩爾猛然將椅子往後一推，站了起來。

米拉兒也站了起來，邀請帶著雨的氣味一起走進房間的凡恩和莎耶在爐旁的椅子上落座。幫客人拉開椅子原本是馬柯康的工作，但他還一臉呆樣地站在門口。

「你不要擺出這種臉嘛。」

赫薩爾苦笑地說。

馬柯康則嘟噥著：

「先是被擺了一道，讓我成了個笑話，然後又被下毒。現在如果我笑嘻嘻地迎接他們，這才奇怪吧。」

所有人都沉默了片刻。

米拉兒噗哧一笑，赫薩爾和凡恩臉上也露出笑容，只有莎耶一個人嚴肅地抬頭看著馬柯康。

「……眞的對您非常抱歉。」

馬柯康一臉不悅地看著深深向自己低頭道歉的莎耶。

「請抬起頭吧，我知道妳也有許多苦衷，等我情緒平穩後，就會恢復平常的樣子，請不用擔心。」

聽到馬柯康這麼說，赫薩爾倒是笑了。

「你這人說起話來還眞愛兜圈子，直接說『沒事』不就好了嗎？」

說著說著，赫薩爾突然發現。

（我現在心情挺不錯的呢！）

他在心裡暗暗嘲笑自己。

看樣子，只要面對這兩個人，自己的心情就無法保持平靜。米拉兒的臉也微微泛紅。

「沒想到您這麼早就過來。」

說著，米拉兒又邀兩人坐到火爐邊，暖暖身子。

外面已開始下雨，天氣確實冷了些。

凡恩身上裹著北方馴鹿民常穿的鞣皮衣，比起在猶加塔山地見面的時候，表情顯得更加嚴肅。

繞過餐桌走到爐邊時，凡恩突然停下腳步，好像在凝視著某個看不見的東西一樣，盯著那張椅子。

「怎麼了？」

赫薩爾問。

凡恩抬起頭，表情嚴肅地看著赫薩爾。

「誰坐過這裡？」

赫薩爾眨眨眼。

「我姊夫的助手坐過……怎麼了嗎？」

「姊夫的助手。」

凡恩皺著眉，嘴裡喃喃念著。

「也就是說，他是歐塔瓦爾的人。」

赫薩爾看了米拉兒一眼。米拉兒眼中浮現些許不安。

「不，他不是歐塔瓦爾人。他是火馬之民的年輕人。」

這時，凡恩的眼裡閃過一道銳利的光芒。

打在屋頂上的雨聲似乎突然變大了。

# 六 托馬索爾和席康

托馬索爾回來時，剛過正午。

「好冷，原來城裡下起雨來這麼冷啊。」

托馬索爾一邊用手巾擦著頭髮，一邊走進房間，並沒注意到有陌生客人在。啊，眞是抱歉，他輕聲說著。

馬柯康不經意地走到托馬索爾背後，關上門。

「姊夫。」

赫薩爾站在托馬索爾面前，問：

「席康呢？房間裡沒看到他的行李，你叫他去哪裡了？」

托馬索爾皺起眉，像是在問，這又怎麼了？

「我們吃完午餐之後就分開了。他大概在附近閒晃吧？

「我又不能帶著他去見阿卡法王，而且他說很久沒到卡山來了，想去買買東西，所以我放了他假……席康他怎麼了嗎？」

赫薩爾仔細端詳著托馬索爾的表情。托馬索爾臉上寫著困惑，看來並不像在演戲。赫薩爾告訴自己，姊夫向來不是那麼機靈的人。

「姊夫，到這裡來之前，您在北方森林對吧。席康也跟您在一起嗎？」

托馬索爾眉間的皺紋變得更深。

「怎麼現在還問這個？昨天晚上不是跟你說過了嗎？」

「席康一直跟您在一起嗎？」

托馬索爾正要點頭，但他的眼神出現了一絲動搖。赫薩爾並沒有漏看了這一點。

「你們也有分開行動的時候，對吧。」

托馬索爾滿臉不高興。

「這算什麼？審問嗎？給我說清楚，你到底在懷疑席康什麼？」

這時，傳來拉椅子的聲音。凡恩站起來，慢慢靠近托馬索爾。

「初次見面，我是甘薩氏族的凡恩。」

他突然上前打招呼，托馬索爾眨了眨眼，眉頭還緊皺著，盯著凡恩。然後，他張大了眼。

「甘薩氏族的凡恩？你就是『缺角凡恩』……！」

凡恩點點頭。

「赫薩爾大人說，這些事的來龍去脈您大概都清楚，那麼您知道我擁有不尋常嗅覺這件事嗎？」

像是被凡恩的氣勢給壓制住般，托馬索爾點點頭。

「這事我聽說過，還有你的養女也擁有不可思議的視覺。」

凡恩點點頭。

「我在你身上聞到黑狼的味道。你抓到的應該是母狼比較多吧，母狼的味道特別強烈。」

托馬索爾一陣驚愕。

「這……太厲害了，你說得沒錯。」

凡恩凝視著托馬索爾。

「雖然你身上有黑狼的味道，但是沒有半仔的味道。」

「半仔？」

「也就是黑狼和獵犬混血生下的『晉瑪之犬』。」

托馬索爾吃驚地圓睜著眼。

凡恩看著托馬索爾，說：

「你身上沒有任何半仔的氣味，可是那個叫席康的男人，他坐過的椅子上，卻發出強烈的味道。」

托馬索爾表情緊繃。房間裡一片寂靜，只聽到陣陣激烈的雨聲。

「姊夫。」

赫薩爾聲音嚴厲地催促著。托馬索爾看向他，那張蒼白僵硬的臉上突然顯現怒氣。

「這是什麼意思？」

托馬索爾忿忿說著。

「你們好像在懷疑席康什麼，不過那傢伙不是會做什麼壞事的人。只是臉上沒有太多表情，容易被誤會而已。」

「姊夫！」

赫薩爾怒吼一聲。

「你自己心裡也很清楚，所以才袒護他對吧。但現在已經到了分秒必爭的時候，我們該重視的不是人情，而是事實！」

托馬索爾額頭浮現青筋。

「事實？」

他大吼的聲音就像吠叫一樣。

「要我告訴你事實嗎？席康的親人慘遭殺害，他哥哥就是被阿卡法王所殺的肯諾伊的侍從；一個始終支持著生病的肯諾伊，不斷奮戰的男人！」

托馬索爾發出嘲諷的笑聲，繼續說：

「啊，對啊，在你們眼中，席康看起來一定相當可疑吧。沒錯，調查的時候我們並沒有一直在一起。過去幾年，我們也曾分工進行大範圍調查，他很有可能私下跟傲梵見面。但那又怎麼樣？傲梵是席康敬愛的親人，想知道自己的哥哥如何迎接最後一刻，這是人之常情吧！」

托馬索爾面向凡恩，伸出手指指著他。

「你說他身上有晉瑪之犬的味道？那又怎樣？肯諾伊已經死了！犬王被殺了！就算席康見了傲梵，有機會接觸晉瑪之犬，他也什麼都不能做！」

凡恩往前一步，盯著托馬索爾。

「有個孩子被晉瑪之犬殺了。」

他的聲音很平靜。但這平靜的聲音卻在短短一瞬間冷卻了剛剛所有的激動。

「……什麼？」

托馬索爾困惑地半張著嘴。

凡恩繼續用他平靜的聲音說道：

「在密格拉森林南邊，有個移住民孩子被晉瑪之犬咬死了。他才十一歲，去森林撿柴火的時候被晉瑪之犬攻擊，他的父母親以爲他是被山犬咬傷的，在傷口包上藥草觀察了一陣子。但是過了一、兩天，那孩子開始說喉嚨痛，然後發高燒、抽筋。等治療師來到聚落的時候，那孩子已經全身僵直，痛苦而死。」

托馬索爾發不出聲音，只能看著凡恩。

「咬傷那孩子的犬群，隔天也攻擊了其他聚落。所幸沒有死者，不過其中一個被咬傷的女孩，到現在還沒辦法站起來。」

凡恩眼底藏著強烈的光芒，視線一直沒有離開托馬索爾，就這樣慢慢地往下說：

「現在還不知道那些狗是傲梵帶來的，還是北方森林原本就有晉瑪之犬。」

凡恩平靜的語調持續著。

「我也不知道這次襲擊跟那個叫席康的年輕人有沒有關係。可是，如果孩子遭受晉瑪之犬攻擊的同一時期，席康也曾在同樣的地方接觸過晉瑪之犬，那麼他知道內情的可能性應該很高吧，不是嗎？」

托馬索爾沒有回答。

「難道……難道你覺得只要是移住民，就算痛苦而死也無所謂？」

凡恩低聲說。

托馬索爾顫抖著嘴唇，終於發出了聲音。

「我沒有這麼想，可是……」

有股強烈的猶豫，讓托馬索爾的視線不住動搖。

「托馬索爾大人。」

米拉兒突然出聲。她腹部抵著餐桌，上半身往前傾。

「難道您不認爲，我們應該先弄清楚席康打算做什麼嗎？」

托馬索爾無語看著米拉兒。

「他有可能只是無端被捲入風波。他到底站在什麼立場，我們就算在這裡討論也沒有用，不是嗎？不過現在有許多移住民都因爲『玉眼來訪』而聚集在此。席康人也在這裡，又可能跟晉瑪之犬有關，一想到這些……您難道都不擔心嗎？」

米拉兒將手放在喉嚨。

「我非常害怕，得在事情發生前阻止他才行。如果您想救席康，就該在還來得及的時候阻止他才對。」

托馬索爾吸了一口氣，又吐出來。手指微微顫抖著。

「……沒錯，妳說得沒錯。」

他腦中大概想到了各種可能性吧，臉上這時才終於有了焦急的樣子。

「我眞是太蠢了。」

他輕聲說道。

托馬索爾深吸了一口氣，看著赫薩爾。

「在北方森林時，我好幾次和席康分頭行動，因爲這樣調查效率比較好。所以我不能否定那傢伙瞞著我跟傲梵見面的可能性。」

托馬索爾一隻手掩著嘴角，輕聲嘆氣。

「那傢伙心裡想什麼，我再清楚不過。他想繼承最愛哥哥的遺志，如果能實現火馬之民的願望，要他犧牲都在所不惜。」

托馬索爾看著凡恩。

「這種心情你也懂吧？你也曾是『獨角』的首領不是嗎？」

黯淡的光芒在凡恩眼中一閃而逝。他沉默地盯著托馬索爾，好一會兒後，才簡短地說。

「你誤解了『獨角』。」

「誤解？什麼意……」

凡恩打斷托馬索爾。

「現在不是說這些的時候。你最後是在什麼地方見到那年輕人的？」

托馬索爾被凡恩的氣勢震懾，輕聲說：

「在曼多羅大道上一家賣猶加塔菜的餐館……」

馬柯康聽了，揚起眉。

「是木塔歐嗎？」

托馬索爾轉過頭。

「對，確實是這個名字。二樓窗口還裝飾著花……」

馬柯康點點頭，看向赫薩爾。

「木塔歐沒錯。我跟那裡的老闆很熟，我也知道席康的長相，讓我帶他們過去吧。」

赫薩爾擺擺手。

「當然，去吧。」

馬柯康打開門，凡恩和莎耶正要離開時，托馬索爾急忙跑上前。

「等等！我也去！」

凡恩轉過頭，平靜地拒絕了。

「不能帶你去。」

他身上散發的威嚴，讓托馬索爾不禁感到畏懼。

「可是……你打算把席康怎麼樣？」

凡恩簡單回答：

「能帶回來的話，我就會帶他回來。」

托馬索爾的表情稍微放鬆了點。

「是嗎？那我就在這裡等……可是，拜託，不要對他下重手。那傢伙對我來說，就像自己的兒子一樣。」

凡恩看著托馬索爾好一會兒，最後，什麼也沒說就出去了。

# 七　雨中的追蹤

雲層低垂，大雨滂沱。

馬柯康看了馬廄一眼。席康是騎馬移動的。剛剛檢查馬廄時，沒看到他的馬，應該沒錯。

「要牽馬來嗎？」

馬柯康問。莎耶搖搖頭。

「用走的吧。曼多羅大道並沒有太遠，從那裡開始追蹤的話，騎馬反而麻煩。」

「知道了。那麼，我們從後面走，那裡是捷徑。」

馬柯康戴著兜帽，帽緣拉低到幾乎蓋住眼睛。打開赫薩爾的醫院「小人物的巢居」後門，來到屋外。

風不怎麼大，但雨勢卻比想像中強，水從路邊的淺溝溢出，沖刷著馬路。煙雨朦朧的路上，行人三三兩兩，攤商小販都怕商品被淋濕，把東西收了起來，街上看起來很冷清。

馬柯康快步走著，瞥了一眼走在身邊的凡恩。

這男人看來極有戰士風範，相當健壯，但是並沒有特別高大。在岩牢見到他時，馬柯康心裡也懷疑過，實在很難相信這個男人能扯斷那條鐵鏈。

這男人，無法捉摸。

可能是長久在競技場經歷生死決鬥的關係，面對一名戰士，馬柯康大概可以感覺到對方到底害不害怕。這沒有道理可言，純粹像是直覺感受的反應。

但馬柯康看不透這個男人。到底是強是弱？腦子裡在想著什麼？完全捉摸不到。或許因爲凡恩的情感深埋心底，所以就算試圖左右他，也並不容易看到他的動搖。

正想到這裡，馬柯康突然想起剛剛的對話。凡恩這男人爲了他自己的事而表現出怒氣，也不過是瞬間而已。

馬柯康放慢腳步，問凡恩：

「……可以問你一件事嗎？」

凡恩看著馬柯康，給了他一個同意的眼神。

「你剛剛說，托馬索爾大人誤解了『獨角』，那句話是什麼意思？」

凡恩的頭轉了回去，仍看著前方，又沉默地走了一會兒。轉過下一個路口時，他開了口：

「那位大人似乎以爲『獨角』是爲了故鄉而成爲敢死隊的英雄，但我們其實沒那麼偉大。我們之所以成爲敢死隊，只是因爲我們都已經死了。」

「……咦？」

「我們所有人成爲『獨角』的時候，都不過是一具會呼吸的屍體。明明很想早點死，但如果自己選擇死亡，就不能前往常春之地。所以我們一直在等，等待『死了也沒關係』的時刻來臨。雖然不是什麼難爲情的事，但說起來還眞丟人。」

凡恩用既不像自嘲，也不覺哀傷的平淡語氣說著。

「打從一開始，我們就沒做過打贏東乎瑠帝國這個不可能的夢。重要的是，要怎麼輸。

「氏族長找上我們，提到爲了在投降後，能讓故鄉的人活得更好，正在尋找試探對方底線的那顆棋子，並希望由我們來當這顆棋子。當我聽到他這麼說的時候，打從心裡鬆了一口氣。」

並肩走著的莎耶表情有點苦澀。

凡恩沒再說下去，只是直視著前方，快步向前。

馬柯康也就此噤口，稍微加快了腳步，引領兩人來到店裡。

曼多羅大道是從大馬路再往裡走的岔路，這裡的路面並未經過修整，只是將土踩實而已，下雨之後相當濕滑。

木塔歐是開設在兩層樓老建築一樓的小餐廳。城裡提供猶加塔地方菜的店家很少，所以許多懷念家鄉味的人都會來這裡。用餐時間，店裡總是門庭若市。

現在已經過了午餐時段，店裡相當冷清，只有兩個客人。大概是躲雨兼打發時間吧，他們正在暖爐旁跟店主聊天。

馬柯康一走進去，店主便發現他，立刻朝著他微笑。

「喔，好久不見。」

馬柯康簡單地打過招呼後，切入主題。

「中午托馬索爾大人來過吧？他好像把記事本忘在這裡了，你記得他坐在哪裡嗎？」

「喔，是嗎？今天人很多，我一直在廚房裡忙，沒看見他呢。跑堂的那些人現在出去午休了，他坐在哪裡我也不太清楚。不過好像沒發現有人掉了記事本在這兒。」

趁著馬柯康跟店主說話的時候，凡恩走近右手邊角落的一張餐桌。

「……」

他不知跟莎耶說了什麼。馬柯康只聽到「腳邊」兩字。凡恩點點頭，仔細地移動腳步，站在餐桌旁。

「是這裡。」

凡恩簡短說完，莎耶點點頭，彎身在餐桌下，一直盯著看。

過了一會兒，莎耶招招手，凡恩也蹲在她身邊。他們指著地板小聲交談。

馬柯康走到他們身邊，凡恩站起來，輕聲對他說：

「……屋裡倒是還留著很清楚的氣味。」

原來如此。馬柯康低語著，看向窗外。

「都是這場雨，來得眞不巧。味道都被沖掉了嗎？」

還跪在地上觀察的莎耶這時才起身。

「對我來說，雨可是幫了大忙。」

她小聲地說，並且背向店主，從地板上無數腳印中，不經意地指出幾處。

馬柯康沒出聲，只用眼神表示明白了，然後盯著地上留下的長靴痕跡。

（原來這就是席康的鞋印。）

應該是凡恩靠特定味道認出來的吧。確實，這長靴印跟席康的體格很符合，但是跟其他的客人鞋印重疊在一起，很難辨識。

「東西掉到地上了嗎？」

店主擔心地問。

「不，好像沒有。大概是被別人撿走了，或是掉在別的地方吧。不好意思驚動您了。」

馬柯康微笑著向店主道歉。

莎耶和凡恩已走到門口。馬柯康點點頭，兩人先行離開，進入雨中。

站在人影稀疏的狹窄道路上，莎耶凝視著這條路。雨淋濕了她的連帽外套，順著衣服滴落。

終於，莎耶開始往前走。她跨著一定的步伐走著，步幅相當大。

馬柯康追在後頭，一臉陰沉。

（因爲土被打濕了，所以留下腳印嗎……）

走到大路上，泥土路變成了石板路。如果是晴天，或許還會留下泥土的痕跡。但現在下著雨，痕跡早就被沖掉了吧。

來到大馬路之後，莎耶又暫停了一會兒，仔細盯著石板路，很快又用跟剛剛一樣的步調開始往前走。

就算可以靠鞋印尖的方向來判斷前進方向，但莎耶走路的方式也未免太篤定了。馬柯康偏著頭想。

「難道她看得見腳印嗎？」

馬柯康走近莎耶身後發問，但莎耶搖搖頭。

「因爲是石板路，所以幾乎看不見痕跡；不過我知道席康這個人的走路方式。」

（是嗎……）

父親曾教給他的知識，又模模糊糊重現在馬柯康腦中。

他記得父親曾說過，每個人走路都有他的慣性，像是步幅、軸心足等等，如果能從剛開始那幾步掌握這些資訊，就算腳印在途中消失，只要模仿他的走路方法，就能找到下一個線索。

在大馬路上走過一個街區後，莎耶彎進小路。

馬柯康跟在她身後轉了彎，揚起眉——眼前是一處繫馬場。

（對了，原來是這裡。）

要到木塔歐，一定要到店門口附近小路的繫馬場，把馬綁在這裡。要是沒有莎耶，一定找不到是哪個繫馬場。

雖然找到了繫馬場，但這畢竟不過是個拴馬的地方，只有一個勉強能夠避雨的小屋簷。

負責看守馬的少年坐在一張小椅子上，用腳尖踢著從裝在屋頂旁那聊勝於無的雨水管嘩嘩落下的雨，打發時間。三人一走近，少年便抬起頭看了過來，一臉茫然。

莎耶並未走進繫馬場，只是一直盯著地板，然後往右邊走去。

「……難道連馬的蹄印都能追蹤？」

聽馬柯康這麼問，莎耶微微露出苦笑。

「基本道理是一樣的。」

馬柯康和凡恩不由得面面相覷。看到凡恩臉上也露出感嘆的表情，馬柯康這才放下心來。

（這果然不是尋常技術。）

就算是老練的獵人，如果不是相當厲害的高手，根本無法在街上這樣追蹤。她到底看見了什麼痕跡呢？雖然莎耶有時候會突然停下腳步，但幾乎都以一定的速度前進。

仔細想想，就算有馬，在大馬路上也不可能騎著馬奔馳。而且現在還下著雨，很多人都怕馬蹄鐵在石板路上打滑，於是選擇走小路。看來席康似乎也是這樣，因此莎耶靜靜地沿著這條被雨打濕的路前進。

就算能找得到足跡，要追上馬前進的距離也相當辛苦。不過凡恩和莎耶都不露疲態地往前走，馬柯康也只好努力裝出若無其事的樣子。

終於，莎耶停下了腳步，那是一座老舊倉庫的後方。

「……他在這裡下了馬。」

聽莎耶這麼說，馬柯康先看見倉庫牆壁上的繫馬環，然後又發現了馬環下方地面的痕跡。這麼清晰的痕跡，就連馬柯康也看得出來。席康在這裡下了馬，將馬綁在這裡。其他地方還留下了幾道馬蹄和腳印。

再往前走就是倉庫的後門；凡恩已朝向後門走去。

後門沒關，幾名男子站在陰暗的倉庫裡工作。男人們正將做菜用的陶鍋和陶壺用繩子綁好，裝進貨箱裡。

「原來是餐具倉庫。」

凡恩輕聲說著。看向凡恩的馬柯康吃了一驚，因爲他的側臉顯得相當嚴肅。

凡恩看著倉庫，壓低了聲音：

「這裡有傲梵的味道。」

「雖然味道很淡，不過，還有個令人擔心的味道……」

這時，在倉庫工作的男子抬起頭看向這裡，其中一個人狐疑地走了過來。

「有什麼事嗎？」

凡恩將手放在後門的門框上，說：

「我聽說這裡可以買到便宜的餐具。」

男人抓抓胸口，不耐地回答：

「是可以啦。不過，你帶了什麼來？膠的話，我可不要。」

凡恩瞇起眼。

「膠不行嗎？」

「是啊，你運氣不好，剛剛已經有人來換了，現在我們暫時不缺。」

聽著兩人的對話，馬柯康終於懂了。

這裡可以用修補餐具需要的物品來交換餐具。看到凡恩三兩句話便探聽出這些事情的手腕，馬柯康感到相當佩服。

（膠嗎……）

對火馬之民來說，膠是很值錢的東西。以前曾聽姊姊說過，死去的馬皮可以製造出品質很好的膠。

凡恩似乎也發現了這件事，故作遺憾地說：

「可惡，被搶先了一步。該不會是歐烏坦他們吧。那傢伙個子是不是很矮？」

男人搖搖頭。

「不，個子大概跟你差不多高。」

「那就是法歐吾了，他是不是帶了外甥一起來？」

「我不知道那是不是他外甥，不過他帶了一個年輕人來。」

「那一定是法歐吾。可惡，聽到我說要來這裡用膠換餐具，他竟然搶先一步。他買了盤子對吧？」

男人苦笑著搖搖頭。

「不是，不是盤子，他買了陶壺喔。也不一定是你說的那個人啊，你也不要那麼衝動去找人吵架啦。」

凡恩嘆了一口氣，苦笑著說：

「你說得也對……他們是幾個人來的？」

「你這個人還眞囉嗦，連那個年輕人，一共三個。」

離開後門之後，馬柯康對兩人說：

「假如來買餐具的人是傲梵好了，他爲什麼要買陶壺呢？」

凡恩用嚴肅的表情輕聲說：

「傲梵的味道裡混著一些火藥味。」

馬柯康突然停下腳步，盯著凡恩看。莎耶表情一僵。

「所以才需要陶壺……」

把火藥塞進陶壺裡包好，再點燃導火線丟出去，就能發揮驚人的殺傷力。馬柯康緊皺眉頭。

「但是，他們要從哪裡拿到火藥？」

火藥是受到嚴格管控的物品。

東乎瑠很擅長用火藥。除了軍事用途外，煙火師也會使用火藥，不過從製造到流通都受到嚴格管理，幾乎不可能挪爲他用。

更別說現在墨爾法和歐塔瓦爾的「奧」都在尋找傲梵，要是傲梵出現在涉及火藥、有武器流通的地方，消息一定早就傳入了王的耳裡。

「說不定是穆可尼亞的火藥。」

莎耶一臉沉重地想了想，喃喃說著。

「穆可尼亞軍進攻札喀托峽谷的堡壘時，拉樊族曾經用過火彈。」

凡恩點點頭。

「我也想起這件事。傲梵抓到拉樊族，也沒收了他們的武器。如果直接搬運拉樊的火彈，不但太占空間，也太顯眼。他們應該是在不至於受潮的情況下，只把火藥拿出來，再搬運過來吧。」

馬柯康低吟：

「原來是這樣，所以他才會到這裡來買陶壺。如果在大街上的餐具店購買大量陶壺，可能會引起注意。要是在這裡用修補用的膠來交換，不但便宜，又不會引人注目。」

他們的計畫相當周到，儘管人數不多，也要進行能造成眾多傷亡的謀逆行爲。

莎耶沉默了一會兒，抬起眼，看著馬柯康。

「能不能請您把這件事告訴赫薩爾大人，我也會去通知我父親，再繼續調查。」

馬柯康點點頭。

不知不覺中，雨勢變小了，天空也明亮了些。透過雲朵流動的狹小縫隙，澄亮的夕陽在街上灑下有如金黃色絲線的光芒。

就連留下無數腳印的泥濘，看起來都微微泛著光。

# 八　玉眼來訪

砰！砰！砰！伴隨著偌大聲響，草原上白煙裊裊上升。

高空中綻放著紅色和藍色煙火，然後乘著春風吹散而去。觀眾為精采的白晝煙火大聲喝采，並報以熱烈掌聲。

就連因突如其來的爆破聲受到驚嚇、哭喪著臉緊偎過來的悠娜，一看到五彩繽紛的煙霧巧妙散布在空中的樣子，也跟著發出歡呼聲。

「啊，是花、是花！看！天空開著花！」

位於城外草原的廣大競技場，聚集了來自阿卡法各地的人們，熱鬧非凡。

設置在靠近卡山城牆的觀眾席也同樣規模龐大，即使從遠方眺望，依舊引人注目。中央有一座供「玉眼」悠閒休息觀賞的帳篷，王幡侯和與多瑠都獲准同席。

阿卡法王和家人則一起坐在設於右側的帳篷裡，偶爾會呼應草原上阿卡法民的招呼，對大家揮揮手。

位於草原的競技場中，設有將羊群追趕至特定圍籬中的競技用柵欄，還有供飛鹿騎術比賽用的障礙物；用柵欄和繩索區隔開來的準備區中，羊群和飛鹿都已聚集在那裡。

牧羊犬在羊群周圍興奮地奔跑著，叱喝牧羊犬的牧童聲音也相當響亮，至於飛鹿們，則顯得相當焦躁不安。

「離羊群太近了。」

多馬身上斜掛著象徵競賽者的紅帶子，看著羊欄，啐了一聲。

為了壓制住想掙扎逃走的飛鹿，智陀他們也費了一番工夫。場中還有一些移住民年輕人被拔腿狂奔的飛鹿拖著跑。

凡恩將剛剛為了方便她看煙火而抱高的悠娜放下，托給季耶照顧後，從柵欄探出身子，手放在嘴角，大聲發出「吼！吼！」叫聲。

飛鹿們同時轉過頭來，停下動作。所有參賽者都驚訝地看著凡恩。

「用手巾把牠們的眼睛遮起來。」

他一邊對大家說，一邊摸著曉的脖子，迅速用手巾遮住牠的眼睛，多馬他們也學著凡恩的動作，笨拙地遮住飛鹿的眼睛。

凡恩穿梭在騎士間，告訴他們怎麼穩定飛鹿的情緒、什麼時候該拆下遮眼布。

經過凡恩的指導，飛鹿們就像中了魔法般安靜下來，移住民和歐基的年輕人們全都難為情地露出微笑，並各自用自己的方式向凡恩表示感謝和敬意。

看著他們的表情，凡恩突然覺得很不可思議。

有著平坦五官的東乎瑠年輕人、北邊歐基地方的年輕人……過去的大半輩子裡，就算說他們是與自己無緣的陌生人也不為過，但現在自己居然像這樣走在他們之中、對他們露出微笑。

悠娜攀上柵欄，讓季耶扶著她的背，嚷著：「看我！看我！」揮著手要凡恩看向她。悠娜笑開了臉的模樣、季耶溫暖的笑顏，再看看多馬和茂來他們興奮的表情，凡恩感覺到，啊，我的親人就在這裡。

牧羊的子民、追逐馴鹿的子民、從事農耕的子民、狩獵的子民，還有路上擺攤的商人們，不同的長相、不同的語言、不同的氣味，全都渾然一體，滿溢在這片草原上。

不論是來自遠方的人，或是在此地生長的人，看到美麗煙火時，都一樣會歡呼，也都一樣期待即將展開的比賽。

這裡可以感受到各個民族特有的味道，就算不用眼睛看，凡恩也知道哪個民族在什麼地方。不知不覺中，這種過於敏銳的嗅覺已成為理所當然，他甚至想不起以前的自己到底是什麼樣子。

（我變了。）

身體也好，生活方式也好，一切都變了。

茂來一邊對飛鹿說話，一邊替牠們蒙上眼睛。看著他打從心裡疼愛飛鹿的側臉，凡恩一點也不在意他是東乎瑠人這個事實。

赫薩爾的話浮現心底。

把人的身體比喻為國家的赫薩爾。現在凡恩很能了解他話中的意義。

身體和國家看起來都像是一個整體，事實上卻又不是。許多複雜的微小生命聚集於此，各自生存，卻在不知不覺中又融合在一起，連結成一個更大的生命，如此而已。

在這個龐雜的法則中——或許是世界誕生時，由神明們親自用手指編織出來的——我們出生，然後又消失。

這短暫的一生，就像小小的泡沫一樣。

（傲梵……）

望著在羊群另一邊的無數觀眾，凡恩想起可能混在其中的那個人。為了不合理的待遇而哭泣、熱切想尋求正義、遇見了奇妙的疾病，最後終於逃到這裡的那個男人。

企圖逐步蠶食這個巨大的身體、微小但致命的疾病……一想到主動想成為這種存在的那個人，比起憤怒，凡恩心裡更多的是悲哀。

就算他們的計畫成功了，傲梵自己也毫無未來可言。儘管如此，想必他還是會去做吧。

（能不能阻止他們？）

包括墨爾法在內，阿卡法王的所有手下都混在人群中尋找傲梵的下落，但不管怎樣，人數都實在太多了。像墨爾法這樣認得傲梵長相的人們也就罷了，對於從未見過他的阿卡法士兵們來說，要在茫茫人海中找到他，應該很不容易吧。

騎在馬上的男子不可勝數，也有很多人臉上都蓋著防塵布。管理羊群的牧童就不用說了，商人也會騎著馬從四面八方聚集而來。狗也一樣，到處都有狗來回穿梭。

凡恩望向觀賞席。

（如果要投擲火彈的話……）

如果從上面往下的話，可投擲的距離比較長。

假如目標是「玉眼」，那麼最有效的方式，就是從城牆上往玉眼的觀賞帳篷丟；但是城牆上站著東乎瑠的士兵，戒備森嚴，連螞蟻爬過的空隙都沒有。想爬到能將火彈投向帳篷的位置，是不太可能的。

這麼說來，可能性最高的果然還是混入群眾中發動攻擊。

（最有可能的就是等到比賽開始後，大家都在注意競賽者時下手吧……）

就在這時候，剛剛產生熱烈迴響的白晝煙火停止了。

爆裂聲消失，安靜的春日晴空下，宣告比賽開始的號角嘹亮地響起。

首先是趕羊競技。出場者都帶著興奮的表情，聚集在柵欄內已設置好的門邊。

靠近觀賞席附近的觀眾響起歡呼聲。往那裡一看，「玉眼」和看似他兒子的少年，在王幡侯及與多瑠陪同下，正從帳篷裡走出來。

他們站在觀賞席邊緣，大大揮著手，群眾的歡呼聲變得更加熱烈了。

等到聲音平息下來，「玉眼」好像說了什麼，但聲音並沒有傳到這裡來，身在柵欄外側的人，只能看著他們身上那在春陽照射下閃閃發亮的美麗錦衣。

「你聽得見他在說什麼嗎？」

多馬問。凡恩微笑著說：

「沒什麼了不起的，只是些老套的話。」

「他是用東乎瑠語說的吧？」

「大概吧，不過他後面還有個翻譯，又用阿卡法語說了一遍，比較前面的人應該聽得懂。」

身旁的悠娜問道：

「歐蹌，什麼是『甜美沃土』？」

凡恩揚起眉，看看悠娜。

「妳也聽得到嗎？」

「聽得到啊。沃土很甜嗎？」

凡恩苦笑著說：

「甜美沃土，是指很棒的土地的意思，並不是說土地很甜很好吃。」

說著，突然有一股熟悉的味道傳到鼻子裡，凡恩轉過身。莎耶正穿過人群，走了過來。

競技場中明明禁止攜帶武器，她卻帶著弓，身後還背著箭筒。大家讓開一條路，略帶驚訝地看著她，但一看到她腰帶上綁著阿卡法王的令牌，大家一副恍然大悟的樣子，知道她是負責警備的人。來到凡恩身邊，莎耶害羞地微笑。

「好像太顯眼了。不過這也沒辦法……」

看到她手上拿著弓，凡恩回想起悠娜被擄走的那天晚上，莎耶站在崖上的身影。

那時，莎耶的火箭貫穿了黑夜，射在遠方的北藪樹上。這不是一般射手能有的身手。看來，阿卡法王應該也很賞識此人的射技。

莎耶跟平常一樣，表情平靜；但她的臉頰看起來似乎稍微有些緊繃。

她手上的弓傳出一股獨特的味道。平常很難聞得到這種木頭的氣味，仔細想想，莎耶身上也經常散發出這樣的味道。

「這把弓的材料是紫杉嗎？……不過很少有紫杉的味道這麼強烈。」

莎耶看著弓，一副很不可思議的樣子。

「味道？這有味道嗎？」

「是啊。」

「是嗎？我完全聞不出來。」

「喔，那可能是我鼻子的關係吧。」

莎耶露出微笑：

「是啊，你的鼻子很特別嘛。」

莎耶輕輕撫著弓，說道：

「這是用『奧克巴紫杉』做的。是我們故鄉很常見的樹，現在想想，在其他地方好像很少見。它的彈性很好，韌度又夠，所以我們從以前就開始用這種樹做弓。」

多馬拉著野丫頭的牽繩走近。

「啊，莎耶小姐。」

聽到多馬叫她，莎耶微笑著點點頭。

「莎耶小姐看起來眞帥。」

多馬瞇起眼輕聲讚嘆，莎耶的表情卻顯得有些尷尬。

昨天晚上，凡恩把事情大概的經過告訴多馬、季耶，還有智陀等人，並且再三交代絕對不能說出去。

他跟莎耶商量後，彼此都認爲，萬一競技過程中發生了什麼事，爲了避免陷入混亂，最好有人能盡快控制附近的狀況，覺得還是應該告訴大家比較好。說明時，因爲莎耶人也在現場，所以年輕人們都知道她是墨爾法。

儘管對於火馬之民到底打著什麼算盤感到不安，但多馬他們卻意外冷靜地接受這個事實。或許是因爲除了身爲移住民的智陀等人外，流著移住民和歐基之血的多馬，也親身體認到自己的生活其實建立在相當脆弱的基礎上吧。

當多馬知道黑狼熱並不是阿卡法的詛咒，而是由病犬所導致時，甚至露出了由衷放心的表情。

多馬原本想把這件事告訴其他人，不過因爲其中內情複雜，凡恩認爲現在還不到時候；雖然可以看出多馬有些沮喪，但大家最後還是接受了這項要求，約好了絕不說出去。

信號槍響。

關著羊群的柵欄打開了一部分，羊群頓時奔上草原。移居阿卡法南部的移住民牧童們巧妙地駕馭著馬，讓狗追趕羊群。圍觀群眾的歡呼聲更是熱烈。

這場比賽大概是按地域分組來競賽的吧，戰況相當激烈。最後，身上掛著藍色帶子的牧童與其他羊群拉開距離，成功將自己的羊群趕入遠處的圍籬中。

圍在右邊的觀眾頓時一陣歡聲雷動。大家都高舉雙拳，相當開心。

「……終於要開始了。」

多馬緊張地說。

凡恩將手放在他肩上，要他冷靜下來，接著看著多馬和智陀等人，壓低了聲音：

「昨天晚上我也說過，就算那群狗來襲，你們也不用擔心，有飛鹿載著，你們跑得比狗快。如果發生什麼萬一，就一邊招呼其他人，一邊埋頭往前衝，將狗帶離這裡、跳過柵欄逃到草原上，在你們引開狗的時候，我們會找到火馬之民、壓制住他們。只要能制住指揮者，就能控制晋瑪之犬的行動。所以不用擔心。」

年輕人們臉色雖然有些發青，但還是緊抿著唇，點了點頭。

一名官員沿著柵欄走來，喊大家到出發點集合。多馬他們神情緊張地用腳跟輕踢飛鹿的側腹，要飛鹿開始前進。

「哥哥加油！」

悠娜大聲喊著。看來她也知道這是一場比賽。

「多馬哥哥、智陀哥哥，還有未野哥哥……」

在悠娜一一喊出所有人名字的時候，他們的身影已混入其他參賽者之中，但悠娜還是朝著他們的背影奮力喊著。

悠娜爬上柵欄，在後頭扶著她的季耶看了凡恩一眼，眼裡有著不安。

「不要緊的。」

凡恩低聲對季耶說。

「多馬他們騎得相當穩。」

「……可是，萬一那些狗……」

凡恩看著季耶。

「請您相信我——悠娜就拜託您了。不管發生什麼事，都別讓這孩子進到柵欄裡。」

季耶點點頭，緊抓著悠娜的腰帶。

「沒關係啦。」

悠娜嘟起嘴。

「悠娜不會掉下去的。」

莎耶眼角忍不住露出笑意。接著，她做了個深呼吸，重新集中精神，開始觀察著周圍。

歐基地方的人民和移居過來的移住民開始飼養飛鹿已過了幾年，但是能夠騎著飛鹿跨越障礙物的熟練騎手還不多，目前排在出發門前的騎士只有七名。

儘管如此，飛鹿本身在這一帶畢竟相當罕見，因此圍觀人群也紛紛將身子探出柵欄外，關注著比賽的開始。

信號槍響。

在此同時，官員們從左右同時開啓閘門，騎在飛鹿背上的年輕人們，同時奔向寬廣的競技場。

最左邊的那一頭興奮地揮著角，往旁邊偏離了跑道。年輕騎手滿臉通紅地試圖駕馭，但飛鹿完全不聽話，一直跳向與障礙物相反的方向。

圍觀人群忍不住大笑，開心地喝倒采；剩下的六匹則漂亮地向前奔馳，往障礙物跑去。

當圍觀人群看到多馬精湛地駕馭野丫頭，輕鬆地跳過馬絕不可能越過的紅磚障礙物時，剛剛的笑聲紛紛轉變爲感嘆。

多馬、智陀、未野、茂來接二連三跳過高高的障礙，衝上木板架成的大斜坡後再衝下來。

歡呼聲越來越響亮。圍觀群眾中，甚至有人驚訝到合不攏嘴，還有人興奮得不停拍著手。

凡恩原本在一旁守護著多馬等人，這時卻發現視線邊緣有個小小的東西在動。他往那裡一看。

喉嚨頓時縮緊——是狗！黑犬們穿過柵欄，接連進入競技場。

「莎耶！」

他高聲叫著，莎耶已經從箭筒中取出箭，搭在弓上。

「你知道操縱者在哪裡嗎？」

凡恩搖搖頭。

（奇怪了。）

什麼都沒感覺到。平時接近晉瑪之犬時那種「反轉」的感覺，現在完全沒有。曉在身旁輕輕搖動身體，並沒有亢奮的樣子。

只是競技場中已是一片混亂。像黑水般湧入的犬隻開始激烈吠叫、追趕著飛鹿。

圍觀群眾也跟著騷動起來，在這片混亂中，凡恩用敏銳的耳朵聽到了「阿卡法的詛咒」這幾個字。

本來應該控制場面的官員們，也因爲那是帶來疫病的狗，心裡充滿恐懼。他們只是在柵欄旁邊來回走動，沒有人敢進入競技場。

正集中精神在跨越障礙物的多馬等人，似乎也注意到了犬隻，牽繩的操縱因此變得紊亂。

狗一邊吠叫，一邊接近飛鹿。

多馬用求助的眼神望向凡恩，兩人四目相對。

凡恩用手打了個暗號，要多馬跳越柵欄到草原上。多馬點點頭，很快和智陀等人交換了眼神，接著看準時機，和其他參賽者一起朝著柵欄疾馳。

確認他們開始奔跑後，凡恩跳上曉的背。

「……不行！」

莎耶慌忙阻止。

「東乎瑠軍正在看你，說不定有人認得你的長相……」

凡恩默默揮開莎耶的手，駕著曉跳過柵欄。

如果能再接近一點，說不定能跟那些狗產生感應。就算不行，也能擾亂牠們，幫助多馬他們逃走。

曉輕鬆跳躍障礙物。群眾驚訝地看著這位突然出現的騎士。

凡恩駕著飛鹿疾馳、趕上黑犬的腳步，闖進多馬和牠們之間。曉的鼻孔大張，全身肌肉跳動，跟犬群對峙著。

就在凡恩和犬群的目光相對時——那瞬間，他心裡一驚。

（這些傢伙不是晉瑪之犬。）

那又為什麼……就在凡恩這麼想時，西側的觀眾席起了一陣騷動，一名騎著馬的男子正跳過柵欄。

他手裡拿著什麼東西。凡恩聞到火繩燃燒的味道。火已經點燃了。男人將手舉高，手上有個綁著投擲用繩索的陶壺。

弓弦聲響起，男人像被踢飛般落馬。這時，一聲悶爆聲響起，鮮血伴隨著慘叫聲飛濺四周，周圍的人紛紛倒下，附近煙霧瀰漫。

另外一匹馬從煙霧中出現。

看著朝這裡筆直衝過來的那張臉，凡恩瞪大了眼睛。

（……傲梵！）

不斷逼近的傲梵左手拿著牽繩，右手猛然高舉。

兩人四目相對。

傲梵布滿血絲的眼睛盯著凡恩，接著咧嘴一笑。

弓弦聲再度響起，傲梵的手彈開似的被扯向後方，他拿著陶壺的那隻手臂上插著一枝箭。

然而傲梵並沒有將陶壺丟下。他緊咬牙關，將陶壺換到左手緊抱著，往這裡衝來。

凡恩正想掉頭，身子卻突然一僵。

多馬他們在自己背後。如果逃開的話，陶壺可能會打中他們。於是凡恩轉了個方向，先確認多馬等人的狀況。

雖然背後的障礙物遮蓋住他們的身體，但依然隱約可看到他們跳過柵欄往草原奔去的樣子。

凡恩還沒來得及思考，身體已經開始行動。他引導著曉，一口氣跳過障礙物。

跳過之後，凡恩轉過頭，傲梵正急驅著馬衝過來，逐漸接近障礙物。

（他會跳過來，還是會丟過來？）

不管怎麼樣，自己都無法全身而退。那條火繩很短。再過不久，火藥就會點燃。

傲梵讓馬跳了起來，瞄準障礙物邊緣最低的地方。那是一次相當精采的跳躍。

下個瞬間，利箭貫穿傲梵的頭。

好幾枝箭陸續貫穿他的肩膀和側腹。

飛上半空中的傲梵身體一歪，跟馬身一起撞到障礙物最高的地方，接著掉在障礙物後方……

就此爆炸。

沉重的爆炸聲響起。

馬和傲梵的身體裹著火焰和白煙，骨頭、血肉和陶器的碎片發出驚人聲響，向四處飛散。紅磚障礙物碎裂。儘管反射地用手臂護住頭，但飛來的碎片依然扎進身體裡。

凡恩的耳膜裂了，聽不見聲音。

臉和雙臂痛得像火燒，而且好像有什麼東西打到了額頭。那是他最後的感覺，接著，世界便消失了。

## 九　父親的話語

聽得到聲音。

但不知道大家在說什麼，只覺得有一種朦朧低沉的聲響包圍在身邊。他知道有人在叫自己的名字、對他說話。

悠娜在哭，不斷地喊他；多馬也好像在跟自己說著什麼，還有季耶的聲音、莎耶的聲音……凡恩一邊感受著這些輪流出現、時有時無的聲音，一邊來去於似睡非睡的夢境，也不知到底過了多久。冰冷的夜風拂上臉頰，當他嗅到夜露的味道時，突然睜開眼睛。

微暗的帳篷裡。

很安靜。一點人聲都沒有，大概是有人離開帳篷時，趁隙竄進來的夜風，把自己叫醒的吧。

（這是哪裡？）

爲什麼會睡在這裡？

想不起來。完全記不得自己爲什麼會在這裡，一想到此，額頭一陣冰冷僵硬，冒出令人不舒服的汗。

（發生了什麼事？）

頭很痛，耳鳴不斷，肩膀隨著心跳陣陣刺痛。

突然，頭部被箭射穿的傲梵的表情浮現眼前，這時，彷彿點燃了記憶的導火線般，耳裡聽見爆裂聲、鼻子聞到火藥味，還有血、肉、骨頭和磚塊交錯飛散的樣子，全都鮮明地浮現眼前。

（對了，原來我……）

被火彈的爆風打中。

想起發生什麼事後，安心感頓時傳遍全身。凡恩長嘆了一口氣。

（……紅磚障礙物。）

將傲梵和自己的命運一分爲二的，就是那一堵小小的牆。

片段的記憶一點一點甦醒。

不省人事的時間應該只有短短片刻吧。他還記得有許多人將自己抬起來、搬運到別處。他還問了身邊的莎耶，多馬和曉是否平安，也還記得莎耶回答，不要緊，大家都沒事，曉由多馬他們在照顧。

對了，好像還看見了赫薩爾。應該是來治療他的吧。頭暈得不得了，赫薩爾讓他喝下了某種藥，接下來就什麼都記不得了。

（這裡是……）

哪一座帳篷？他對這座帳篷沒有印象。就在凡恩這麼想的時候，聽到踏草而來的腳步聲。在來人掀起布門前，光聞味道，凡恩就已知道是誰——是莎耶。

莎耶手裡拿著桶子走進來，看到凡恩，露出驚訝的表情。

「你醒了嗎？」

她的聲音很平靜。這個人聲調中的平靜，讓凡恩無比安心。

「……大家呢？」

莎耶蹲在凡恩身邊，一邊替他拿開放在額頭上的布，一邊回答：

「大家都很平安，多馬和曉都是。」

重新放上額頭的布冰冰涼涼，很是舒服。凡恩吐了口氣。

莎耶小聲地問：

「身體怎麼樣？還痛嗎？」

大概因爲帳篷裡有些暗，莎耶的表情看起來相當沉重。

「沒什麼大礙，不要緊。」

凡恩說完，莎耶終於吐出心中那口鬱結之氣。

「我睡了多久？」

「沒很久，天差不多快亮了。」

凡恩驚訝地反問：

「天亮？這麼說，我從昨天中午之後就一直昏迷不醒嗎？」

「是啊。中間雖然醒過幾次。但赫薩爾大人說，你撞到了頭，最好別亂動，所以讓你喝了藥。」

竟然睡了這麼久，眞是不可思議。全身最痛的是頭，另外左肩、胸部、側腹和大腿也覺得疼痛。大概是因爲在緊要關頭轉過身去，所以傷勢都集中在身體左側。

現在只要一動，就能感到強烈的痛楚，但又不能不動。連呼吸都覺得痛，所以肩膀和腳大概也有骨折吧。

「赫薩爾大人很擔心你額頭上的傷，他說如果你吐了，就要馬上通知他；幸好沒有……」

「嗯，頭好痛。但現在已經不暈了。」

「那你的記憶呢？你還記得發生了什麼事嗎？」

莎耶不安地問。

「大概記得，不過中間有好幾個零碎想不起來的地方。」

莎耶這才放心地露出微笑。

「太好了。送你回來的時候，你不斷地問著同一件事，讓我們很擔心。」

「是嗎？我說了什麼？」

「你問多馬他們是不是平安、曉怎麼了。」

「喔……這我大概還記得。」

莎耶笑著說：

「真的太好了。」

多虧了傲梵掉在障礙物後頭之賜。那堵牆壁擋住了爆風，然而馬和傲梵的身體就這麼被火彈吞噬。

傲梵那慘烈的死狀再次浮現腦中，凡恩勉強將它壓回記憶裡。他輕聲發問：

「這裡是？」

「這裡是治療用的帳篷。是多力姆大人安排的，我們告訴東乎瑠的官員們說，你是歐基人，大可放心。」

「是多力姆嗎？」

「對。赫薩爾大人替你治療的過程中，多力姆大人曾親自來過一趟，說想向你表示感謝。」

凡恩蹙著眉，緩慢地眨眨眼。

「感謝？」

「如果和傲梵對峙的是東乎瑠軍，並死於陶壺火彈的話，那麼事情就會一發不可收拾。他說多虧有你出面，他才能找個好藉口解釋。」

「……找個好藉口？」

「對。他好像把事情解釋爲北方人民內部的個人紛爭，因爲有人嫉妒參加飛鹿比賽的人。」

凡恩看著莎耶。

「用這種說法，事情就能好好收尾嗎？」

莎耶認眞地點點頭。

「對。他好像還暗示與多瑠大人要跟他口徑一致。」

聽到這意外的名字，凡恩揚起眉。

「與多瑠……王幡侯的兒子？」

「對。」

莎耶輕輕嘆了口氣。

「我父親跟他有往來。長久以來，與多瑠大人一直利用我們知道很多東乎瑠人無法得知的消息。阿卡法王也知道這件事，而與多瑠大人也曉得阿卡法王知情。這就是他們彼此的關係。」

凡恩皺著眉。

「那王幡侯的兒子也已經知道『晉瑪之犬』的事了？」

「他好像正慢慢地放出情報，觀察反應。」

莎耶將裝著水的桶子往旁邊一推。

「我兄長說，與多瑠這個人相當清楚自己的利益和阿卡法的利益之間有怎樣的關聯。

「對他來說，現在如果起了無謂的紛爭，自己管理邊境的本事就會遭到質疑。所以，他才附和多力姆大人的說詞，打算讓這件事就此平息。」

過去跟東乎瑠軍作戰時，幾乎沒聽過「與多瑠」這個名字。他的兄長迂多瑠是個作風殘酷、冰冷無情的男人，但與多瑠給人的印象倒是很淡薄。

看來與多瑠應該是個適合太平時期的爲政者吧。

在這個聚集了不同長相、不同語言人民的國家裡，有這樣的人存在確實非常重要。

「那王幡侯呢？與多瑠也把詳細經過告訴他父親了嗎？」

莎耶搖搖頭。

「我想他不知道，王幡侯對長子之死感到相當悲痛，現在還積極地在尋找犯人。如果被他知道了，一定會採取更嚴厲的行動。」

凡恩皺眉。

「但這麼一來，與多瑠的立場就很危險了——要是他父親知道了一心探究的眞相，以及與多瑠瞞著他這件事的話。」

「是，儘管如此，他還是執意保密。」

「是嗎……」

與其保身，更優先選擇維持領地的穩定，這個人很難得。

「看來不能沒有他啊。」

「確實。我兄長也很擔心與多瑠大人的立場，但是多力姆大人說應該不要緊。

「迂多瑠大人還活著的時候，支持與多瑠的家臣和官僚們被說成很軟弱的傢伙，在會議上提出的意見也很少通過。不過，現在他們的力量已經大幅增強；再說，王幡侯也越來越依賴與多瑠大人。」

凡恩長長嘆了一口氣。

火彈炸出的破綻，就這麼被補了起來。

（傲梵……）

你的死到底是爲了什麼？

一忍再忍，好不容易到了這步田地，而最後所成就的，竟不過是個馬上就被塡補起來的小洞？

火彈爆炸時那沉重的聲響和那股味道再次甦醒，凡恩皺著臉。

「旁邊的觀眾有人受傷嗎？」

他突然想起這件事。莎耶的眼睛就像是降下簾幕般頓時變暗。

「有一個人死了，還有很多人受了重傷……」

她的聲音微微顫抖。

凡恩轉過頭看著莎耶，一驚。

（這個人在自責嗎？）

因爲她的箭殺了傲梵那男人，所以火彈才會在觀眾周圍爆炸。

就算當時沒有射殺他，也會有人以其他形式喪生。但儘管如此，一想到被那場爆炸波及的人，或許莎耶還是無法不譴責自己。

「不是妳的錯。」

莎耶蒼白的臉上帶著淺淺的笑。

「是啊。」

儘管知道這些道理，她心裡還是會永遠背負這份重擔吧。

「要是我的弓……」

莎耶悄聲說。

「射偏一點就好了。」

凡恩吐了口氣。

「……要是妳射偏了，死的就是我。」

莎耶露出苦澀的微笑，接著，突然像決堤般脫口說出：

「當時我只注意到你。那個時候，除了想著要救你，我其他什麼都沒辦法思考。要用弓箭阻止他……我只想得到這件事，完全看不見旁邊的其他人。」

凡恩忍不住伸出手，摸摸莎耶的膝蓋。

莎耶痛哭失聲，將臉埋在凡恩的枕邊。她弓著背，像個小女孩般哭泣。

直到那哀傷的波浪漸漸平息為止，凡恩一直輕輕撫著莎耶的背。

終於，她直起身子，難為情地低下頭，用雙手抹著臉。

「以前……」

凡恩看著帳篷頂部交錯的骨架，說起突然浮現腦中的事。

「我父親說過，人是種悲哀的動物，不管做出什麼選擇，都一定會留下後悔。」

「……」

「跟人相比，動物乾脆多了，好像沒有任何迷惘。不過，那也只是我們這麼想而已，說不定動物也有動物的苦惱。這世上的所有生命，不管怎麼掙扎，最後或許都得背負著懊悔而活。」

想起父親說這些話時的表情，凡恩不禁苦笑。

「我父親是個脾氣彆扭的人，大家都說好的事，他卻硬是要批評。

「但這個人又很重感情、很愛哭，眞是個麻煩的傢伙。不過，父親當時說過的那段話，卻不知爲什麼留在我心裡。」

在暗夜中，父親那張被火光照亮的臉，那歪著嘴角、注視著火堆，彷彿在沉思著什麼的表情，至今仍歷歷在目。

（對了。）

父親當時說到，動物也有動物的煩惱，就是在那時候——父親告訴他「鹿王」的故事。

「父親說，他看過『鹿王』。」

莎耶微微皺著眉。

「你是說那個犧牲自己生命、守護鹿群的鹿？」

「對。」

凡恩點點頭，笑得苦澀。

「父親告訴我的，意義跟我從小聽的『鹿王』故事不太一樣。或許那是父親在我們即將成人之際，送給我們的餞別禮吧。當時我們十五歲。」

莎耶拭著淚，安靜聽著。

「完成了一連串成年男子的祕密儀式後，我們筋疲力盡地圍在火堆前……」

每當爐火搖曳，就能看見帳篷頂上交錯的骨架搖晃的影子。看著那影子，凡恩開始說起。

「飛鹿跑得很快，又擅長攀登斷崖絕壁，一般來說不會被狼或山犬侵襲。不過如果在平地遭受狼和山犬攻擊，有些小鹿會來不及逃走。

「父親說，這時候，鹿群裡就會有一隻母鹿跳出來，跟天敵對峙——一隻已不再年輕、上了年紀的母鹿出來做這件事。」

凡恩想起當時父親用豐富的肢體動作說著這個故事的模樣。

「鹿群越逃越遠，而那隻母鹿背對著逃走的鹿群，獨自站在狼群前，就像挑釁一樣，不斷跳來跳去。」

莎耶臉上還爬著淚痕，專心聽著。

「只有一頭鹿，根本不堪一擊。不管這母鹿的體型有多大，故意留在狼群前，簡直就是有勇無謀。儘管如此，牠還是不斷地跳躍，就像在嘲笑迫在眉睫的死亡、誇耀自己的生命一樣。」

凡恩露出微笑。

「父親說，那傢伙眞笨，不管再怎麼強，萬一被幾匹狼圍住的話，根本無路可逃。只有白痴才會自己跳進絕境，讓生命陷入危險。

「當時我們還年輕，聽了很生氣。哪有這回事！牠爲了保護大家犧牲自己，這很偉大啊。就是因爲這樣，才會被尊稱是守護鹿群的『鹿王』。我們異口同聲地反駁。」

凡恩想起那天夜裡火光的顏色，還有說不定再也見不到面的兄弟們的表情。

「聽了之後，父親笑了。他說，你們也一樣笨。

「父親一一指著我們說，你們或許覺得自己會成爲英雄，可以爲了氏族而捨命，但這是天大的誤會。

「像你們這種毛頭小子，就應該盡全力活下去。沒有什麼事比保護自己的性命更重要。

「在戰爭中，想保住自己的命可沒那麼簡單。如果敵方占了壓倒性優勢，那你就死命地逃。拚命保住死裡逃生的這條命、生孩子、增加族人，這就是你們的任務。」

父親粗獷的聲音在耳邊迴響。還有自己老大不高興回話的聲音也是。

「我問父親，如果有人逃不掉呢？如果有孩子來不及逃走，幫助他們也是戰士的責任吧？」

莎耶問：

「……那你父親怎麼回答？」

「他突然板起臉說，那是有能力的人做的事。」

凡恩想起父親收起笑意、直盯著自己說話的眼神。

「他說，能夠單槍匹馬跑到敵人眼前跳躍挑釁的鹿，牠的心靈和身體，應該都是上天賜予的。

「才能是一種殘酷的東西。面臨絕境時，會逼著這種人站出去。如果沒有這份與生俱來的才能，或許可以保全自己的性命。其實是個悲哀的傢伙呀。」

凡恩耳裡還聽得見父親嘆息般的說話聲。

「父親說，每次聽到別人隨口尊稱這種鹿為『鹿王』，他就想吐。在這個弱肉強食的世界裡，因為有這種傢伙在，其他生命才得以存續，被牠拯救的生命當然應該心懷感謝才對；不過，他非常討厭『把這種存在吹捧為拯救群體的王者』這種心態。」

凡恩心裡滿布著悲哀，那是年輕時未曾感受過的寂然哀傷。父親說得很對，但自己當時並不了解。

「當我聽赫薩爾大人講起手的事情……就是胎兒的指間有膜，而那些部分會自己死去，才能讓手指靈活運動、形成手指。」

「我記得。」

「聽到那件事時，我想起了『鹿王』。

「犧牲自己、保全其他性命。我心想，其實這只是一種必然——因為牠生而如此，所以才這麼做，或許只是這樣而已吧。」

凡恩輕輕嘆了口氣，低語著：

「知道這個道理後，不知道為什麼，心裡覺得涼涼的。我不想認為出生就是為了死亡。

「活著說不定根本沒那麼多意義，該存在的時候存在，該消失的時候消失，如此而已。」

凡恩閉上眼睛，用那隻還能動的手摀住自己的臉。

周圍只有搖動帳篷的風聲，靜靜響著。

# 十　遺忘的事

「歐踣！」

拖著腳來到帳篷外，馬上聽見響亮的叫聲。

「啊，不行不行，不能撲上去。」

季耶連忙從後面抓住悠娜。

「歐踣受傷了。」

凡恩笑著說不要緊，過來吧。悠娜一臉緊張地走近，輕輕用她小小的手指摸了摸凡恩腿上的繃帶。

「痛嗎？」

「已經不痛了，沒關係。」

他將手放在那小小的頭上，柔軟的頭髮被太陽曬得溫熱。

春風讓心情舒爽。聞著草地的味道，凡恩深深感受到能站立行走的幸福。

「凡恩！」

多馬跑了過來。

「你已經能走了嗎？」

凡恩點點頭。

「讓你擔心了，我已經不要緊了。」

環望四周，沒看見智陀他們。

「智陀他們呢？」

「去買東西了。我們拿了一筆獎金，想在回家前多買點東西。」

「你怎麼不去？」

「我明天去，我想帶媽和悠娜一起去。」

他應該是擔心凡恩，所以沒有跟大家一起去採買，決定各自行動。

「……讓你費心了。」

說著，多馬難爲情地笑了起來：

「也沒有啦。」

風裡突然傳來熟悉的味道。

抬起頭，林立的幾座帳篷那端有幾個人影走來。悠娜跳了起來。

「啊，是莎耶阿姨，還有米拉兒阿姨！」

還來不及阻止，悠娜便像隻小狗一樣奔了出去，跳到莎耶身上。莎耶笑著抱起她，米拉兒則捏捏她的臉，讓悠娜咯咯笑了。

米拉兒瞇起眼看著凡恩。

「這樣不行喔，你還需要臥床休息呢。」

凡恩苦笑著。

「偶爾也想吹吹外面的風。」

米拉兒微笑著搖搖頭。

「你的心情我懂，但還不到時候。頭部的傷可不能小看喔。」

在米拉兒催促下，凡恩走進帳篷，季耶走了過來，從莎耶手中抱走悠娜。這時，悠娜緊抱著莎耶的脖子。

「悠娜想在一起。可以跟阿姨在一起嗎？」

「不行。因爲待會兒要治療喔。」

悠娜的嘴唇開始顫抖，好像隨時就要大哭起來。沒關係，莎耶對季耶說。

「有我在旁邊看著。不過，相對的，悠娜會當乖寶寶的對吧？」

悠娜「嗯！」了一聲，用力點點頭。

「眞的可以嗎？」

「不要緊的。」

莎耶點點頭。

「大概是因爲她很擔心凡恩，想待在他身邊。就讓她留下來吧。」

「也對……就麻煩妳了，要是忙不過來，請隨時叫我一聲。」

走進帳篷，凡恩躺在床上，米拉兒迅速拆下他的繃帶。

「應該還很痛吧？」

「有一點。不過已經沒什麼大礙了。」

「對耶，消腫了不少。不過這邊的傷口還沒完全乾燥。」

看看左腳的傷，米拉兒嘆了口氣。

「果然暫時還不能走路。這傷口比看起來還要深。」

凡恩點點頭。確實，這處傷口還很痛。

米拉兒要凡恩的目光跟著她的手指移動，再叫他閉上眼、舉起雙手。有沒有噁心的感覺？米拉兒問。

「沒有。」

「頭痛呢？」

「已經不怎麼痛了。」

米拉兒點點頭，表情稍微安心了些。

「我想應該沒什麼大礙，不過千萬不能小看腦震盪。這陣子盡量不要晃到頭喔。有時候覺得已經好了，但如果又遭遇衝擊的話，還是很可能有生命危險。」

凡恩表情僵硬。

「一陣子是指多久呢？」

「大概十四天左右，這段期間請不要騎飛鹿。」

凡恩挑起眉。每當做出這個動作，額上的傷就會引來陣陣刺痛。

「這麼久？」

「沒錯。雖然只是一陣子，但你可是完全失去意識呢；爲了保險起見，還是小心點。」

「……這可麻煩了。」

凡恩一邊碎念著，一邊看向悠娜。乖乖坐在莎耶膝上的悠娜探出身子。

「歐蹌，很麻煩嗎？爲什麼呢？」

大人們忍不住笑了。

「不要緊。妳乖乖的。」

這時，悠娜嘟起嘴。

「我本來就很乖。」

莎耶笑著附和她，對啊。

凡恩摸著下巴，說：

「多馬他們差不多該回歐基了，還是讓他們先回去吧。」

「就這麼辦，你待在這裡，我們也比較安心。」

聽米拉兒這麼說，凡恩心裡浮現出赫薩爾的臉。他想起一個始終放在心上，卻遲遲沒機會問的重要問題。

「抓到席康了嗎？」

米拉兒搖搖頭。

「沒有，一點線索都沒有。」

米拉兒重新仔細地纏好繃帶，面色凝重地說：

「眞是奇怪呢。他明明一直跟傲梵他們在一起，要怎麼從這麼多監視者的眼皮底下逃走呢？」

米拉兒抬起頭，看著凡恩。

「這次事件有太多令人費解的地方，你不覺得嗎？晉瑪之犬跳進競技場追著飛鹿跑，卻並沒有咬傷牠們，就跑到別處去了。」

凡恩蹙眉。

「……晉瑪之犬？」

米拉兒眨著眼，試探性地看著凡恩。

「你不記得嗎？」

凡恩瞇起眼看著天空。腹部周圍有種不祥的感覺在蠢動。

（我好像忘了什麼重要的事。）

他循著記憶的繩索，一點一滴零碎地回想起當時的景象。穿過柵欄、跑進競技場的黑犬們。

當時莎耶問了自己某個問題。

（她問我，操縱者在哪裡？）

對了——不知道。當時完全沒有反轉的感覺。

一想到這裡，一股令全身為之動搖的衝擊迅速擴散。

大概是發現他臉色大變。莎耶不安地看著他。

「……怎麼了？」

「那不是晉瑪之犬。」

凡恩看著兩人。

兩人片刻停下所有動作。

「……你說什麼？」

米拉兒慌張地低聲問。

「不會有錯嗎？」

只聽到莎耶用尖銳的聲音回答：

「我現在想起來了，不會錯，那只是一般的獵犬。」

「那……」

「對了——席康並不在那裡。」

米拉兒眨眨眼。

「那、為什麼？到底……」

就像一星火花接連傳向其他導火線，凡恩腦中浮現出許多事，他低聲說：

「這是『落劍』。傲梵向我們展示了他最得意的詐術。」

「『落劍』？」

米拉兒反問。

凡恩回答：

「先在敵人面前使用具有威力的武器，然後故意落下，讓敵人以爲他失敗而掉以輕心；這時候再給對方致命一擊。」

米拉兒鐵青著臉。

「咦……那麼，席康不只是逃走，而是還有其他企圖？」

凡恩點點頭。

「我也一直覺得奇怪，那火彈的使用方法未免太粗糙了。傲梵爲了做出那種事，不惜犧牲性命，我覺得實在太不可思議了。但如果他另有目的，一切就說得通了。

「爲了他們眞正的目的，打從一開始，席康就待在其他地方。而傲梵爲了掩蓋席康人在別處的事實，故意死在那裡——他們運用這個策略，只是爲了讓我們鬆懈警戒。」

帳篷裡一片鴉雀無聲。

# 十一　令人恐懼的可能性

「……那席康現在人在哪裡？」

聽到莎耶這麼問，米拉兒提出了一個可能性。

「我一直在想，如果站在他的立場，我會怎麼做？

「要是我，眼前剛好有『玉眼來訪』這個千載難逢的機會，我不會把晉瑪之犬只用在這僅有一次的襲擊上。」

米拉兒認眞地看著凡恩。

「如果是我，會設法增加晉瑪之犬和牠們身上的病素。不是只有一次演出機會的華麗復仇劇，而是想辦法讓這個病擴散到就算想阻止也無能為力的廣大範圍。席康在歐塔瓦爾聖領長大，學習到醫術和生物的生態，我想他的想法一定跟我很接近。」

凡恩用力瞇著眼。假如這個推測是正確的，那麼這樣的未來，遠比傲梵帶著同歸於盡的覺悟的襲擊更可怕。

「要怎麼樣才能增加？讓牠們跟山犬交配嗎？」

米拉兒搖搖頭。

「還有更簡單的方法。事實上，我們也一直擔心這件事。但聽說他買了陶壺時，我還以為他們另有打算，而晉瑪之犬也眞的出現在競技場上，我正覺得放心，以為事情沒有我所想的那麼糟糕。」

「更簡單的事，妳是指什麼？」

米拉兒沉下臉。

「利用蜱蟎。」

「蜱蟎……」

「對。我之前也說過，假如我們的假設是正確的，那麼黑狼熱最根源的宿主，就是沼地之民稱爲『米寄』的一種黑蜱蟎。被這種蜱蟎咬過的狗或狼身上會帶有病素；但也有可能反過來，也就是吸了宿主——這些狗的血之後，病素從狗轉移到蜱蟎身上。」

凡恩睜大了眼。

他一直以爲被蜱蟎叮咬後會生病，但從來沒想過病素會從生病的動物轉移到蜱蟎身上。原來如此，這麼說來，確實很有可能。一個在歐塔瓦爾聖領長大的年輕人席康，腦中說不定會有這樣的想法。

米拉兒面無血色地說：

「對阿卡法人來說，黑狼熱並不是致命疾病，所以這附近可能也有帶著黑狼熱病素的黑蜱蟎棲息。可是，對於住在阿卡法東邊，也就是我們歐塔瓦爾人來說，這卻是一種致命的疾病。換句話說……」

「棲息在阿卡法東邊的蜱蟎，身上沒有病素。」

「沒錯。」

凡恩緩緩摸著下巴。

「如果在阿卡法東邊——通往東乎瑠本國歐塔瓦爾幹道沿途增加帶有病素的蜱蟎……」

米拉兒點點頭。

「後果將不堪設想。被這些蜱蟎吸了血的山犬，將會成爲黑狼熱宿主，不斷重複下去，一直繁殖，將來行經幹道的人，就得永遠擔心染上疾病。

「之前也說過，病素這種東西在轉換宿主的過程中，毒性有可能變得更強。就算是原本不會因蜱蟎感染而發病的人，如果接觸到這種先是轉移到晉瑪之犬、再回到蜱蟎身上的病素，就很有可能發病也說不定。」

米拉兒輕輕用手指撥開額前的頭髮。

「在這之前，晉瑪之犬停留過一定期間的地區，想必已開始將新的病素傳染給蜱蟎。我們一直很擔心這件事。不過，在以往從沒感染過的東邊，萬一新的感染開始蔓延……後果將不堪設想。」

這種病並不會人傳人，所以一直以來只在阿卡法邊境出現。但說不定只是以前不知道，其實也可能曾有毛皮商人之類的人死於這種病。不過往來邊境的人並不多，光是發高燒而死，大家並不會懷疑是黑狼熱，甚至連變成傳言的程度都沒有。

不過，前往阿卡法的商人、士兵、官員都會行經這條歐塔瓦爾幹道，假如沿路的森林成為帶有黑狼熱的山犬棲息地，這種風聲將會瞬間傳遍各地，阿卡法最終也會因此成為陸上孤島。

而且，經過幾個新宿主、產生變化後，毒性增強的病素，也可能讓阿卡法、土迦、歐基人生病……

凡恩彷彿聽到了傲梵——火馬之民——的怨懟之聲。

盡量覺得痛苦吧！侵略者。那些把我們視為塵芥的人，你們強行奪去的土地，將化為給你們帶來痛苦的地方。

如此一來，這片土地將成為唯有受到神明祝福的人專屬的樂園……

「再說……」

米拉兒的表情因不安而變得扭曲。

「歐塔瓦爾幹道沿途還有零星的耕地。萬一蜱蟎將病素轉移到野鼠身上，那可不得了。」

狗的繁殖力不能和野鼠相比。再加上群居於田裡的野鼠在收穫季結束後，會同時移動到城鎮裡或混入商隊的行李當中，被運送到遠方。

米拉兒將手放在額前。

「黑狼熱之所以會在古歐塔瓦爾王國蔓延，聽說也是因爲野鼠的關係。貴族們在自己領地所屬的森林裡，用圍欄圈養黑狼、加以繁殖。而就在那片森林裡，疾病從黑狼傳到蜱蟎，再從蜱蟎傳到其他動物身上，最後，野鼠將疾病擴散到整個王都。

「王都陷入極度悲慘的景況，唯一幸運的是，過去歐塔瓦爾王都和貴族的領地，都位於漂浮在廣大內海的島上。」

「神聖貴人，毀去疫病之島的大橋……」

莎耶念出古歌謠的一節，米拉兒點點頭。

「沒錯，我們的祖先爲了防止蜱蟎和老鼠跟來，剃光頭髮、脫光衣服，赤裸著身子過了橋，防止黑狼熱來到島外。」

米拉兒安靜了下來，只剩下春風搖晃著帳篷的聲音，啪噠啪噠地傳入耳中。

「那個叫席康的年輕人知道這件事嗎？」

正因爲知道，才會將晉瑪之犬野放吧。

從狗到蜱蟎，從蜱蟎到動物，然後到人，疫病的浪濤就是上天所賜與的試煉，不斷蔓延在阿卡法的土地上。

在這片浪濤侵襲下，還能夠延續生命的人，才是被神明允許活在這片土地上的人。席康應該是這麼想的吧。

米拉兒用顫抖的手撥開頭髮。

「如果能做出新藥的話，或許沒有必要害怕，但等到確實有效的藥製作完成，還要花很長的時間……」

說著，米拉兒重重嘆了口氣。

「啊，爲什麼席康要這麼做呢？」

米拉兒甩了甩頭，說：

「我現在說這些話或許聽來不太恰當，但我並不討厭席康。他這個人雖然爲人木訥，不懂得討人歡心，不過那只是他保護自己的面具……火馬之民認爲溫柔代表軟弱，所以盡量不表現自己的眞心。可是，他骨子裡是個溫柔的孩子。就連托馬索爾都放棄、覺得無藥可救的瀕死小狗，他也會不眠不休照顧好幾夜……」

說到這裡，米拉兒頓了一頓。

「可是，他確實有頑固的地方。一旦認爲自己是正確的，就絕對不肯退讓。他也非常不喜歡換個角度來看同一件事，覺得那只是給自己找藉口的權宜之策。」

米拉兒說著，泫然欲泣。

「雖然我不知道他是不是眞的這麼想；畢竟這孩子從來不把自己的想法說出來。可是，有好幾次他都給我這種感覺。」

莎耶悄聲說：

「不只是他的兄長，他的外公也因爲毒麥事件遭罰。」

米拉兒點點頭。

「是啊。托馬索爾大人之前告訴過我們，席康很尊敬自己的外公。這件事原本錯在東乎瑠，但東乎瑠卻沒有受到任何責罰，他一直說，這樣根本違反神明的道理。」

凡恩嘆了口氣。

「既然如此，那就由我們來執行正義——是這樣嗎？」

席康消失已經七天。

米拉兒似乎猜到凡恩心裡在想什麼。

「這是跟時間的戰鬥。我認爲現在已經到了緊要關頭，再不抓到那些狗，往後就……」

從米拉兒眼裡看得出極度的焦急。

「傳播那種病的蜱蟎如果咬住了狗，沒有十天大概是不會離開的，久一點還會連續吸十四天左右的血。再說，來自蜱蟎的感染率並沒有那麼高。就算晉瑪之犬在森林裡待上二十天左右，汙染也不至於一口氣擴散。儘管如此，」

米拉兒面色凝重地接著說：

「吸飽了血的雌蜱蟎一次可以生下兩千到三千顆卵，要是沒能順利抓到晉瑪之犬，讓牠們長期待在森林裡，就會讓許多蜱蟎成爲病素的媒介；假如這些蜱蟎又讓其他山犬受到感染……黑狼熱將會往東邊逐漸擴散。而且，在新的環境當中，會產生什麼變化，我們根本無從預測——雖然很不甘心，但我實在不覺得新藥能搶先在這之前做出來……」

她的語尾顫抖著。

莎耶扶著米拉兒的肩膀，輕輕安撫：

「不要緊的。」

米拉兒驚訝地看著莎耶。

「什麼？」

「席康應該還在卡山，還沒有接近幹道。」

莎耶平靜地說。

「那附近是『玉眼』回程的必經之路，我們和東乎瑠都派了許多人，滴水不漏地嚴密警戒。席康的人確實還在卡山，假如他嘗試離開卡山，一定會被我們的網給逮住。

「就算他嘗試穿過沒有路的草叢或森林，要是只有晉瑪之犬也就罷了，這些地方人能走的部分其實出乎意料的少。」

莎耶臉上帶著墨爾法一貫的冷靜。

「數百年來，我們一直身爲阿卡法王之網。對於人能走的地方全都瞭如指掌——他們還沒有落入我們的網羅中，一定還在阿卡法境內。」

莎耶輕輕吐出一口氣，接著又說：

「幸好這些狗是由人來引導的，如果只有狗，要抓到牠們就難上加難了。得趁現在趕快逮到才行。」

米拉兒盯著莎耶，表情複雜地點點頭。

如果利用蜱蟎這種微小生物，有太多方法能通過盤查。儘管她心裡藏著這份不安，卻還是沒有把這個擔憂告訴其他人，就這樣先行離開。

## 十二 鹿啊，跳躍吧！

兩人離開後，凡恩望著掩上後微微晃動的布門，開始思考她們沒說出心中眞正擔憂的理由。

（是顧慮到我嗎？）

她們擔心，受傷的他可能會去追席康。

悠娜來到身邊，一骨碌躺下。

她天南地北跟凡恩說了一會兒話，然後臉貼著凡恩的手臂睡著了。

聽著她的呼吸聲，凡恩抬頭望著微微映著午後陽光的帳篷布門。

（席康已經穿過墨爾法的包圍網了。）

與其說是直覺，不如說是確信。

聽著莎耶的話，凡恩心裡一直在思考一件事。

（傲梵不只是布下了落劍之策。）

滿布血絲的雙眼、滿足的笑容，那表情眞正的意義，凡恩現在已經完全了解了。

（他想殺我。）

在歐基之民展現飛鹿騎術的場合裡，如果讓那些狗襲擊多馬他們，自己必定會現身。

（甘冒危險，帶著火彈來到那個地方布下落劍之策，是因爲那是一個能殺我的絕佳機會。）

傲梵進行了如此縝密的計算，假如沒想出穿越墨爾法之網的方法，他不會那麼衝動地使用席康這個重要棋子。

（到底是什麼？）

有什麼穿越墨爾法之網的方法？

（或者，他只是在等待奇蹟？）

難道傲梵想讓「晉瑪之犬」分散於阿卡法的山野，設法繁殖，然後再讓這些狗去咬其他人，產生新的「犬王」？

（不……）

這賭注太危險了。長時間待在阿卡法的話，席康一定會落入墨爾法手中。越是耗費時間的縝密計畫，途中被堵死的危險就越高。

（難道，席康這個年輕人又是另一個引開我們注意力的誘餌？）

說不定已經出現了新的晉瑪之犬操縱者。也或者，他們已經想出儘管沒有像「犬王」或我這樣的能力，也能操控晉瑪之犬的方法？

當然也有這個可能，不過可能性應該很低吧。

（假如有很多人能替代，那麼我的存在就不值一提。他沒有理由賠上自己的命來殺我。）

傲梵那滿布血絲的雙眼再度浮現心頭。儘管全身被箭射穿，他還是緊抱著陶壺，拚命想靠近凡恩。

（即使賠上這條命，也不得不殺我的理由在哪裡？）

我能做什麼？

假如晉瑪之犬真的散布到東部森林，蜱蟎也增加，那麼就束手無策了。

（也就是說，在這之前，有什麼不希望被我干擾的事？）

究竟是什麼？

（我所能做的，就是操縱晉瑪之犬……）

凡恩用力瞇起眼。

難道我半路出現、操縱犬群，會干擾席康的計畫？

（那究竟是什麼？他打算做什麼？）

儘管不知道他的目的，也大概能知道地點。不管怎麼樣，如果席康打算把狗野放到東部森林，那麼他一定打算在卡山東邊有所行動。

（會是在「玉眼」回程路上發動攻擊嗎？）

這時候如果說到卡山東邊，馬上就會想起這件事。

對火馬之民來說，假如成功，就能讓所有人知道到底誰才會受到神的制裁。他們可以向世人表示，以長遠的眼光來看，火馬之民才是眞正的勝利者。

再說，襲擊「玉眼」，也可以向背叛他們、拋棄他們的阿卡法王復仇。可是正同莎耶所說，「玉眼」回程的路上布滿嚴密警戒，連螞蟻都很難找到縫鑽。他們眞會在這地方使用珍貴的晉瑪之犬和操縱犬群的人嗎？

（或許會吧……）

正因爲覺得不可能，對方才反而可能這麼做。

如果不這麼做，再怎麼想也找不到別的辦法。

現在，應該循著對方最不希望被他干擾的這條線來思考。

（假設他會這麼做，那麼方法是什麼？）

襲擊「玉眼」、讓東乎瑠知道晉瑪神的力量和火馬之民的怨恨之深，同時也讓晉瑪之犬和操縱者都能繼續活命的方法。眞有這種方法嗎？

（關鍵是襲擊的地點。東乎瑠和墨爾法都覺得不可能，但對晉瑪之犬來說，反而容易下手的地方。）

有這種地方嗎？——想到這裡，突然有個地名從記憶深處冒出來。

那個瞬間，眼前彷彿電光一閃。原來如此，這下終於懂了。

傲梵和夥伴們笑著撫摸愛馬，放鬆交談時曾這麼說。

——火馬也能攀下山崖啊，不過，亞路路凡斷崖倒沒辦法。那飛鹿呢？

傲梵當時所說的，既非猶加塔地方的峽谷，也不是土迦山地的山崖，而是一個遠在阿卡法東部的斷崖，那時候的異樣感，現在凡恩終於知道理由了。

（亞路路凡斷崖嗎？）

這個地名一直停留在他腦中，當時可能因爲自己是飛鹿騎士，傲梵才不經意地說出口吧。但脫口而出後，傲梵應該相當懊悔。

（傲梵……）

那個在明亮陽光下，驕傲地撫著愛馬的男人已經不在這個世上了。

人類的生命如此脆弱。

悠娜的鼻子緊貼著凡恩的手臂。平靜的呼吸吹在手臂上。

（把這孩子留下。）

離開再度建立起來的溫暖家庭，眞的値得嗎？

（如果離開的話……）

或許再也無法回來。

不成爲「犬王」，就無法領導那些狗。但反轉之後，語言就會消失；身爲人的自己，也會漸漸縮小、消失。

假如反轉後，跟犬群的靈魂相連，前往很遠很遠、沒有人跡、廣大的原野深處……經過一個晝夜、兩個晝夜，就這樣維持反轉的狀態……或許就無法保有人的靈魂了吧。

一切的一切都將成爲光粒流轉而去，小小的自己也會溶解在那廣大的世界當中，最後化爲野獸。

黃昏的淺淡光線照亮了悠娜充滿光澤的臉頰。

這件事不至於危害這孩子的性命。對於住在阿卡法的人來說，這雖然是種可怕的疾病，但其他令人懼怕的疾病還有很多。

無端被捲入這場不可思議的戰爭。究竟有沒有足以爲此捨棄自我的意義呢？

凡恩閉起眼睛，一個，又一個，不同景象如幻境般浮現眼底。

不斷增加的蜱蟎、從田裡進入城鎮的老鼠、不知不覺中受到感染痛苦而死的人，還有在一旁守護的家人們……

突然，已然遙遠那夜的記憶湧現心頭。在痛苦呼吸著的幼子枕邊拚命祈禱時，存在於腦中的念頭。

（如果自己有能力的話……）

這霸占著孩子不放的病魔！如果能得到驅逐牠的力量，我可以不要這條命，什麼都願意放棄！

（眞是諷刺。）

當時全心全意想擁有卻不可得的力量，現在竟確實握在手中。

傲梵在疾病之中看見了神的模樣。

確實，疾病跟神明很像。人們既不知道什麼時候會生病，也不知道爲什麼會生病；能得救的人和不能得救的人，兩者之間也沒有一定的界線。從自己手中遠離而去的是什麼呢——看起來就像是描繪在諸神掌心中的命運。

（但是……）

話雖如此，也不能就這樣放棄，木然接受一切。

因爲在這過程中的掙扎，或許就代表著生命本身。

反轉時曾看到無數光芒。這些光芒如此微弱、渺小，但是，全都爲了活下去綻放出光輝。

那無數光芒有時會互相抵抗，或輸，或贏，有時也會幫助其他生命延續下去。

爲了維繫生命，所有生物都會透過這個誕生於世上所獲得的身體，不斷展開無數個小小的戰鬥跟糾葛。

有的企圖剝奪其他生命，有的則因扶持其他生命而存活，這許許多多不同的生命樣態，互相對抗、交雜、流動，而這一切，就代表「活著」。

（當生命被疾病奪走，還是放棄比較好。）

但除了放棄並接受的人，只有無計可施的人才會這麼做。

只有無力救助旁人的人，才會覺得當其他人的性命被奪走時，視而不見比較好。

凡恩闔上的眼皮裡，好像看到一隻小鹿在跳躍。每當小鹿使盡渾身解數彈跳起來的時候，生命也會閃著光輝。

（……跳躍的小鹿，發光吧！）

挑戰那徹底的黑暗，跳躍著的小鹿啊，發光吧！

「亞里莎、摩熙爾。」

他很久沒喊出妻子和兒子的名字，覺得一股熱流流過喉嚨。

「當時沒能為你們做的，我能為這些非親非故的人做嗎？」

要是你們能點點頭，我心裡的猶豫和迷惘應該就會消失了吧！

凡恩不禁苦笑著。一股溫熱感浸濕了眼眶。

死者是不會回答的——答案永遠在自己心裡。

悠娜發出平穩的呼吸聲，凡恩用指尖輕搔著她柔軟的臉頰，心裡湧起難以言喻的憐愛。

凡恩用力閉上眼，輕聲說：

「……原諒我。」

要是沒能回來，這孩子一定會大哭吧。

但是孩子還小，隨著時間流逝，她的哀傷總有一天會痊癒。對這孩子來說，自己會漸漸成為遙遠過去的夢。

這孩子已經有親人了。她有季耶、多馬、奧馬，還有智陀他們，大家都會好好疼愛她。

（在那場冰雨中……）

能遇見多馬真的太好了。可以將背負著殘酷命運而生的孩子，託付在溫暖親人的懷中。

凡恩睜開眼，輕輕起身，小心不驚醒悠娜。

# 第十二章　鹿王

## 一　牽線者

「你說什麼？」

赫薩爾聽到入侵競技場的那些黑犬竟然不是晉瑪之犬，忍不住拉高了音量。

「那，席康人不在那裡嗎？」

米拉兒點點頭。

「應該不在。那天莎耶小姐告訴我墨爾法布下了多麼綿密的網，我實在不認爲席康有可能從那裡逃走。」

赫薩爾一臉嚴肅。

「這麼說來……」

「對，他們應該想利用蜱蟎吧。我想這個可能性應該最高。」

馬柯康插話：

「但是要怎麼做？席康消失沒多久，我們就開始追蹤他，墨爾法也應該很快就布下了網。他不太可能不留任何痕跡就離開阿卡法。

「如果只有狗，或許還有可能躲過墨爾法之網到阿卡法東邊去，但不管晉瑪之犬再怎麼聰明，狗畢竟是狗。如果沒有持續下令、引導，不太可能讓牠們到指定的地方吧。」

赫薩爾點點頭。

「席康應該和晉瑪之犬在一起。如果不需要有人引導，也犯不著這麼費事吧？」

「這麼說來……」

「對。問題是怎麼辦到。」

赫薩爾緊皺著眉說：

「自從玉眼來訪後，東乎瑠的警備已經比平常更嚴格，而且大家對狗也變得更敏感。他該怎麼帶著犬群通過盤查呢？」

「通過沙古達之森或山裡嗎？或者事先猜測到我們的想法，躲在我們完全沒想到的地方，正在靜待時機？」

聽到馬柯康這麼說，赫薩爾搖搖頭。

「墨爾法可不笨，這一點他們應該也想到了。」

「對，莎耶小姐也這麼說。她說爲了避免計策被看穿，不只東部，他們已全方位布下了網；此外，歐塔瓦爾的『奧』似乎也牽涉其中——她的話裡似乎有這個意思。」

赫薩爾沉吟：

「這麼說來。假如席康把晉瑪之犬帶到東部森林，表示除了東乎瑠軍和阿卡法兵的盤查、墨爾法之網，甚至連歐塔瓦爾的『奧』的眼睛都能逃過——你覺得那傢伙有可能辦到嗎？」

馬柯康搖搖頭。

「不可能吧。任他腦筋轉得再怎麼快，一個人也成不了什麼事。」

這瞬間，赫薩爾突然瞇起眼睛。

他那對比著紅潤臉頰的雪白額頭深處，想必正迅速閃過各種想法吧。赫薩爾直盯著米拉兒，但視線彷彿並未聚焦。最後，他終於幽幽開口：

「……如果他不是一個人呢？」

「什麼？你是說火馬之民暗地裡幫助他？」

赫薩爾搖搖頭。

「不，不是火馬之民。火馬之民一直有人緊盯著。假如席康背後有人在幫他，那一定是個我們意料不到的人。」

赫薩爾換上銳利的眼神，說：

「能讓席康和犬群即使受到東乎瑠軍和阿卡法兵的盤查，也不會遭到阻擋的人。而且是除了墨爾法之外，還能打通歐塔瓦爾的『奧』，有辦法讓他們逃過的人……」

赫薩爾眼裡乍然流露出痛苦。

米拉兒正要開口問，赫薩爾舉起手制止了她，低下頭去。

就這樣，過了很長一段時間，他終於拉開椅子站了起來。

「……抱歉，我出去一下。」

馬柯康正要上前陪同，赫薩爾轉過頭，板著臉對他說：

「你不用過來。」

「可、可是……」

馬柯康話才說到一半，但赫薩爾沒管他，快步走過房間，將手放在門上。

米拉兒知道，這種時候不管問什麼，赫薩爾都不會回答。所以什麼也沒多說，目送他離開。

赫薩爾離開房間的背影看來是那麼陰沉，她忍不住繃著臉。

「那個……」

米拉兒才轉過來，馬柯康馬上點點頭。

「我知道。妳不用擔心。」

等赫薩爾從走廊離開，馬柯康才走出房間。

＊

歐塔瓦爾的貴族們停留在阿卡法時所下榻的歐塔瓦爾公館，位於離阿卡法王居城不遠的森林中。

午後的陽光將樹幹照得赤紅，若有似無的風讓樹隙下的陽光安靜舞動著。

赫薩爾沒帶隨從，乘著馬直接穿過正門而來，讓門衛像是受到驚嚇般追了過來，不過赫薩爾並沒有回頭，就這麼朝著正面玄關前進。

赫薩爾問都沒問，就把馬的韁繩塞進正在打掃寬廣階梯的僕役手中，逕自衝進玄關，在公館中服侍的僕從們連忙慌張行禮，他則快步走近後方右邊的房間。

接著，他往屋裡喊了一聲：

「我是赫薩爾！」

他還沒等人回應便開了門。房間裡的男人們抬起頭，狐疑地轉過來看著他。

祖父利姆艾爾穩坐在一張大桌後方，對面是墨爾法首領麻盧吉。

一看到赫薩爾的臉，祖父便對麻盧吉說：

「……那麼就照這樣讓他喝吧。要是還有什麼狀況別客氣，隨時通知我。」

麻盧吉向祖父深深低下頭，然後將一個用油紙仔細包好的東西抱在胸口，轉向赫薩爾。

「久疏問候。」

麻盧吉用很難聽得清楚的聲音說話，說完後，便深深低下頭，還沒讓赫薩爾有機會開口，便從他身旁通過，離開了房間。

「……那個包裹是阿拉蒺納嗎？」

赫薩爾問。

利姆艾爾回答，是啊。

「換成阿拉蒺納後，好像很有效。如果能再早點發現、替他換藥就好了；不過畢竟那藥很貴。因爲要長期服用，現在應該算是個好時機吧。」

麻盧吉的長子自幼罹患重病。如果不是祖父，大概沒辦法讓他多活將近四十年吧。

赫薩爾覺得胸口的苦澀逐漸擴散。他凝視著祖父。

「您利用了麻盧吉是嗎？」

利姆艾爾揚起眉。

「你在說什麼？」

「我在說席康和晉瑪之犬。」

利姆艾爾的眼角微微動了動。

## 二　歐塔瓦爾醫術的未來

赫薩爾正對著利姆艾爾。

「爲什麼？爲什麼您要這麼做？」

「這麼做？什麼意思？」

「爲什麼要把他們送到阿卡法東邊？」

利姆艾爾「呼」地吐了一口氣。

「你怎麼會知道？是誰告訴你的嗎？」

「不。各種跡象顯示，除了祖父您之外，不可能做他人想。」

赫薩爾拉開椅子坐了下來。這期間，他的目光始終沒有離開利姆艾爾。

「具備蜱蟎感染的相關知識，同時受到東乎瑠人和阿卡法人尊敬，能幫助晉瑪之犬和席康順利通過盤查，而且還暗中跟歐塔瓦爾的『奧』有緊密關係，甚至能操控墨爾法。這樣的人還有第二個嗎？」

利姆艾爾臉上浮現一抹苦笑，卻什麼也沒說。

「您把晉瑪之犬混在送到聖領調查是否染上黑狼熱的黑狼和山犬樣本中對吧？墨爾法沒有人知道席康的長相，這應該是麻盧吉幹的好事吧……麻盧吉對您說的話向來唯命是從。」

利姆艾爾將雙手手指併攏成尖塔狀抵著下巴，沒錯，他如此回答。

「這就是爲人父母的心情吧。」

利姆艾爾語氣平淡地往下說：

「政治、權力、宗教、信念、忠義、名譽、欲望……假如有什麼東西能讓這些強烈束縛人類的動機煙消雲散，應該只有自己，和自己所愛的生命吧。」

赫薩爾表情扭曲。

「爲什麼？」

「……」

「您爲什麼要這麼做？」

利姆艾爾沉默，下巴在併攏的指尖上動著。

這樣過了很長一段時間，終於，他的下巴停止動作，抬起眼。

「這個嘛，理由很多，不過最主要的原因是你掌握了治療的線索。那種藥對遭到蜱蟎感染的人很有效的樣子，也已經掌握了身爲宿主的犬隻數目。到了這個地步，想必可以在釀成以往那種大流行之前控制住狀況吧。我心想，既然已經可以預見這一點，應該也無所謂吧。」

赫薩爾臉上滿是怒氣，嘴才張了一半，突然眉頭一皺。

「這……那麼您並不是一開始就有這個企圖？」

利姆艾爾挑起眉。

「一開始是指？」

「從最早的時候。阿卡法鹽礦和……」

利姆艾爾突然笑了起來。

「喂喂喂，說什麼傻話。我可沒那個閒工夫。」

「但您怎麼知道席康他們的企圖？」

「是我提的。」

「……」

利姆艾爾忍住笑。

「我從頭慢慢說，你耐著性子聽吧。」

利姆艾爾拿起茶杯，喝了一口茶，開始說道：

「不用我說你也知道，『奧』那些人一直在注意席康的動向。席康的行動也很謹慎，但『奧』那些人刻意放他自由，在一旁觀察。」

把茶杯放在桌上，用手指撫著杯緣，利姆艾爾嘆了口氣。

「話雖如此，『奧』還是有大意的地方。畢竟席康不過是個二十出頭的年輕人，以托馬索爾助手的身分外出調查的期間，好像也躲過了『奧』的耳目。奇哈娜說過，她現在很後悔，眞沒想到那年輕人竟然會讓事態有這麼劇烈的轉變。」

「席康讓事態有劇烈轉變？」

赫薩爾驚訝地重複了一次。

「不是傲梵？」

利姆艾爾搖搖頭。

「在傲梵有所圖謀的階段，我們還能袖手旁觀；但席康的思考基礎跟傲梵不同。這一點可不太妙。」

「是蜱蟎嗎？」

「嗯，這也是。不過不只如此——那傢伙可以不靠『犬王』就成功操縱晉瑪之犬。」

「什麼？怎麼辦到的？」

「他讓自己訓練的黑狼成爲犬群首領。」

赫薩爾一驚。

他腦中突然閃過狼用身體衝撞柵欄的景象。

（原來如此，那隻狼聞到席康身上有其他狼的味道，所以才那麼興奮。）

「對了，這跟你研究的成果也脫不了關係喔。」

突然聽到這些話，赫薩爾眨了眨眼。

「我的研究？」

「你對有忘卻之病的老鼠做實驗，試圖讓牠們恢復正常是嗎？」

「……對。」

「席康說過。他看到老鼠正確記住了迷宮的樣子，便想到可以利用罹患黑狼熱的黑狼，引導晋瑪之犬。」

出乎意料的話，使得赫薩爾微張著嘴，茫然盯著利姆艾爾。

利姆艾爾開始平靜說起從席康口中聽說的策略。

知道「犬王」肯諾伊生病將死時，傲梵一心救父，曾去請教在歐塔瓦爾深學院學習的席康有沒有什麼治療的方法。

兩人溝通的過程中，席康知道了傲梵一族的遭遇，他開始認爲，只有像肯諾伊這種擁有特殊能力的人才能操縱晋瑪之犬，未免太過危險。

假如能像訓練獵犬一樣，用人人都能辦到的方法來操控晋瑪之犬，那麼做得到的事將一口氣變多，計畫也會更穩定。

然而，晋瑪之犬不但異常聰明，也極難駕馭。

牠們會自己形成一個圈子，從不讓他者進入犬群。儘管老練的馴犬人曾做過種種嘗試，還是無法像訓練獵犬一樣，讓犬群服從命令。

牠們只服從肯諾伊……但是當席康聽說肯諾伊不在時，犬群會由群體中的領袖引導，他突然想到一個可能。

晉瑪之犬是因罹患黑狼熱而產生變化的狗。

肯諾伊也是因黑狼熱而有了變化。

身體裡有同樣的病，因此產生特殊的連繫。假如這種連繫就是操縱犬群的牽繩，那麼如果後來才讓事先受過訓練、給予明確條件，並懂得服從人類命令的狗染上黑狼熱的話，情況又會如何呢……

就結論來說，這種狗確實能受人類控制，也能融入晉瑪之犬的群體中，卻不能成為率領犬群的領導犬。

但席康認為，這個方向並沒有錯。因此，下一步，他開始在體格比晉瑪之犬更大更強壯的黑狼身上嘗試。

托馬索爾助手這個身分成為他數度試誤的絕佳掩護。替老師所做的實驗和訓練過程中，席康巧妙地加進了自己的想法。

野生的狼很難像狗一樣訓練。但擔任托馬索爾助手的席康，知道黑狼比其他狼更容易駕馭；而且晉瑪之犬身上原本就流著黑狼的血。

儘管如此，要成為犬群的首領，似乎還是需要某些資質，並非所有試過的黑狼都能成為首領，也沒有黑狼能像肯諾伊那樣成為引領所有晉瑪之犬的「犬王」。終於，最後出現了一隻能率領小規模犬群的黑狼……

「如果只有肯諾伊這種特殊的人能操縱，那就還有很多方法可以壓制。但要是成爲人人都有能力操控的犬群，就可能一發不可收拾。」

利姆艾爾臉上突然浮現笑意。

「奇哈娜那傢伙這下眞的害怕了。對疾病的恐懼就是這麼回事。她鐵青著臉問我，你帶來的新藥眞的有效嗎？萬一開始流行，眞的不至於落入跟以前一樣悲慘的景況嗎？」

赫薩爾盯著祖父。

「您是怎麼回答她的？」

「我把知道的都告訴她了。但是我邊說，心裡邊想，其實告訴她藥的事也沒什麼意義。因爲我早就看透她在想什麼了——除非證實新藥對所有歐塔瓦爾人一律有效，否則她絕對不可能冒險嘗試。」

利姆艾爾嘆了口氣。

「她說，幸好在知道操縱犬群方法的人還不多的時候就注意到。現在只要殺了他們，就能了事。」

那位嬌小老婦眼中露出堅韌神色。

（那個老太婆確實很可能這麼說。）

想到這裡，利姆艾爾突然問：

「如果是你，會怎麼做？」

面對突來的問題，赫薩爾只能眨眨眼。

「怎麼做？您是指……」

「聽到奇哈娜這麼說，如果是你，會有什麼反應？」

赫薩爾沒能馬上回答，低頭思考。

如果是自己，會怎麼做？會選擇殺掉傲梵他們嗎？

（這的確是最確實，也最省錢不費事的方法。）

再說，他們犯下的過錯確實死不足惜。

飄著霧雨的寒冷清晨，在阿卡法鹽礦看到的悲慘景象浮現眼前。如果問問那些死者，他們應該會要求殺了傲梵他們吧。他們會說，別再讓更多人遭受跟我們一樣的痛苦。

（但是……）

赫薩爾嘆了一口氣，抬起眼。

「如果是我，應該會提出不同的建議吧。」

「什麼樣的建議？」

「我不會用殺人來阻止他們的企圖。不過奇哈娜聽了可能會覺得可笑。」

赫薩爾直盯著利姆艾爾，說：

「我們不是神，而且現在也沒有一個能讓火馬之民信服的執法者。奇哈娜的想法跟火馬之民的狂熱信念其實大同小異。我雖然不想這麼說，但是沒發現自己傲慢的歐塔瓦爾貴族，跟火馬之民其實沒什麼兩樣。」

利姆艾爾很感興趣似的看著赫薩爾。

「那麼，你會怎麼做？」

「我會先抓住他們，再帶到聖領，然後跟他們對話，也和散居在阿卡法各地的火馬之民對話。同時跟阿卡法王，還有與多瑠進行交涉。

「就算要花上幾年，甚至幾十年，我都會持續尋找彼此能接受的解決之道。在這段期間，我們可以繼續探究因應黑狼熱的方法。」

利姆艾爾微笑著說：

「眞可惜。」

「……咦？」

「你要是再多考慮一件事，我就會稱讚你這個雖然不成熟，但還算穩當的方法。」

赫薩爾不高興地盯著利姆艾爾。

「我沒有考慮到的事？您指的是？」

利姆艾爾盯著他說：

「歐塔瓦爾醫術的未來。」

## 三　醫術師的武器

「我之前就想過，早知道就應該更常把你帶在身邊。」

利姆艾爾用指尖撫過茶杯邊緣，一圈又一圈。

「在整個帝國中，王幡領不過是邊境。而且因爲和呂那的關係很穩定，你這傢伙才有辦法過安穩日子。但換個角度來看，就是變鈍了。」

赫薩爾沉默著，感覺有股討厭的東西湧上喉間。他看著利姆艾爾。

「你知道現在已經開始挑選下一任宮廷祭司醫長了嗎？」

「知道。」

「你覺得誰最有希望？」

「這我不知道。」

赫薩爾一臉不悅地回答：

「我想也是。因爲這個消息連『奧』都探聽不到，還是我告訴他們的。」

利姆艾爾停下撫著茶杯邊緣的動作。

「下一任祭司醫長，應該是津雅那。」

赫薩爾略略瞇起了眼。

津雅那是個凡事都遵照教規的男人。即使在皇帝面前，他也肆無忌憚地批評歐塔瓦爾醫術是邪教。

赫薩爾知道津雅那是個強烈渴求名譽的人，但是在擁有眾多名門之後的宮廷祭司醫中，津雅那並非來自特別有勢力的家族，所以從沒想過這個人有可能當上祭司醫長。

「各種勢力相爭，讓他這匹黑馬漁翁得利。而且他的孫女還是某位選帝侯的側室，深受寵愛，所以那位選帝侯強力推薦他。這種事也是常有的。」

利姆艾爾嘆了口氣。

「假如由那個信仰狂熱份子來統領祭司醫，事情就會變得難以想像的棘手。而且他現在才五十幾歲，比皇帝陛下更年輕。」

赫薩爾緊抿著唇。

心底一股涼意升起，皮膚越來越冷——祖父感受到的不安，伴隨著赤裸的現實感進逼心頭。

正因為有東乎瑠現任皇帝那多瑠的支持，歐塔瓦爾的醫術師才能獲准自由活動。

那多瑠打從心裡敬重曾拯救皇妃的利姆艾爾，也深信歐塔瓦爾醫術，但下一任皇帝不見得會承續他的這份心意。

實際上，直到那多瑠當上皇帝之前，歐塔瓦爾的醫術師都被視為汙穢的醫術師。長久以來只能避人耳目，在暗地裡活動。

現在雖然開始受到注目，但是處境反而比以前更加嚴峻。

假如一個比那多瑠更看重教規的男人當上下一任皇帝，而津雅那那種人當上祭司醫長的話，歐塔瓦爾醫術師說不定會遭到逮捕、全面肅清。

利姆艾爾平靜地說：

「我為了讓歐塔瓦爾醫術能在帝國中生根，已經傾盡了全力。花了不少錢，拯救許多貴族的性命，建立起自己的人脈。」

利姆艾爾出神地看著宛如打磨過的光亮桌面。

「不只是那多瑠皇帝，現在包括王幡侯和有分量的選帝侯之中，也開始出現仰賴我們醫術的人，就算津雅那當上宮廷祭司醫長，也不至於馬上遭受迫害——但情況確實會比現在更糟。」

利姆艾爾嘆了一口氣，抬起頭。

「醫術啊，跟一切都脫不了關係。」

赫薩爾安靜地看著利姆艾爾。

這是祖父從以前就經常掛在嘴邊的話。

醫術不僅是拯救人命的技能，醫術，也跟一切都有關係。這世界是怎樣的存在？生命是什麼？該如何看待生命？這一切都脫離不了醫術。告訴赫薩爾這個道理的，正是祖父。

「之前你把清心教醫術比喻成一顆大球，說得很好。清心教把一切都封在球裡。只要東乎瑠人不離開這顆球，歐塔瓦爾醫術就不可能廣傳世界。」

利姆艾爾眼中發出鈍光。

「要讓他們離開那顆球的方法，可能只有一個。」

赫薩爾低語：

「……讓他們立於瀕死深淵，是嗎？」

利姆艾爾點點頭。

「那多瑠皇帝如此，王幡侯亦是如此。假如現在時光倒流，保證能救回迂多瑠的話，王幡侯一定會交給你治療吧。」

赫薩爾想起王幡侯看著步步走向死亡的長子，痛哭失聲的表情。

不想死，也不想讓別人死——這種想法確實是歐塔瓦爾醫術師最大的武器。

利姆艾爾眼神綻放光采，看著赫薩爾。

「人啊，是一種事後才替自己找藉口的生物。假如想要靠歐塔瓦爾醫術救命，管他什麼會汙染身體那套清心教醫術的教理，一定會有人往自己偏好的方向解釋。」

赫薩爾沒說話，但心裡卻認同祖父這番話。

確實，這麼一來，歐塔瓦爾醫術將可在這個帝國中蓬勃發展。

假如有歐塔瓦爾精湛的醫療技術，再加上與清心教教義巧妙相融的生死觀，或許將來歐塔瓦爾醫術眞能成爲流遍全帝國的血液。

（……不、不是血液，應該說是細菌。）

在帝國體內增生、支撐帝國的生命、感染並蔓延到他國，繼續延續下去的一個內在生命體。

利姆艾爾的話語相當深奧。

儘管感受到祖父眼光的廣闊深遠，但不知爲何，赫薩爾依然覺得心裡有股奇妙的躁動。

「這件事……」

赫薩爾開口。

「跟把席康送到東邊有什麼關聯？您打算藉由蜱蟎引發黑狼熱流行，讓東乎瑠人立於瀕死深淵？」

利姆艾爾皺著臉，彷彿聞到令人不悅的味道。

「胡說什麼。就算已經可以預見事態的發展，但我怎麼可能在療法尚未確立的階段就下這種危險的賭注？」

利姆艾爾緩緩搖搖頭。

「我都說到這個地步了，你還想不透嗎？眞不像平常的你啊。」

赫薩爾盯著利姆艾爾。

（如果不是爲了增加蜱蟎，那究竟是爲什麼？）

祖父大費周章、甘冒風險把席康送到東邊的理由是什麼？

（在「玉眼」歸途、警戒更加森嚴的時候，特地……）

一想到這裡，他突然浮現起伴隨「玉眼」同行的成員。一瞬間，彷彿閃電驟然一亮，一切都明白了。

（對了，娶了津雅那孫女爲側室的選帝侯……）

赫薩爾喃喃說著：

「您想讓晉瑪之犬襲擊王阿侯？」

利姆艾爾一派平靜地看著赫薩爾。

## 四 暮色之光

來到歐塔瓦爾公館外，立刻被出乎意外的明亮包圍。

黃昏最後的光芒滿布天空。赫薩爾緊抿著唇，仰望著這般澄澈透明。

不知為什麼，眼裡滲出淚水。

傍晚明亮的天空刺痛他的眼。

跨上僕從牽過來的馬，走出大門外，赫薩爾連眼前這片廣大的森林都看不見。他只是靜靜策馬前行，不知該拿心中的千頭萬緒怎麼辦。

（席康有沒有察覺呢？）

不管襲擊東乎瑠貴族的行動是成功或失敗，他都會跟晉瑪之犬一起被葬送在黑暗中。

他是那麼聰慧的年輕人，不太可能沒察覺到這一點……祖父剛剛那平靜的口吻又迴響在耳邊。

儘管如此，難道席康沒有其他路可選嗎？

聽說祖父趕赴北方森林，提議將晉瑪之犬和席康送到阿卡法東邊時，傲梵一口就答應。

多虧了席康，即使肯諾伊不在，也能操縱晉瑪之犬；但是在阿卡法境內，除了東乎瑠，還有阿卡法王手下所布下的天羅地網，讓他們既無法增加犬隻，也無法好好訓練馴犬人。

傲梵為了順便測試由黑狼領導犬群的訓練成果，試著讓牠們襲擊移住民聚落，企圖使阿卡法王產生動搖；不過如果想眞正撼動阿卡法的中樞，一點一點殺掉邊境移住民的手法實在太花時間了。

但屢次襲擊移住民，會讓留下肯諾伊屍體這個障眼法失去意義，包圍網也會漸漸收緊。而傲梵一定也明顯感覺到包圍網正節節進逼。

但即使在走投無路的情況下，想必傲梵仍不斷摸索在阿卡法以外的地方增加晉瑪之犬的方法。

對傲梵來說，能襲擊東乎瑠選帝侯更是求之不得。黑狼熱往東蔓延，便能證明這是對玷汙阿卡法的東乎瑠人最大的懲罰。

然而就算成功地在「玉眼」歸途發動襲擊、讓東乎瑠貴族生病，傲梵一定也想過之後和「晉瑪之犬」一起被埋葬在黑暗中的可能性。

即便如此，傲梵和席康還是選擇接受祖父的提議。

（說不定……）

他們另有想法？難道他們爲了避免被消滅，採取了什麼對策？

（還是，已經……）

把一切都託付給神了？

鳥兒輕啼，飛過黃昏天空。

哀傷再次湧現。

（那些傢伙就算被殺了，也是罪有應得。）

他們讓許多人生病、痛苦、送命。席康也一樣，現在還打算讓疾病蔓延。

──就算我不提議，他們一樣會被殺。奇哈娜已經下令暗殺他們。是我把手伸進那扇正要關上的門，替他們拖延了一點時間。

祖父說。

奇哈娜原本拒絕祖父的提議。

考慮到歐塔瓦爾醫術的將來，殺掉王阿侯確實意義重大，行事時應該盡量乾淨俐落。假如增加太多不必要的因素，發生意外的可能性也會增加。讓黑狼熱宿主移往阿卡法東邊，實在太過危險。

就算借助擁有眾多箭術高手的墨爾法之力，也不見得能射殺所有晉瑪之犬。萬一沒射準，結果有一隻逃走了，該怎麼辦？

祖父這時用數字開始說明。

──我告訴她，重要的是宿主的數量。確實，把十幾隻宿主丟進東邊森林，感染的擴散可能越來越嚴重，不過假如只有一、兩隻成爲漏網之魚，那麼跟自然擴散的可能性其實沒什麼差別。

奇哈娜心中的天秤這才終於動了。

如果考慮到暗殺這個方法，直接殺掉王阿侯或祭司醫津雅那並非不可能的事。

但他們一死，就算是病死──不，正因爲是病死──歐塔瓦爾便更有可能被懷疑參與其中。

相對之下，如果是遭到晉瑪之犬襲擊，除非生擒席康，否則應該會被視爲邊境之民所策畫的絕望復仇吧。

而且再由墨爾法來射殺那些狗、拯救「玉眼」，就更能彰顯阿卡法王對東乎瑠的忠誠。

阿卡法王和王幡侯或許會因爲邊境管理不彰被問罪，不過邊境地帶本來就是大小紛爭不斷。只要確認阿卡法王沒有叛亂意圖，不會有什麼大問題。

——席康雖然可憐，但對他來說，比起單純送命，報仇後再死來得划算多了。

赫薩爾表情扭曲，回想著祖父的話。

（這些道理……）

確實都沒錯。但他心裡還是有些疙瘩，無法說服自己說出「對，您說得沒錯」。

如果殺掉王阿侯，或許可以換取歐塔瓦爾醫術師一時的安泰。

但這個世上沒有人能預知未來的一切，也一定還有許多應對的方法。

這一點祖父想必也知道。他明明知道，還刻意這麼做，到底爲什麼？

赫薩爾瞇著眼。

（再說，祖父他……）

連奇哈娜的眼睛都能巧妙地騙過。

如果只是放過一、兩隻晉瑪之犬，確實不會一口氣引發爆炸性大流行。

但只要牽涉到疾病，沒有什麼是絕對的。如果在一個原本沒有這種病的地區，藉由蜱蟎寄生來增加宿主的話，會發生什麼事誰都無法預料。

就如同這種病素與移住民接觸後產生改變一樣，很可能會引發意想不到的變化。

心裡一股涼意掠過。

（說不定祖父他……）

這正是他所期待的。

赫薩爾想起祖父否認，說自己不可能做那種危險賭注時不自然的焦躁，不禁眼色一沉。

不知不覺中，樹木的影子變深了。

淡淡染上一層青藍色的幽暗中，赫薩爾坐在馬上，有氣無力地前進著，凝視著自己比薄暮更黑暗的內心。

藏在祖父心裡的可怕怪獸，也同樣在自己心底。

（疾病……）

實在具有無比的魅力。儘管可怕，他還是深受吸引。

生物隱藏在世界背後——藏在黑暗深處——的眞相，就在疾病這種現象中，如鬼火般若隱若現。

想發掘這些眞相的心情，偶爾會超越珍視人命的心情。

明知道有引發過敏反應的危險，依然認爲該給絲露米娜注射新藥的祖父，當時他那平靜蒼白的臉又浮現眼前。

明知祖父是爲了想知道新藥對阿卡法人的影響而甘冒風險，但自己也聽從了他的意見。

赫薩爾一邊告訴自己，還有不至於送命的方法，所以不要緊。既然注射後有致死的可能，不注射也有死亡的危險，那麼爲了之後新藥的改良，更應該去做。

（沒錯……）

藉口，要多少有多少；道理，要多少有多少。只需要說服自己，這都是爲了醫術、爲了拯救後世的人。

但當時，難道我們眞的沒有刻意忽視自己那難以想像的傲慢嗎？

遙遠的從前，祖父曾經站在水槽前，讓自己看著閃閃發光的綠色生物，說：

——疾病，有時必須透過殺害，才能看到眞相。把這個世界不需要的東西消除，留下該留的東西。就如同神手上的雕刻刀，削去該消除的部分，讓應該存在的姿態展現出來……

祖父心裡或許想看看，當疾病獲得解放、世界因此改變後的結果。

他說不定認爲，即使有可能奪走許多人的性命，但在這恐怖的試煉過去後，還能繼續存活下來的，才是應該存在的東西。

（我心裡也有這個想法。）

有了這些會自動死去、消失的部分，身體才能形成現在這個身體的樣貌。生物體不只有生存這一面，死亡也是，打從出生那一刻起，便包含其中。

這種灰暗的念頭，如此沉靜地與某種深不見底的東西緊緊相連著。

赫薩爾停下馬，在微暗中輕輕嘆了口氣。

（對了，之前也跟那個人說過這些。）

正想到這裡，耳中迴響起凡恩低沉的聲音。

——可是當故國消失時，也就是活在世上絕無僅有的那個我消失的時候，還是覺得很哀傷。

森林已沒入黑暗中，樹木的輪廓早已模糊。夕陽雖在地平線上留下淺淺的紅，但整片天空都沉入黑色暗影中。

深藍色天幕中，只有一顆星星在發光。是一道好比針孔般極其微小，卻澄澈到令人胸口發疼的白光。

（沒錯……）

就算疾病就是神之手，為的是顯現死亡存在的意義，人還是得在這個冰冷的世界裡，活出渺小的生命。

（我就是為了幫助那些背負著無可奈何的悲哀，卻拚命掙扎的人，才會當上醫術師的。）

為了拯救在滔滔大河中載浮載沉，好不容易才維繫住的微小生命，自己才會成為醫術師。

該怎麼做，赫薩爾心裡突然有了決定。

雖然辦不了什麼大事，但是至少看清了該走的方向。

當赫薩爾再度用腳跟輕壓馬腹、讓馬往前走時，前方有名騎士提著燈接近。

「少主。」

是馬柯康低沉的聲音。

「您沒提燈就離開公館了嗎？」

赫薩爾摸著愛馬的脖子。

「這傢伙知道回家的路……我本來想這麼告訴你的，但我剛剛改變主意，不回去了。」

馬柯康皺著眉頭。

「什麼？」

赫薩爾下巴往前挺。

「燈借我。回去前，我還要繞到一個地方。」

## 五　直覺敏銳的孩子

接近歐基民的野營地時，聽見了哭聲。

四散各處的帳篷一角懸著燈火，明滅之間可看到幾個人影閃動。

「……那是悠娜的哭聲吧。」

聽馬柯康這麼說，赫薩爾臉上掠過一抹陰影。

但那確實是凡恩養女的哭聲。只是這聲音聽起來不像在鬧彆扭，而是哀傷的哭泣。

赫薩爾胸口有股不祥的預感，催快了馬。

一群人聚集在凡恩的帳篷入口附近。

季耶抱著悠娜，想盡辦法安撫她。拿著飛鹿牽繩的年輕人們圍在四周。

赫薩爾一走近，他們便抬起頭望了過來。

「怎麼了？」

赫薩爾一問，多馬便僵著臉回答：

「凡恩不見了。」

赫薩爾一驚，看著他們。

「不見了？什麼時候不見的？」

「不知道。米拉兒小姐跟莎耶小姐回去時，他還在帳篷裡。但剛剛悠娜哭著跑過來，說歐踣不見了，大家才嚇了一跳，連忙到處找人，結果發現曉也不見了……」

悠娜滿臉淚痕，在季耶懷裡掙扎著。

「在那裡！歐蹌在那裡！悠娜也要去！要快點去！」

赫薩爾臉色一沉。

心裡浮現的徵兆漸漸明確成型。

假如凡恩在和米拉兒他們談過後，便一言不發地趁著夜色跨上飛鹿離開營地，那麼他有可能是去追蹤晉瑪之犬了。

凡恩跟晉瑪之犬有著連結。說不定有什麼只有他才懂的方法——這麼一來……

（糟了！）

赫薩爾心跳開始加快。

假如凡恩進入墨爾法企圖射殺席康和晉瑪之犬的網中……他也會被殺。

墨爾法受命消滅晉瑪之犬和操縱狗的人。

就算透過莎耶告訴墨爾法，凡恩是自己人，對墨爾法來說，他仍是有可能變成第二個「犬王」的不確定因素。想要完全撲滅這帶來混亂的火種，還是滅口最安全——他們一定會做出這樣的判斷。

（該怎麼辦？）

還有什麼方法嗎？

這事不能拜託莎耶。她也是墨爾法的一員。也不能拜託「奧」或多力姆……

赫薩爾緊咬著嘴唇。

「馬柯康，你會追蹤嗎？」

赫薩爾低聲問，馬柯康表情凝重。

「等到天亮，或許勉強可以……」

等到天亮就太遲了。

凡恩的傷還沒完全痊癒，前進的速度或許比平常慢——但是他騎著飛鹿。一個晚上拉開的距離，不可能靠追蹤趕上。

赫薩爾不耐地咬著指甲。

（要是能再早一點過來就好了。）

他本來想跟凡恩商量，萬一墨爾法沒能把晉瑪之犬一網打盡，有沒有辦法找出那些狗，帶回阿卡法？現在別說如何收拾晉瑪之犬的殘局了，根本無法讓凡恩知道他身陷險境。

多馬滿臉憂心地問：

「怎麼了嗎？您要是知道什麼，請告訴我。」

赫薩爾靜靜地看著年輕人們。畢竟情況特殊。不是能三言兩語簡單解釋的事。看著憂心之情溢於言表、緊盯著自己的這群年輕人，赫薩爾不禁覺得，要是什麼都不告訴他們，就這樣讓一切過去，未免太過殘酷。但這也沒辦法。要是說出眞相，可能會讓他們更不安。

赫薩爾搖搖頭。

「我擔心他的傷勢。」

多馬皺著臉。

「他的狀況還那麼危險嗎？」

「……我想應該沒事，但是頭上的傷不能輕忽。」

赫薩爾嘆了口氣，說：

「我們分頭去找吧。找到的話，請通知醫院裡的米拉兒。」

看著認眞點頭的多馬，赫薩爾在心中暗暗向他道歉。

如果凡恩眞的在追蹤晉瑪之犬，那麼這些年輕人應該不可能追得上他。

向他們告別後，赫薩爾騎馬前往卡山，他低聲對馬柯康說：

「得快點回醫院……今晚準備好緊急治療用的工具，還要向與多瑠申請許可；爲了以防萬一，我們得走幹道。」

馬柯康皺著臉。

「但是他不會通過城門吧？應該會走山路才對。」

「所以呢？我們也要走山路？帶著容易壞的藥瓶，騎馬追在飛鹿後頭？」

赫薩爾搖搖頭。

「那是不可能的。走幹道比較快。『玉眼』的隊伍明天早上出發。我們無法獲准同路而行，但只要追在後面的話，總會遇得見的。」

赫薩爾的表情略顯苦澀：

「就算不能阻止他，至少還有機會救他。」

＊

多馬目送著赫薩爾他們離開，但心裡卻感覺到一股強烈的焦躁。

「……他們好像在隱瞞什麼。」

一聽到多馬這麼說，智陀也點點頭。

「嗯，我也這麼覺得。好像有什麼不能告訴我們的事。」

未野沉吟：

「話是沒錯，但，傷勢是真的吧？米拉兒小姐不是說過嗎？要他暫時別騎飛鹿。」

多馬用力握緊拳頭。

「總之，得盡快找到他。」

茂來哭喪著臉。

「可是天色這麼暗，追蹤不到他的痕跡。又不知道他往哪裡去了……」

這時，背後傳來很響亮的聲音，打斷他們談話。

「我知道！」

年輕人們一驚，轉過頭去。悠娜滿臉通紅地揮著手指。

「在那裡啊！歐踣在那裡！」

她筆直地指著某個方向。看著她那毫不猶豫、充滿自信的動作，多馬心裡開始有種奇特的感覺。

「……不會吧？」

智陀好像也有同樣的想法，他眨眨眼，看著悠娜，再看看多馬。

「悠娜總是能找到凡恩呢。」

未野和茂來也點點頭。

「這小鬼的直覺超級準。」

看到三個人都盯著她，悠娜嘴一癟，但馬上又揮舞著手指，篤定地說：

「歐踣在那裡！」

年輕人和季耶面面相覷。

大家沉默地想了一會兒，終於，多馬開了口：

「……我有個想法，你們聽了可別笑我。」

## 六 手持奧克巴紫杉者

高高的天空中，只有稀疏微雲流過，幾乎感覺不到風。

已經可以聽到隊伍從遠方慢慢接近的聲音。

莎耶悄悄拿好弓，確認了弓弦的張力。

（幸好沒風。）

她一直擔心有側風。

晉瑪之犬有不尋常的動向。

父親麻盧吉安排的都是墨爾法中技術格外精湛的人，但如果有風，還是會增加射偏的可能。

（萬一射偏，讓狗跑進森林裡……）

想到之後可能發生的事，胃就一陣涼。

莎耶跟米拉兒分別後，馬上被麻盧吉叫去。聽到父親的計畫時，她雖然驚訝，卻也感到放心。麻盧吉跟平時一樣，並沒有提及事件背景，只吩咐她該做的事，但父親當時就已知道席康要襲擊「玉眼」的地點，這也表示他們早就知道席康和晉瑪之犬已經穿過阿卡法的領地。

一想到父親明明知道，卻還是若無其事地吩咐自己去射殺傲梵他們，胸口就有種彷彿被一團黑霧堵住的感覺。

凡恩的臉突然浮現眼前。那隻輕撫著自己後背的手，還有他的聲音……

——才能是一種殘酷的東西。

那平靜的聲音在耳朵深處響起。

儘管如此，還是有不得不做的事。

莎耶輕輕閉上眼，深呼吸，再睜開眼。

（得趁現在阻止那可怕的疾病才行。）

「玉眼」的隊伍漸漸接近。攻擊即將開始。

隊伍的警衛看不見這個位置，她卻可以看見對方。莎耶待在這裡已有很長一段時間。

從樹林的另一側可以看見幹道和斷崖。

「玉眼」踏上歸途的今天，路上禁止平民往來。沒有人影，只有午後的陽光將路面照得白亮。

隔著幹道的高聳斷崖，幾乎像一座絕壁。

就算是晉瑪之犬，眞能爬下那道如此險峻的陡峭斷崖嗎？

（……亞路路凡斷崖。）

一道銳利光芒閃過眼角。

走在隊伍最前面的是槍兵，手上長槍的槍尖反射著光線。

夾在斷崖和森林間的街道越來越窄，使得隊伍拉得很長，警備兵的間隔也拉開了。

不過警備兵的表情並不顯得緊張。

就算從亞路路凡斷崖上射箭，也無法射穿標的。因爲街道靠山崖這一側爲了防止被落石擊中，蓋了堅固的擋石牆。

所以警備兵隊伍並非沿著崖邊，而是沿著森林這一側前進。

發出響亮喀啦喀啦聲的馬車駛來，開始從眼前走過。一輛、兩輛、三輛，同樣的馬車陸續通過。

每一輛都是裝飾奢華的大型馬車，掛在窗戶上的御簾全部拉下，所以看不出「玉眼」坐在哪一輛馬車裡。

儘管已經聽說席康的目標並不是「玉眼」，但看著馬車走過時，莎耶還是非常緊張。

馬車後面緊接著的是跨騎在出色駿馬上的武人。東乎瑠貴族都是以剛毅爲傲的武人，不乘坐馬車；即便是選帝侯也一樣。

莎耶瞇起眼，看著接連通過的貴族們。

終於，一名跨騎著黑馬的高大男子來到眼前。跟在男子斜前方的持盾者手上高舉著盾牌，看到上面的徽紋，莎耶重新握好手中的弓。

（……王阿侯。）

跨騎在黑馬上的選帝侯，慢慢通過眼前。

莎耶蹙起眉。

完全沒有晉瑪之犬要衝下來的感覺。

還差一點點，隊伍就要通過亞路路凡斷崖下方了。再往前走一點，道路就會變寬，警備兵會再次聚集、從外側保護好隊伍，即使是晉瑪之犬，要襲擊也非易事。

一股涼意爬過背脊。

（好像……）

出了什麼差錯——是不是忽略了什麼？

這種預感漸漸變得強烈，心跳慢慢加快。

（不會吧……）

突然，幾個字閃過腦中。

（難道這也是「落劍」……）

該不會席康也用了傲梵最擅長的那一招？

隊伍平安通過，慢慢消失在斷崖邊緣。

＊

從斷崖上，也可看到通過的隊伍。

麻盧吉的兒子穆咖塔表情緊繃，望著藏在對面草叢中那年輕人的側臉。

（……到底在做什麼？）

襲擊的機會一分一秒消失。

年輕人背後有二十隻狗趴在那兒靜待命令，身邊還有隻黑狼。年輕人將手放在黑狼背上，直盯著山崖下。

在黑狼和犬群運到席康所指示的這個地點的過程中，用藥讓牠們睡著了。藥的分量驚人地精確，牠們直到不久前才睜開眼睛，現在已完全看不出藥物的影響。從剛剛開始，黑狼的耳朵便不停一抖一抖的。這裡位於下風處，也隔了一段距離，理應不會被發現，但還是讓人很不舒服。

每當狼的頭一動，年輕人便會輕撫牠的背，要牠安靜。

山崖下方，隊伍最尾端正要通過亞路路凡斷崖的崖道。

（為什麼？為什麼沒有動靜？）

穆咖塔正在心裡叨念著，年輕人突然站起來。

（啊，要行動了嗎？）

就在穆咖塔這麼想的瞬間，年輕人一個轉身朝向這裡，接著，咧嘴一笑。

黑狼翻身站起，晉瑪之犬也紛紛起身，閃閃發亮的眼睛望著這邊。

穆咖塔好比被潑了一身冷水，重新拿穩弓。

但他還來不及拉緊弓弦，黑狼和晉瑪之犬已同時衝了上來。

周圍響起弓弦聲。夥伴們接二連三地射出箭。

一隻狗被射穿，伴隨著慘叫聲彈上半空中。

但是穆咖塔和夥伴射出的箭，卻再也無法射中其他狗。那些狗就像熟知箭的去向般，靈巧地避開。

腥臭的野獸氣味逼近臉前，穆咖塔聽到那年輕人的笑聲。

「殺害同胞的卑鄙背叛者！好好記住我們的恨！」

穆咖塔感覺到黑狼的牙齒嵌入持弓的那隻手臂，他知道自己必死無疑。他咬緊牙關，丟下手中的箭，就這樣讓黑狼咬著，右手卻從腰間抽出獵刀，朝年輕人擲去。

獵刀筆直往前飛，刺中年輕人的腹部。

那年輕人瞪大了眼，盯著深深刺進腹部的獵刀，呻吟著雙膝跪地。

即使在痛苦喘息中，年輕人還是擠出聲音命令黑狼：

「去！到山崖下！打垮那些拿著奧克巴紫杉的傢伙，然後跑到森林裡！」

穆咖塔頓時覺得手臂一輕。

黑狼放開穆咖塔的手臂，轉身率領晉瑪之犬開始奔下山崖。儘管是如此險峻的斷崖，但牠們奔馳其間的身手竟是令人難以置信的輕盈如風。

穆咖塔看著自己掉在地上的弓。

（……奧克巴紫杉之弓。）

墨爾法用的弓。

「你這傢伙……」

穆咖塔看著抱著肚子、頭抵著地面的年輕人。

「你是為了襲擊我們而訓練牠們？」

年輕人似乎聽到了穆咖塔的聲音，轉過頭來，看著他。

接著，年輕人咳了一陣，粗聲笑著說：

「……晉瑪神啊，我射出了您的箭。生生不息的晉瑪之犬……」

弓弦聲響起，幾枝箭射穿年輕人的身體。他不住呻吟，終於，再也無法動彈。

然而當墨爾法的眾人衝到斷崖邊緣時，犬群已經在黑狼引導下，踩著絕壁上微小的凹處迅速往下跳，逃到弓箭射不到的遠方。

＊

（……啊！）

莎耶在心裡小聲驚嘆。

小小的黑影陸續從亞路路凡斷崖的絕壁跳下。

莎耶雖然已經拿穩弓，但還沒拉緊弓弦。她心想，接下來犬群可能會襲擊隊伍，不能輕舉妄動。

其他夥伴或許也做出了同樣判斷。目前爲止還沒有人放箭。

黑狼引導的晉瑪之犬一一爬下斷崖，輕盈地跳過圍牆，來到幹道上。然而牠們的視線完全沒有看著隊伍。一來到幹道，牠們便全部散開，接著毫不猶豫地穿過道路，朝這裡而來。

（……！）

莎耶一驚，重新拿好弓。

那些狗就像是看得見藏在森林裡的墨爾法一樣，朝著埋伏好的射手們筆直衝過來。

離道路最近的森林邊緣發出弓弦聲，悶哼哀號此起彼落。接著，四面八方都傳來拉弓射箭和人獸相撞的聲音。

莎耶一驚，一隻狗出現眼前。

發亮的眼睛看著這裡，露出利齒，沒發出任何聲音，只是往前撲來。

莎耶立刻拋下弓，抽出腰間的獵刀，驚險地躲開正要咬上她手臂的犬牙，從側面用獵刀砍向狗的下巴。

莎耶一邊嗅到血的味道，一邊拔腿就跑。她不斷奔跑，離開森林，來到幹道上。眼角還可以看到三三兩兩跟自己一樣跑向幹道的夥伴。

大家都拿好弓，用充血的眼睛回頭看著森林。

森林裡傳來的聲音漸漸消失。

莎耶「哈、哈」地喘著氣，望向森林。

是已經被制伏了嗎？還是……

就在這時，那群宛如亡靈的黑色野獸又出現在森林邊緣。

牠們眼中浮現著異樣光芒，直盯著這裡。

其中一頭，往前邁出一步。

這時，弓弦聲響起，那隻狗被射穿，發出短促的哀鳴後彈了開來。

下個瞬間，又有好幾隻狗同時邁步狂奔。

夥伴們不斷放箭，但犬群或左或右靈巧地避開，繼續往前逼近。

大家丟開弓、改用獵刀時，犬群壓低了身子發動攻擊。

牠們並沒有張口咬。

就像狼逮到大型獵物時一樣，只是先用牙齒在手腳咬出傷口；但是快被獵刀砍到時，又馬上跳開，過了一會兒才又撲上來，用那寄宿著病素的獠牙掠過皮膚。

莎耶已無法冷靜地確認狀況。

她只能不斷避開犬牙，一邊揮舞獵刀，一邊走避。她覺得手臂越來越重，絕望漸漸在心中擴散。莎耶踢了狗一腳，趁著此許空隙逃走。

她也不知自己是怎麼行動的，不知不覺中又回到了森林邊緣。

莎耶的腳被什麼東西纏住，動彈不得。她跌倒在草叢中，獵刀也掉了。好不容易再站起來時，一股腥臭味迎面而來——黑犬的獠牙就在眼前。

莎耶下意識用雙手抓住狗的鼻子和下顎。

黑犬的前腳拚命在莎耶手臂上抓，鮮血四濺，但她還是沒有放開牠。黑犬下顎腥臭的皮毛不斷滑動、手指很難抓穩。要是輸給前後左右不停甩著頭的狗，鬆開牠的下巴，馬上就會沒命。

手指漸漸鬆脫……黑犬的下巴慢慢從手裡滑開。

莎耶不禁閉上眼，靜待犬牙嵌進手中。

但是，遲遲沒有等到牙齒扎進肉裡的感觸。

她怯生生睜開眼，狗的臉還在眼前。

但牠的眼神空洞，彷彿看著的不是自己，而是遙遠他處的某個東西。

豎起的耳朵往後，抖了抖。

這時，黑犬們突然一個翻身，像是被絲線拉扯般回到幹道上。

莎耶一邊努力平復呼吸，一邊茫然目送牠們的背影。

冷汗滲透全身。

她還搞不清楚發生了什麼事，望向犬群前去的斷崖，只見有個小小的東西奔下絕壁。

# 七　前往遙遠的原野

全身有股搔癢蠢動。

騎著曉翻過山頭時，原本癒合的傷口又裂開了，血沿著小腿滴了下來。頭也是，一直鈍痛著。

凡恩無視這些感覺，騎著曉不斷往前走，但是身體似乎比自己以爲的更虛弱，花了很長時間才到達這裡。

接近亞路路凡斷崖時，聞到一股血的味道；晉瑪之犬的味道也很濃。曉鼓脹著鼻孔，抖著身體，表達自己的不悅。

凡恩伸手摸摸曉的脖子安撫牠，慢慢走近斷崖。

在眼睛還看不到的前方，凡恩感覺到四個男人的氣味。血的味道則從那些男人身旁的草叢強烈散發出來。

晉瑪之犬的味道雖然很濃，但那些味道漸漸被風吹散。崖上已經聞不到了。

從男人們身上傳來鮮血、汗水，還有奧克巴紫杉的味道。

（……是墨爾法嗎？）

墨爾法已經在這裡，但晉瑪之犬不在，牠們正圍著滿身是血的某個人。這麼一來，隱約可以猜到發生了什麼事。

（應該是墨爾法找到了席康……殺了他吧！）

不過晉瑪之犬卻從墨爾法手中逃過——牠們大概已經奔下山崖。

凡恩緊抿著唇。

犬群如果跑到很遠的地方，就很難追到，得盡快趕上牠們才行。

可是墨爾法們渾身都是殺氣。如果一聲招呼也不打，就這麼奔下山崖，對方一定會朝他射箭。

凡恩吸了口氣，讓曉繼續往前走。

然後，他在進入弓箭射程前停下腳步，出聲：

「……墨爾法。」

正看著懸崖下方的男人們驚訝地回頭。他們拉緊了弓，但其中一人舉手制止了夥伴。瞇起眼，望向凡恩。

凡恩無力地報上名號。

「我是甘薩氏族的凡恩。我沒有惡意。我要過去那裡。行嗎？」

這時，那名制止夥伴的男子圓睜著眼，然後舉起手，表示自己沒帶武器，快步向這裡走來。他的一隻手流著血，還發出狗唾液的味道。

「凡恩……你是『缺角凡恩』嗎？」

男子的眼睛充血。他猶豫了一會兒，欲言又止，但馬上斬斷自己的迷惘，接著說：

「我聽莎耶說過，你救了她一命。」

凡恩低聲問：

「你是誰？」

「我是穆咖塔，莎耶的哥哥。」

穆咖塔滿臉焦急，求助般地伸出手。

「求求你，請你救救我妹妹……救救莎耶。席康命令晉瑪之犬攻擊我們墨爾法。那些傢伙已經衝下了斷崖。」

凡恩表情僵硬。

（莎耶……）

他緊咬牙關，用力拉了曉的牽繩。

沿著斷崖邊緣前進，風從下方吹了上來。

遙遠的山崖下，凡恩可以看見晉瑪之犬和墨爾法激烈爭鬥的小小身影。

從前看著這裡的時候，就已經覺得這是一堵令人戰慄的斷崖絕壁。現在再度看著它，絕壁上幾乎沒有能踏腳的岩縫。能不能用這雙受傷的腳駕著曉走下斷崖，凡恩並沒有把握。

（就化為靈魂，走吧！）

像從前的肯諾伊那樣。

可是，凡恩馬上拋棄了這個想法。

就算能夠找到犬群，並巧妙地引導牠們，斷崖這一側的森林和山地都緊鄰著農地，距離卡山城也很近。

如果要引導犬群，最好走向眼前那片森林的彼端。森林的另一邊少有人煙，得把那些狗引向那片幾乎沒有人會靠近的東北原生林深處。

背後，一個有些遲疑的聲音傳來：

「你要小心箭。」

穆咖塔轉過頭，表情苦澀地低聲說著。

「我們奉命要解決晉瑪之犬和能操縱那些狗的人。」

凡恩點點頭。

他看看穆咖塔的手臂，然後再看看穆咖塔。

「可能已經有有效的藥，你不要放棄希望。」

穆咖塔驚訝地眨眨眼。

凡恩對著穆咖塔點點頭，做了個深呼吸，抬頭看了一眼天空。

跟平時沒兩樣的蒼穹，無邊無際，無限延伸。

「……曉，我們走吧。」

凡恩這樣告訴自己的夥伴，然後一口氣縱身跳下絕壁。

＊

凡恩把一切都交給曉，讓牠帶著自己奔下斷崖。

飛鹿細瘦的腳有著令人難以置信的強韌；岩石只要有一點點凸起，牠就能撐住凡恩的重量，不斷往下奔跑。憑藉在岩場生長的動物直覺，流暢地驅動身體。

隨著由下往上吹來的風，晉瑪之犬的味道鑽進鼻腔深處。

從眉間到額頭、再從額頭傳到腦袋深處，一股刺癢的衝動逐漸擴散。凡恩覺得自己的身體漸漸分裂。

凡恩把身體交付給這種感覺。

從分裂出的身體中，延伸出一條眼睛看不見的線。

在這聚集了無數光芒旋繞而成的巨大光流中，當那一點、一點，看來令人懷念的光芒來到那條看不見的線的前端，一股令人酥麻的歡愉流進體內。

晉瑪之犬停下腳步，抬頭看著這裡。

牠們或許也感覺到這股溫暖吧。牠們帶著疑惑、停下動作，一直看著這裡。

與牠們相連的那瞬間，身體深處開始感覺到一股強烈的衝動——想張口啃咬的衝動。

藏在自己體內的某個東西開始掙扎。爲了活下去——爲了繁殖。

凡恩深吸了一口氣，壓抑住那股不安分的衝動。他張開心裡的手，環抱著犬群溫暖，從連接著彼此的那條線開始擴散。

凡恩用無聲之聲呼喚著牠們……犬群也呼應他，就像遇見親人的孩子般，陣陣脈動的喜悅傳遞了過來，並漸漸聚集在一起。

突然，一股窒息般的疼痛貫穿身體，凡恩發出呻吟。

有夥伴被箭射穿了。

強烈的憤怒湧上，凡恩盯著射箭的墨爾法，對著那人齜牙咧嘴。凡恩看見那男人扭曲的表情，一股「眞想咬住、撕裂那傢伙的手！」的衝動貫穿全身，他抖了抖。

遍布全身的感覺開始改變。這時，凡恩已來到懸崖底部。

拿著弓的男人們漸漸逼近。他們蓄勢待發，隨時打算發射。凡恩發出低吼，衝向前去。

這時候，一股令人戀慕的氣味掠過鼻尖，驚慌的叫喚聲響起：

「不要！箭……別射他……！」

一回頭，一名女子在奔跑。她拖著腳，拚命衝了過來。看到那身影的瞬間，宛如一彎清泉流過瘋狂燃燒的身體。

（……）

他聽見了一個聲音。在自己心裡、身爲人的那個自己的聲音。

（不能咬人……）

「凡恩！」

莎耶奔了過來。

凡恩表情扭曲，避開那伸過來的白皙雙手。

現在如果碰到這個人，跟犬群之間的連繫就會斷絕。

凡恩拉拉曉的牽繩，調過頭，開始奔馳。鼻腔深處湧起一股熱意，眼前一片模糊。

他閉上眼，該走的道路如同幻覺般出現在眼前，那是一條狹窄的道路。

那條路不屬於動物，也不屬於人；既窄小又不明顯，而且不通往任何一邊，他只能在這條路上奔跑。

凡恩微微睜開眼睛，在緊依著自己的犬群陪伴下，他命令曉繼續往前跑。

黑狼碰觸到他的腿。那接觸的地方傳來一股溫暖的熱流。

弓弦聲響起，劇痛貫穿身體——又有夥伴被射穿了。

（……跑吧，曉！）

凡恩緊咬牙關，加快速度。黑狼和犬群頓時也都加快了速度。

森林就在眼前。

跳過草叢，凡恩縱身躍入黑暗的森林裡。

犬群拚命追趕，深怕落在飛鹿之後。

（走吧，到遠方去！）

凡恩在心裡呼喊著。

（到沒有箭，也沒有人類氣味的地方。）

一股微涼的悲哀流過心底。

（到可以帶著疾病繼續活下去的地方……）

樹木、青草、土壤的味道充滿鼻腔。

一群野獸衝進無邊的黑暗森林，往更深更深處奔去。

## 八　相伴同行

西下的太陽將森林裡的樹木染成一片橙紅。

白煙慢慢地流過林木間，描繪出幾道搖曳的光脈。

靠近亞路路凡斷崖下方時，赫薩爾最先看到的，是冉冉上昇的白煙。

斷崖下的岩場堆疊著狗屍，上面放著許多樹枝，火正熊熊燃燒著。

大概因爲使用的是油脂較多的北藪樹枝吧。火焰旁冒出焦黑的煙，朝天空盤旋而去。

幾名男子圍著火堆站著，也有人坐在路旁，頭低垂在雙膝間。

赫薩爾走近，男人們轉過頭，但大家的表情就像失了魂一樣，只是茫然地看著。

麻盧吉從人群中走出來，站在赫薩爾面前。

「……『奧』那些傢伙知道這件事嗎？」

突然聽到這句話，赫薩爾蹙起眉。

「什麼事？」

麻盧吉沒有回答。只是靜靜地瞪著他。

「發生了什麼事——王阿侯呢？席康怎麼了？」

麻盧吉瞇起眼，試探性地看著赫薩爾，然後冷笑了一聲。

「王阿侯現在應該已經抵達今晚要下榻的地方了吧。至於席康，被我兒子他們殺了。」

說完後，麻盧吉緊咬著牙，接著從齒縫發出低吼般的聲音：

「陷害我們的是席康？還是你們？」

馬柯康往前走了一步，將赫薩爾護在身後，但赫薩爾按住馬柯康的肩膀。

「就算我祖父和『奧』設計要陷害你們，我也不知情。」

赫薩爾平靜地說。

「但我想他們應該不至於這麼做，因為一點意義也沒有。」

麻盧吉沉默地用那閃著鈍光的雙眼盯著赫薩爾，他粗喘著氣，然後別開眼神，回到部下身邊。

彷彿交棒似的，另一名男子走近，袖子上還沾滿了血。那男子微微點了個頭，低聲說：

「請原諒我父親的無禮。」

赫薩爾看著那男子。

「你被咬傷了嗎？」

男子點點頭，語氣平板地說，晉瑪之犬並沒有攻擊王阿侯，而是攻擊墨爾法。

聽到這件事，赫薩爾的情緒變得低落。

（是嗎……）

只要仔細思考就會懂。

對席康來說，墨爾法把應視為同胞的火馬之民當成獵物，確實是足以令人憎恨的對象。再說，要讓晉瑪之犬逃離這裡，也必須出乎這些弓箭獵人的意料才行。

但直到聽到報告為止，赫薩爾完全沒想過這個可能性。或許祖父也沒發現吧。

（說我大意，也確實沒錯。）

赫薩爾咬著唇。

（因爲對祖父大人來說，墨爾法根本不算是人。）

他們就像獵犬一樣，不過是工具。祖父或許想過，籌畫並下令這件事可能會爲他自己招來怨恨，但是祖父完全沒想到，受命行動的墨爾法遭受怨恨的可能性。

（我也是……）

赫薩爾心想，自己跟祖父沒什麼兩樣。在心裡只把墨爾法當成好用的工具，從沒把他們當人看待。赫薩爾看著站在白煙旁，凝視著死亡的男人們。

（爲什麼這麼無謂、無益，又悲慘……）

赫薩爾很快吸了口氣，甩甩頭，伸出手，抬起那男子的手臂。

「我看看你的傷口。」

在馬柯康協助下，赫薩爾替墨爾法注射了藥物、清洗被狗咬過的骯髒傷口，再進行縫合。

赫薩爾一邊動手，一邊說話。要是不這麼做，他自己也很難受。

「這藥很有效。你們是阿卡法的人，身上本來就有耐受性，不用太擔心。」

身爲醫術師，本來不應該輕言說出這些安慰，但赫薩爾還是停不下來。

就算只有一點點也好，這些安慰能不能傳進他們心中呢？完成急救措施後，那群男子黯淡無光的雙眼，開始恢復了些許生氣。

剛剛替麻盧吉的無禮致歉的男子低聲說：

「……謝謝您。」

赫薩爾搖搖頭。

「該道謝的是我，但現在才說已經太遲了；說不定就算再做任何努力都太遲了。」

赫薩爾看著那男子，再看看火堆旁的那群男人，說：

「多虧你們阻止了那些狗，才救了許多人的性命，謝謝。」

這時，背後傳來一個聲音。

「……我們沒能阻止那些狗。」

他驚訝地轉過頭。漆黑森林的樹叢間，出現一名女子模糊的身影，並且慢慢走近。

「莎耶。」

她的樣子慘不忍睹。衣服破破爛爛的、渾身泥濘，手臂還有一道長長的傷痕，上頭還沾著乾掉的血。

赫薩爾伸出手，輕輕執起她的手臂。仔細看過傷口後，他臉上的表情才輕鬆了些。

「還好不是咬傷，只是抓傷。」

莎耶茫然地點點頭。

「我想應該沒什麼大礙，不過妳渾身都是狗的血，病素可能已經從傷口進入身體。我先替妳注射。」

莎耶再次靜靜點點頭。

赫薩爾仔細替她清洗傷口，塗上預防化膿的藥，再注射新藥。在他進行治療時，莎耶始終一言不發，只是用黯淡無光的雙眼看著赫薩爾的手。

「……發生什麼事了？」

赫薩爾低聲問，莎耶的目光卻突然僵住。

「我們解決的狗，只有六隻。」

莎耶耳語般說著：

「剩下十四隻狗和黑狼……全被那個人帶走了。」

赫薩爾抬起頭，盯著莎耶。

只見她眼中盈滿淚水。

「我試著追上去，但是牠們太快了……徒步根本追不上，而且森林深處也不是馬去得了的地方。太陽又已經下山了……」

莎耶一隻手掩著臉，開始啜泣。

「那個人的腳全都被血沾濕，他的傷口一定裂開了。身體那種狀況，絕對不能動到頭，明明跟他說過的啊……」

赫薩爾猶豫了一會兒，伸出手，抱著她的肩膀，但卻想不到該說什麼才好。

莎耶背後的那片森林，已沉入一片黑暗。

那男人把狗帶走了嗎？帶進那深邃的森林，帶向不會把疾病傳染給人的遠方。

莎耶擦乾眼淚，抬起頭，回望著森林。

「我一直覺得……」

莎耶在口中低喃。

「總有一天會變成這樣。」

眼淚沿著雙頰滑落。

莎耶用力閉上眼。這時，不知從哪裡傳來了孩子的聲音。

所有人都驚訝地抬起頭，朝著聲音的來處望去，只見亞路路凡斷崖上有一盞小小的燈火。有人在那裡搖晃著燈。

「……莎～耶～阿～姨……」

開朗的聲音伴著些許回音傳了過來。燈又開始一圈一圈晃動，然後突然消失。

「那聲音……」

馬柯康輕聲說，看著赫薩爾。

赫薩爾沒回答，只是望著燈火消失的斷崖。

就在焚燒狗屍的火焰快消失的時候，兩盞小小的燈火，從街道後方出現，邊搖晃著邊走近。

「莎耶阿姨！」

這次可以清楚地聽見。沒錯，就是那個聲音。

「悠娜……」

莎耶口中喃喃念著，接著，彷彿突然驚醒般，她起身跑向燈火所在的位置。

往這裡來的是兩頭飛鹿。多馬抱著悠娜跨坐在野ㄚ頭上，騎在另一頭鹿上的，則是位年輕的移住民。

悠娜一看到莎耶，便轉過身，抬頭看著多馬，得意地說：

「你看！在這裡對吧？莎耶阿姨也在吧！」

莎耶一臉茫然，伸出手輕撫著悠娜的臉頰。悠娜覺得癢，笑著抓起莎耶的手指，輕輕地搖晃。

「悠娜是來找歐踏的，阿姨，妳看見歐踏了嗎？」

莎耶的眼神變得柔和，她哽咽著說：

「……看見了。不過凡恩他到森林深處去了。」

這時，悠娜竟說了句「傷腦筋」，接著嘆了口氣。

「真是的！歐踏這樣不行啦。」

這煞有介事的說法，讓赫薩爾也忍不住彎起嘴角。

「你怎麼知道我們在這裡？」

莎耶問多馬，多馬難爲情地皺著臉。

「這要多虧悠娜。我們只是聽她的話，一路找來而已。」

多馬說，悠娜似乎能感覺到凡恩在哪裡。接著，又看著身邊的年輕移住民。

「途中我們好幾次都想回去算了。」

年輕人苦笑著點點頭，然後他看了周圍一眼，壓低聲音：

「……發生了什麼事嗎？我們是不是不該來這裡？」

莎耶對年輕人搖搖頭。

「你們能過來眞是太好了，智陀。」

聽莎耶說完事情經過，多馬和智陀都沉下了臉，看著森林。

「眞糟糕，他身上的傷那麼重。」

聽到多馬這麼說，悠娜又扭著身體，看著多馬。

「我們要去找歐蹌吧？」

多馬眨眨眼，低頭看著悠娜。

「當然。妳知道該走哪裡嗎？」

悠娜露出滿臉笑容，自信滿滿地指著。

「那裡！」

多馬和智陀都不禁笑了。

「莎耶小姐，那麼我們先走了。」

多馬說完後，看向赫薩爾，猶豫地說：

「拜託您這件事眞的很抱歉，不過，能不能請您轉告我母親，我們可能暫時回不去，讓她別擔心。」

赫薩爾眉宇間透露著擔憂。

「要我傳話是不要緊，但凡恩可是跟晉瑪之犬在一起啊。」

多馬和智陀看了彼此一眼，只是聳聳肩，什麼也沒說。

（所以……你們早有心理準備。）

他們對凡恩的情意之深讓赫薩爾感慨不已，什麼也沒再多說。

「但是，這森林深處是連馬也進不去的原生林，你們要帶這孩子去嗎？」

多馬微笑著。

「不要緊的。我們從小就在山裡長大。」

智陀輕撫著飛鹿的脖子。

「再說，對這傢伙來說，森林和山才是牠們的老家。」

然後他又平靜地說：

「凡恩教會我們騎乘這傢伙的方法，只要是凡恩能去的地方，我們也能去。」

莎耶悄悄接近智陀，抬頭看著他。

「如果我也想去的話，會不會不方便？」

智陀驚訝地抬起眉毛，但馬上回答，當然不會。

「沒問題。」

「那拜託你，讓我也去吧。載我一起去。」

多馬的表情頓時一亮。

「太好了。有莎耶在一起就更安心了。」

說完後，他又笑著加了一句。

「而且這樣凡恩也會比較高興。」

莎耶尷尬地苦笑著，但她馬上抓住智陀伸出的手，跨上飛鹿。

「……莎耶！」

背對火堆站著的麻盧吉尖聲叫住她。

「妳別多事，晉瑪之犬的事我們再也不管了。」

莎耶定定看著父親，用清亮的聲音說：

「我要拋棄奧克巴紫杉之弓，再也不回故鄉了。」

莎耶將目光從父親驚愕的臉上移開，接著她對赫薩爾露出微笑，低下了頭。

臉上浮現的是豁然開朗的愉悅笑容。

「欸，我們不是要去找歐蹌嗎？」

悠娜不耐煩地說。莎耶笑著伸出手，捏了捏她的臉頰。

「好，悠娜，妳帶我們走吧。」

悠娜得意地點點頭。

「那就出發吧！這邊！」

多馬他們笑著，讓飛鹿調頭轉向那小小手指指著的方向。

漸漸西沉的太陽僅剩的一點光線，將他們的背影染上淡淡一層紅色。

歐基人、年輕移住民、沼地之民的女兒，還有墨爾法之女，他們像家人一樣依偎相伴，消失在黑暗森林深處。

背後傳來開門聲。

轉過頭，米拉兒拿著托盤，粗魯地用腳尖抵住門，走進房裡。

一股濃郁的茶香瀰漫。

從亞路路凡斷崖回到醫院已過了兩天，但身體還是覺得很疲倦。赫薩爾完全不想動，只是成天出神地思考製藥的問題。

依照約定，赫薩爾將多馬拜託的話轉達給他母親。原本以爲她會很擔心，沒想到季耶聽了之後，意外地冷靜。

「您還特地來通知，眞是太感謝了。既然這樣，我就再待一陣子，等兒子他們回來吧。假如要花很多時間的話，就先讓未野回歐基，通知我丈夫他們就行了。」

說完，季耶臉上帶著淡淡微笑。

「悠娜這孩子的個性就是這樣，我想她一定會找到凡恩的。而且還有莎耶小姐同行，眞是太好了。」

聽著季耶溫婉的聲音，赫薩爾也漸漸平靜了下來。

自從聽到莎耶的描述後，一個化爲野獸、消失在原生林深處的孤獨男子身影便始終揮之不去，現在那身影終於漸漸淡去，赫薩爾眼中浮現凡恩在親人環繞下，露出安穩微笑的表情。

（沒錯……那男人已經不是獨角了。）

赫薩爾深信，他們一定會找到那男人。

米拉兒將托盤放在小桌上，站在赫薩爾身邊，望著水槽。

「已經完全變成葉子的形狀呢。」

綠色的水藻在大水槽中悠然飄動。

午後的陽光在水裡搖動，悠然款擺。有個東西附著在水藻的莖上，彷彿又大又平坦的樹葉。剛從卵孵化時，裸鰓還充滿活力地到處游來游去，到最後，就會附著在水藻上，吸取水藻的葉綠小體。現在的形態已經跟幼體時完全不一樣了。

在那平坦身體的尖端，還能看出頭部的痕跡，但現在已經沒有嘴巴，連動也不能動，身上還長出葉脈，看起來就像葉子一樣。失去了活動和攝食的喜悅，只是個安靜存在的生命。

最後，這片綠葉會產卵，並敗給自己體內的病素死去。病素從死去的葉子裡釋出、進入水藻中，而從卵孵化的裸鰓吸取葉綠小體時，這些病素就會進入體內。

對「光葉」來說，病素是可怕的病種；但對病素來說，葉子是支撐自己生命的世界。這種說不上誰才是主角、奇妙又複雜的關係，正在眼睛看不見的地方靜靜延續、不斷循環。

「我小時候……」

赫薩爾突然露出苦笑。

「發現這傢伙的屍體時，覺得很害怕。還以爲我搞砸了。」

他還記得當時祖父放在自己肩上那隻手的重量，還有聲音。

那時母親剛過世。

祖父對這名一邊看著留下卵而死的「光葉」，一邊在心中想著母親的少年所說的話，聽來或許冷淡，音調也很平板、冰冷。

——所有生物都一樣，大家體內都有病種存在。如果能戰勝身體裡的這些病種，就能活下去；如果輸了，就會死。所有生物都是一樣的。

（那時候，祖父他……）

祖父或許是用他自己的方式，試圖安慰我吧。

雖然不是溫柔甜蜜的話語，極其冷靜，卻道盡了這世上無一例外的無常。

祖父就是這種人。外表看來溫柔優雅，但內心卻極爲冰冷。

（可是……）

祖父那番話，或許正是自己研究的起點。

（所有生物體內都帶著病種。）

生命中必然潛藏著死亡。

（儘管如此，還是得活下去。爲了不讓連繫著微弱生命的絲線斷裂，必須不斷重新接起這條懸命之線。）

從誕生到消失，這段期間充滿了悲哀和喜悅。

偶爾對旁人伸出援手，偶爾也會被旁人溫暖的手所拯救，不斷交織著生命之線。

他再次想起那個身懷可怕疾病、消失在森林深處的男人。還有追在男人身後的那群背影。他們，還有自己，總有一天都會融入夢中。

午後的陽光照射在溫暖的水裡，讓綠葉也跟著微微發光。

全書完

# 〈後記〉人體內外

再也沒有什麼比自己的身體更難以捉摸……

這幾年，我苦於年邁父母和自己面臨更年期所帶來的身體不適，過了五十歲後，已跟年輕時大不相同，就算能「控制走下坡的速度」，也無法「奮力往上坡走」。每當我感受到人體這毫不留情的眞相時，不禁會想：現在的自己，身體裡到底發生了什麼變化？

能用眼睛去看、用耳朵去聽的，全都是自己以外的世界。明明是自己的身體，卻得仰賴最新的機器，才能一窺內側的種種。有時候我會覺得，還有比這更奇妙、更不可思議的事嗎？

思索著這些問題時，我遇見了一本探討生物進化論的書《病毒進化》（注：*Virolution*, 法蘭克·萊恩著，二〇〇九年於美國出版）。作者認爲，侵害人體的敵人——病毒，有時可能也會扮演讓身體產生變化的共生體，以此爲發想，書中整理出許多對各種現象的驗證。讀完後，我睡了一夜，隔天睜開眼，一名男子的手臂被狼之類的野獸咬傷後，進入他體內的病毒漸漸產生變化——這個影像鮮明地浮現在我腦中。

當我腦中看到在奔跑的男人背影後頭，有個拚命追趕的可愛小女孩時，我心想，啊，我可以寫——一名漸漸不再是「人」的男子，以及追在他身後的小女孩。我想，這樣的故事我應該寫得出來。

只要有三樣能打動我的東西，我好像就能完成一個故事。以《鹿王》來說，這三件事就是「人無法了解發生在自己身體內部的事」「人（或生物）的身體，同時也是每天與細菌或病毒共生、格鬥的場域」，以及「這些道理跟社會很像」。當這三件事重疊交會，一個故事就這樣浮現出來。

人體腸道中的細菌幫助我們消化吸收、合成維生素、活化免疫功能，在這些細菌的幫助下，人類才得以生存。但是相反的，有時我們之所以吃壞肚子，也是某些細菌幹的好事。現在我們的身體裡，依然有許多忙碌的小生命，時而互助，時而對抗。一想到自己身體裡有這些生命存在，不禁覺得那簡直是另一個世界，有種不可思議的感覺。

我們常說，人體就像個小宇宙，不過人不管在身體的內側或外側，都不斷活在無數的共生和糾葛關係當中，當我腦中產生這個念頭，《鹿王》這個故事便來勢洶洶地逐漸在腦中成形。

但是一旦提筆，我才領悟到要靠這個發想來描繪一個以異世界爲舞臺的故事，是多麼龐大艱辛的工作。不僅因爲我是個完全沒有醫學知識的外行人，同時，我還得從這個異世界的醫學觀點，來建構起一套思想才行。

我花了三年時間完成本書，途中也曾經想要放棄。就在我面臨瓶頸的時候，又遇到了另一本重要的書。

讀了柳澤桂子所著的《生死書：死亡的生命科學》，我才第一次知道，只要條件齊備，有些生物可以長生不死，同時我也了解，性的分化帶來了死亡。當我知道鮭魚會在產卵後死去，有可能是因爲產卵後免疫能力顯著下降而導致發病時，便回想起在《細菌進化》一書中提到裸鰓類「綠葉海蛞蝓」這個令人印象深刻的故事。直到那時，我筆下的故事終於再次啓動。

一如往常，《鹿王》這個故事受到許多書籍、許多人的大力協助，才得以問世。

尤其是這次我懷抱著「有關醫學的部分，絕不能犯最基本的錯誤」的強烈危機意識，也因此受到表哥松木孝道醫師很多幫助。表哥遊歷各國，對傳染病有豐富的知識，要是沒有他的建議，絕對無法完成這個故事。這次拜託表哥全權負責醫學部分的監修審訂工作，而他也在極度忙碌的行程中，給了我相當誠懇仔細的指導。

另外，有關菌類和藻類共生的地衣類專家——國立科學博物館的大村嘉人老師，也花了大量時間告訴我許多寶貴知識。一邊欣賞老師所採集的美麗地衣，一邊聽著那些令人瞠目結舌的小故事，這些都讓《鹿王》的世界更加豐富。

關於馴鹿遊牧民族，過去曾和我一起共同研究的重要友人——國立民族學博物館佐佐木史郎教授，給了我許多寶貴建議。我把那張附有佐佐木先生騎乘馴鹿照片的賀年卡放在桌前，勤奮地寫著《鹿王》。

假如在敘述和解釋上有任何錯誤，責任全都在我；但因爲有各位誠懇細心地監修審訂，才得以培養出支撐整個故事的重要根基。我在這裡要向各位表達由衷的感謝。

首次談及此書已是十多年前，至今仍耐心等待的角川書店編輯；以令人驚嘆的明快筆調，描繪出韻味深遠封面圖畫的影山徹先生；在宣傳短片中繪製精彩插畫的梶原 NIKI；在閱讀這部長篇作品後，給了我許多回饋的讀者們；在我痛苦掙扎、覺得自己寫不出來時，總是激勵我的作家朋友荻原規子小姐、佐藤多佳子小姐；還有永遠陪我對話、幫忙我整理思緒，於公於私都給我許多扶持的伴侶和家人，我都要打從心裡獻上感謝。眞的非常謝謝各位。

二〇一四年八月　於我孫子

上橋菜穗子

Eurasian Publishing Group
圓神出版事業機構
用心與你對話．網羅無限寬廣
圓神出版社
Eurasian Press

www.booklife.com.tw reader@mail.eurasian.com.tw

小說緣廊 003

# 鹿王（下）回歸者

作　　者／上橋菜穗子
譯　　者／詹慕如
發 行 人／簡志忠
出 版 者／圓神出版社有限公司
地　　址／台北市南京東路四段50號6樓之1
電　　話／（02）2579-6600・2579-8800・2570-3939
傳　　真／（02）2579-0338・2577-3220・2570-3636
總 編 輯／陳秋月
書系主編／李宛蓁
責任編輯／林雅萩
校　　對／林雅萩・李宛蓁
美術編輯／林雅錚
行銷企畫／吳幸芳・張鳳儀
印務統籌／劉鳳剛・高榮祥
監　　印／高榮祥
排　　版／莊寶鈴
經 銷 商／叩應股份有限公司
郵撥帳號／18707239
法律顧問／圓神出版事業機構法律顧問　蕭雄淋律師
印　　刷／祥峯印刷廠
2016年10月　初版

SHIKA NO OU 2: KAETTE IKU MONO

Edited by KADOKAWA SHOTEN
First published in Japan in 2014 by KADOKAWA CORPORATION, Tokyo.
Chinese translation rights arranged with KADOKAWA CORPORATION, Tokyo, through TOHAN CORPORATION, Tokyo.


定價 800 元（上下冊不分售）　ISBN 978-986-133-591-9

父親說，才能是一種殘酷的東西。
面臨絕境時，會逼著這種人站出去。
如果沒有這份與生俱來的才能，
或許可以保全自己的性命。
我心想，其實這只是一種必然：
因爲生而如此，所以才這麼做，或許只是這樣而已吧。

——上橋菜穗子，《鹿王》（下）回歸者



國家圖書館出版品預行編目資料

鹿王（下）回歸者／上橋菜穗子著；詹慕如譯.
--初版-- 臺北市：圓神，2016.10
432 面；14.8×20.8公分 --（小說緣廊；3）

ISBN 978-986-133-591-9（平裝）

861.57　　105015410